구문을
알아야
독해가 된다

수능 독해가 풀리는
필수 구문

저자

김기훈 現 ㈜쎄듀 대표이사
現 메가스터디 영어영역 대표강사
前 서울특별시 교육청 외국어 교육정책자문위원회 위원
저서 천일문 〈입문편·기본편·핵심편·완성편〉 / 천일문 GRAMMAR
첫단추 BASIC / Grammar Q / ALL씀 서술형 / Reading Relay
어휘끝 / 어법끝 / 쎄듀 본영어 / 절대평가 PLAN A
독해가 된다 시리즈 / The 리딩플레이어 / 빈칸백서 / 오답백서
첫단추 시리즈 / 파워업 시리즈 / Sense Up! 모의고사
절대유형 시리즈 / 수능실감 시리즈 등

쎄듀 영어교육연구센터
쎄듀 영어교육센터는 영어 콘텐츠에 대한 전문지식과 경험을 바탕으로
최고의 교육 콘텐츠를 만들고자 최선의 노력을 다하는 전문가 집단입니다.

Project Managing **박민경**
개발에 도움을 주신 분 **최대호** 선생님 (전북과학고)

마케팅 콘텐츠 마케팅 사업본부
제작 정승호
영업 문병구
인디자인 편집 한서기획
디자인 윤혜영
영문교열 Eric Scheusner · Janna Christie

Preface 이 책을 펴내며

이 책은 2015년 발간된 <구문현답>을 토대로 한 교재로, 영어 구문에 대한 이해를 높이고 막힘없이 독해하는 능력을 키워, 나아가 어떤 독해 지문이든 자신 있게 풀 수 있도록 기획되었습니다.

구문이란 수많은 문법 규칙이 모여 이루어진 영어 특유의 표현 방식으로, 이러한 구문에 대한 이해가 부족하다면 어휘와 문법 지식이 충분하다 하더라도 독해가 잘 되지 않을 수 있습니다. 문장 하나하나를 문법적으로 분석하는 것보다 훨씬 더 중요한 것은 영어에 잘 쓰이는 특유의 표현 방식을 숙지하여 독해에 바로 적용할 줄 아는 것입니다. 따라서 이 책을 학습하고 나면 어떤 글이든 해석해낼 수 있다는 자신감이 부쩍 늘어 있을 것입니다. 이번 개정을 통해 예문과 독해 문제들을 개선하였고, 독해 지문에 포함된 서술형으로 심도 있는 구문 학습의 기회를 제공하였습니다.

본 교재의 특징은 다음과 같습니다.

첫째, 학습 효율성을 높이는 구성

절대평가가 도입된 쉬운 수능 시대에 맞춰 시험에 꼭 출제되는 구문만 학습하도록 구성하였습니다. 이를 위해 쎄듀의 연구진들은 출제된 최신 수능과 모의고사 문제를 철저히 분석하여, 오랜 시간을 들이지 않고도 구문 학습을 마무리할 수 있도록 출제 빈도와 중요도를 감안한 목차를 구성하였고 이 과정에서 학습이 불필요한 구문은 과감히 배제하였습니다.

둘째, 단계별 구성

1단계: 구문의 이해 및 문제 해결책 제시 ⇒ 2단계: 실제 기출 사례를 문제로 접하기 ⇒ 3단계: 문장 단위의 구문 집중 연습문제 ⇒ 4단계: 실제 독해 문제 풀이 적용으로 이어지는 학습을 통해 구문에 대한 이해부터 독해 문제 풀이에 대한 감각까지 자연스럽게 습득할 수 있습니다. 이 책에 수록된 독해 문제는 모두 최신 수능 경향을 반영하여, 모의고사와 수능 유형 문제에 대한 접근법도 함께 익힐 수 있습니다.

셋째, 기출 예문으로 키우는 실전 감각

구문의 패턴을 설명하는 부분에 쓰인 예문은 수능과 모의고사 기출에서 발췌하여 실제 시험에 출제되는 구문에 대한 감각을 충분히 키울 수 있도록 하였습니다.

본 교재는 해결 방법을 몰라 어렵게만 느껴졌던 영어 구문 학습에 현명한 답을 제시해드리겠습니다. <구문을 알아야 독해가 된다>가 여러분의 든든한 지원군이 되어드리겠습니다.

- 저자 -

Preview 미리보기

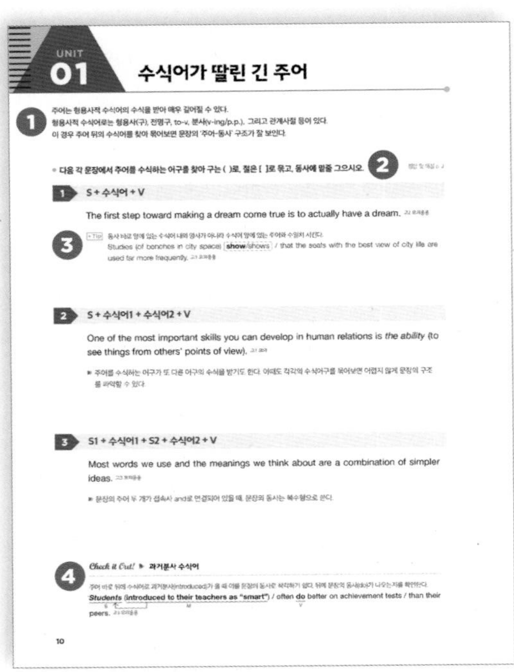

1 각 유닛에서 학습할 구문의 포인트. 총 60회분의 모의고사와 대수능을 분석해 자주 출제되는 구문을 패턴별로 나누어 명쾌히 설명하였습니다.

2 문제를 통해 구문에 대해 얼마나 잘 이해하고 있는지 미리 확인해볼 수 있습니다.

3 패턴 분석에 덧붙여 알아두면 좋을 유용한 팁을 제시합니다.

4 구문과 관련하여 헷갈리기 쉬운 부분까지 세심하게 정리하였습니다.

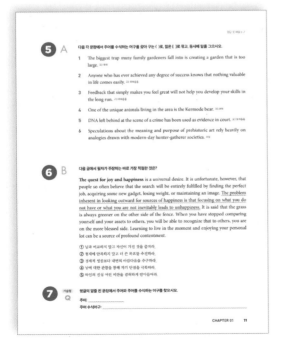

5 양질의 문장형 문제들을 통해 다양한 구문 훈련을 할 수 있도록 구성하였습니다. 앞서 배운 구문 패턴을 더욱 심도 있게 이해할 수 있습니다.

6 학습한 구문을 바로 독해 문제에 적용합니다. 학습한 구문에 굵게 표시하였으며, 답을 도출하는 데 핵심이 되는 주요 문장 위주로 해당 구문이 포함되어 있어 문제 해결 능력을 키울 수 있습니다.

7 구문 학습의 이해를 다시 한번 체크할 수 있는 서술형 문제를 함께 제공합니다.

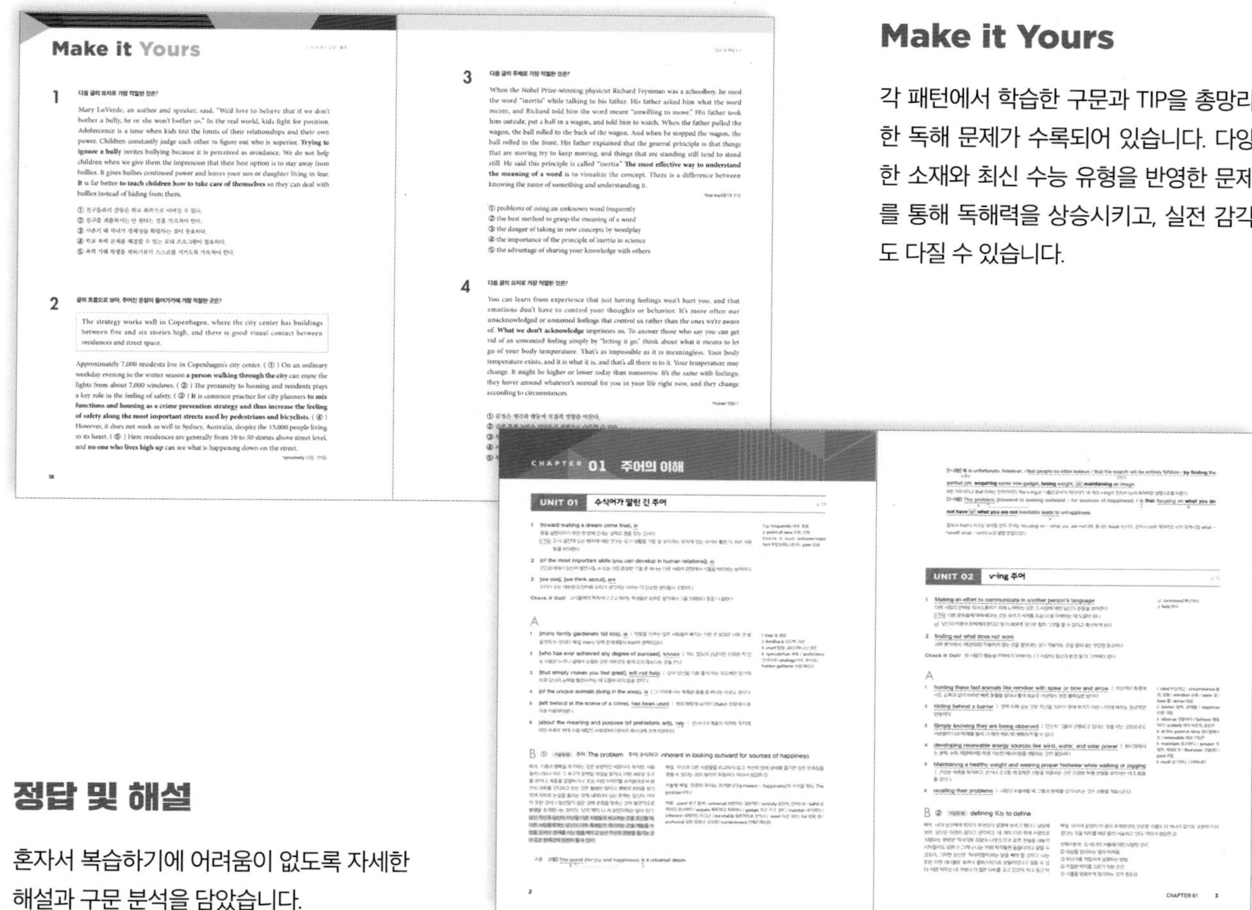

Make it Yours

각 패턴에서 학습한 구문과 TIP을 총망라한 독해 문제가 수록되어 있습니다. 다양한 소재와 최신 수능 유형을 반영한 문제를 통해 독해력을 상승시키고, 실전 감각도 다질 수 있습니다.

정답 및 해설

혼자서 복습하기에 어려움이 없도록 자세한 해설과 구문 분석을 담았습니다.

이 책에 쓰인 기호

/, // 끊어 읽기 ( ) 수식어구 [ ] 수식어절 (*that*) 생략 가능 어구 「」 구문 → 참조 유닛 표시

└ = ┘ 동격 의미 └┘ 서로 연관됨

S 주어 V 동사 O 목적어 C 보어 M 수식어 S′ 진주어 또는 종속절의 주어

O′ 진목적어 또는 종속절의 목적어 v-ing 동명사 또는 현재분사 to-v to부정사

www.cedubook.com에서 무료 부가자료를 다운로드 받으세요.

Contents 목차

▶ CHAPTER 07

부사적 수식어구: 부정사

▶ CHAPTER 08

부사적 수식어구: 분사구문

▶ CHAPTER 09

접속사의 이해

▶ CHAPTER 10

관계사절

▶ CHAPTER 11

비교구문

▶ CHAPTER 12

복잡하고 긴 문장의 이해

Study Plan 학습 플랜

12주 동안 주 2회 학습할 경우 학습 플랜의 예시입니다.
평일 중 이틀은 학습을 하고 주말 동안 복습 또는 평일에 학습하지 못한 부분을 진행하세요.
(/) 안에는 학습한 날짜를 기입하고, 학습을 완료한 후에는 □에 ✓표시하세요.

1주	**CH01** UNIT 1~3	**CH01** UNIT 4, Make it Yours	복습
	(/)	(/)	(/)
	완료 □	완료 □	완료 □
2주	**CH02** UNIT 1~3	**CH02** UNIT 4, Make it Yours	복습
	(/)	(/)	(/)
	완료 □	완료 □	완료 □
3주	**CH03** UNIT 1~3	**CH03** UNIT 4, Make it Yours	복습
	(/)	(/)	(/)
	완료 □	완료 □	완료 □
4주	**CH04** UNIT 1~3	**CH04** UNIT 4, Make it Yours	복습
	(/)	(/)	(/)
	완료 □	완료 □	완료 □
5주	**CH05** UNIT 1~2	**CH05** UNIT 3, Make it Yours	복습
	(/)	(/)	(/)
	완료 □	완료 □	완료 □
6주	**CH06** UNIT 1~2	**CH06** UNIT 3, Make it Yours	복습
	(/)	(/)	(/)
	완료 □	완료 □	완료 □
7주	**CH07** UNIT 1~2	**CH07** UNIT 3, Make it Yours	복습
	(/)	(/)	(/)
	완료 □	완료 □	완료 □
8주	**CH08** UNIT 1~3	**CH08** UNIT 4, Make it Yours	복습
	(/)	(/)	(/)
	완료 □	완료 □	완료 □
9주	**CH09** UNIT 1~3	**CH09** UNIT 4, Make it Yours	복습
	(/)	(/)	(/)
	완료 □	완료 □	완료 □
10주	**CH10** UNIT 1~2	**CH10** UNIT 3, Make it Yours	복습
	(/)	(/)	(/)
	완료 □	완료 □	완료 □
11주	**CH11** UNIT 1~2	**CH11** UNIT 3, Make it Yours	복습
	(/)	(/)	(/)
	완료 □	완료 □	완료 □
12주	**CH12** UNIT 1~3	**CH12** UNIT 4, Make it Yours	복습
	(/)	(/)	(/)
	완료 □	완료 □	완료 □

CHAPTER

01

주어의 이해

주어 찾기는 구문독해의 기본이다. 주어 자리에는 명사, 대명사, 명사구, 명사절 등이 온다.
주어를 파악하기 어려운 경우는 주로 주어가 긴 수식어구의 수식을 받을 때,
v-ing구가 주어일 때, 명사절이 주어일 때 등이다.
이 챕터에서는 위의 주어들을 파악하는 방법에 대해 다룬다.

UNIT 01

수식어가 딸린 긴 주어

주어는 형용사적 수식어의 수식을 받아 매우 길어질 수 있다.
형용사적 수식어로는 형용사(구), 전명구, to-v, 분사(v-ing/p.p.), 그리고 관계사절 등이 있다.
이 경우 주어 뒤의 수식어를 찾아 묶어보면 문장의 '주어-동사' 구조가 잘 보인다.

● **다음 각 문장에서 주어를 수식하는 어구를 찾아 구는 ( )로, 절은 [ ]로 묶고, 동사에 밑줄 그으시오.** 정답 및 해설 p. 2

1 S + 수식어 + V

The first step toward making a dream come true is to actually have a dream. 고2 모의응용

+Tip 동사 바로 앞에 있는 수식어 내의 명사가 아니라 수식어 앞에 있는 주어와 수일치 시킨다.
Studies (of benches in city space) **show**/shows / that the seats with the best view of city life are used far more frequently. 고1 모의응용

2 S + 수식어1 + 수식어2 + V

One of the most important skills you can develop in human relations is *the ability* (to see things from others' points of view). 고1 모의

▸ 주어를 수식하는 어구가 또 다른 어구의 수식을 받기도 한다. 이때도 각각의 수식어구를 묶어보면 어렵지 않게 문장의 구조를 파악할 수 있다.

3 S1 + 수식어1 + S2 + 수식어2 + V

Most words we use and the meanings we think about are a combination of simpler ideas. 고3 모의응용

▸ 문장의 주어 두 개가 접속사 and로 연결되어 있을 때, 문장의 동사는 복수형으로 쓴다.

Check it Out! ▸ 과거분사 수식어

주어 바로 뒤에 수식어로 과거분사(introduced)가 올 때 이를 문장의 동사로 착각하기 쉽다. 뒤에 문장의 동사(do)가 나오는지를 확인한다.

Students (**introduced to their teachers as "smart"**) / often **do** better on achievement tests / than their peers. 고3 모의응용
(S: Students, M: introduced to their teachers as "smart", V: do)

다음 각 문장에서 주어를 수식하는 어구를 찾아 구는 ( )로, 절은 [ ]로 묶고, 동사에 밑줄 그으시오.

1 The biggest trap many family gardeners fall into is creating a garden that is too large. 고2 모의

2 Anyone who has ever achieved any degree of success knows that nothing valuable in life comes easily. 고2 모의응용

3 Feedback that simply makes you feel great will not help you develop your skills in the long run. 고3 모의응용

4 One of the unique animals living in the area is the Kermode bear. 고3 모의

5 DNA left behind at the scene of a crime has been used as evidence in court. 고1 모의응용

6 Speculations about the meaning and purpose of prehistoric art rely heavily on analogies drawn with modern-day hunter-gatherer societies. 수능

B

다음 글에서 필자가 주장하는 바로 가장 적절한 것은?

The quest for joy and happiness is a universal desire. It is unfortunate, however, that people so often believe that the search will be entirely fulfilled by finding the perfect job, acquiring some new gadget, losing weight, or maintaining an image. The problem inherent in looking outward for sources of happiness is that focusing on what you do not have or what you are not inevitably leads to unhappiness. It is said that the grass is always greener on the other side of the fence. When you have stopped comparing yourself and your assets to others, you will be able to recognize that to others, you are on the more blessed side. Learning to live in the moment and enjoying your personal lot can be a source of profound contentment.

① 남과 비교하지 말고 자신이 가진 것을 즐겨라.
② 현재에 만족하지 말고 더 큰 목표를 추진하라.
③ 경제적 성공보다 내면의 아름다움을 추구하라.
④ 남에 대한 관찰을 통해 자기 단점을 극복하라.
⑤ 타인의 진심 어린 비판을 겸허하게 받아들여라.

서술형 Q **윗글의 밑줄 친 문장에서 주어와 주어를 수식하는 어구를 찾으시오.**

주어: ____________________

주어 수식어구: ____

v-ing 주어

주어에는 명사, 대명사 외에 v-ing가 만드는 명사구도 쓰일 수 있다.
대개 딸린 어구들이 있어 주어가 길어지므로, 동사 앞에서 끊어 'v하는 것은'으로 해석한다.

● **다음 각 문장의 주어를 찾아 밑줄 그으시오.** 정답 및 해설 p. 3

1 v-ing + V

Making an effort to communicate in another person's language shows your respect for that person. 고1 모의

+Tip v-ing구 주어는 단수 취급하므로 현재시제일 때 단수동사를 쓴다.
Learning about other cultures [**helps** / help] us to understand the world a little better. 고1 모의응용

cf. *Believing that your work should be perfect* (이유를 나타내는 분사구문(~하므로)), you (S) gradually become (V) convinced that you cannot do it. 고3 모의

v-ing로 문장이 시작한다고 해서, 모두 명사구 주어는 아니다. 부사의 역할을 하는 분사구문일 수도 있으니, v-ing 구 뒤에 동사가 이어지고 있는지, 아니면 「주어+동사」로 이루어진 주절이 이어지고 있는지 확인하는 것이 필요하다. (➔ 08 부사적 수식어구: 분사구문)

2 부사구, v-ing + V

In the field of science, / finding out what does not work is as important as finding out what does. 고2 모의응용

▶ 주어라고 해서 반드시 문장의 맨 앞에 위치하는 것은 아니다. 또한, 주어를 이루고 있는 동사(does not work)를 문장 전체의 동사로 착각하지 않도록 해야 한다.

Check it Out! ▶ **문장 앞에 나오는 to-v**

to-v도 명사구로 쓰일 수 있으므로 주어가 될 수 있지만, 실제 영문에서 그렇게 쓰이는 경우는 드물고, 대개 「It ~ to-v」의 형태를 취한다. (➔ 01-04 가주어 it) 문장 앞에 나오는 to-v는 '목적'을 뜻하는 부사구(M)인 경우가 많다.

To understand one's behavior (M(v하기 위하여)), we (S) have to look (V) at both the mind and the environment. 고3 모의응용

다음 각 문장의 주어를 찾아 밑줄 그으시오.

1 Even under ideal circumstances, hunting these fast animals like reindeer with spear or bow and arrow is an uncertain task. 수능응용

2 Hiding behind a barrier is a normal response we learn at an early age to protect ourselves. 고1 모의

3 Simply knowing they are being observed may cause people to behave differently (such as more politely!). 수능

4 At this point in time, developing renewable energy sources like wind, water, and solar power is necessary. 고1 모의

5 Maintaining a healthy weight and wearing proper footwear while walking or jogging will help you maintain healthy knee joints. 고2 모의응용

6 When people are depressed, recalling their problems makes things worse. 고1 모의

B

다음 글의 주제로 가장 적절한 것은?

Suppose I asked you to explain what a table is. You might think this is easy and start to come up with statements like: "A flat rectangular piece of wood supported horizontally on four legs." But I could say, "Some tables are round," and you'd have to drop the "rectangular." I could also say that some tables are made of glass or plastic. Some tables have more than four legs, and small round tables sometimes only have one central leg. If your definition tried to cover all the tables you've ever seen, I might still be able to throw doubt upon whether your definition allows for the kinds of tables that might be produced in the future. Despite your effort, ⓐ define just a simple thing such as a table is not easy at all.

① various definitions of one product
② the difficulties of defining objects
③ how to explain something properly
④ tips for choosing appropriate tables
⑤ the importance of defining things clearly

서술형

윗글의 밑줄 친 ⓐ define을 어법에 맞게 쓰시오.

____

UNIT 03

명사절 주어

접속사 whether, 의문사, 관계대명사 what, 복합관계대명사 등이 이끄는 명사절은 문장에서 주어 역할을 할 수 있다.

● **다음 각 문장의 주어를 찾아 밑줄 그으시오.** 정답 및 해설 p. 4

1 접속사 whether + S' + V'

Whether we develop effective communication skills depends largely on how easily we express our emotions when we are young. 고3 모의응용

▶ 접속사 whether가 명사절에 쓰일 때는 '~인지 (아닌지)'의 의미로 쓰인다.

cf. Whether you're at a bank or amusement park (~이든(양보를 나타내는 부사절)), waiting in line (S) is (V) probably not fun. 고1 모의응용

whether가 부사절을 이끄는 접속사로 쓰일 때는 '~이든 (아니든)'의 의미를 갖는다. (➔ 09-01 의미가 다양한 접속사)

2 의문사 + (S') + V'

Where your ancestors came from could affect your resistance to infections. 고1 모의응용

▶ 의문사절은 「의문사+주어+동사」 혹은 「의문사(주어)+동사」의 어순으로 쓰인다.

+Tip 명사절 주어는 v-ing구 주어와 마찬가지로 단수 취급하여 단수동사를 쓴다.
Who we believe we are [**is** / are] a result of the choices we make about who we want to be like.
(*명사절 Who we believe we are에서 we believe는 삽입절이다.) 고3 모의응용

3 관계대명사 what + (S') + V' + V

What is more surprising is that you can find more vitamin C in the white pith than in the actual orange. 고1 모의

*pith 중과피 (오렌지 등의 껍질 안쪽 하얀 부분)

▶ 선행사를 포함한 관계대명사 what은 the thing(s) which와 같은 의미로, 「what+주어+동사」 혹은 「what(주어)+동사」의 어순으로 쓰인다.

Check it Out! ▶ 접속사 that이 이끄는 명사절 주어

접속사 that이 이끄는 명사절은 주어로 거의 사용하지 않고 가주어 it으로 대체하여 표현한다. 이때 진주어인 that 이하를 문장의 주어로 해석하면 된다. (➔ 01-04 가주어 it)

It (S(가주어)) is known **that 85% of our brain tissue is water** (S'(진주어)(~은)), so water is a vital component for the smooth function of our brain. 수능응용

다음 각 문장에서 명사절 주어를 찾아 밑줄 그으시오.

1 How our mothers can get their energy and do so much for us always amazes me.

2 When you are on a diet, what you should be looking for is food rich in protein but with the least amount of fat.

3 How many people are physically around us has nothing to do with loneliness. 고2 모의

4 In this book, how our brains have evolved towards keeping us safe from external threats is described.

5 Why we need to sleep remains unclear, but most experts agree that we cannot function without it.

6 Whether an animal can feel anything similar to human loneliness is hard to say. 고3 모의

B

다음 글의 요지로 가장 적절한 것은?

You might believe that "real" art possesses some special magic ingredient, and this can put pressure on you to prove that your work contains the same. This is very wrong. Asking your work to prove anything only ⓐ invites doom. And believing in magic ⓑ leaves you feeling less capable whenever another artist's qualities are praised. Surely, art-making probably does take something special, but **just what that something would be** ⓒ is hidden. It may be something unique to each artist, rather than universal to them all. **Whether you have other artists' qualities** ⓓ don't matter. **Whatever they have** ⓔ is something needed to do their work — it wouldn't help you in your work even if you had it.

*doom 파멸, 비운

① 예술가는 각자만의 재능이 있다.
② 예술의 가치는 참신한 상상력에 있다.
③ 예술은 현실과 동떨어진 것이 아니다.
④ 예술 작품에는 예술가의 개성이 반영되어야 한다.
⑤ 예술가는 때로 다른 예술 작품에서 영감을 얻을 수 있다.

서술형

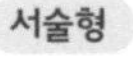

윗글의 밑줄 친 ⓐ~ⓔ 중, 어법상 틀린 것을 찾아, 바르게 고치시오.

____

UNIT 04 가주어 it

to-v가 이끄는 명사구 또는 명사절이 주어로 쓰여 길이가 길어지면 주어 자리에 it을 대신 쓰고 긴 주어를 뒤로 보내는 경향이 있는데, 이때 쓰는 it을 가주어라고 한다. 가주어 it은 앞에 나온 것을 대신하는 대명사가 아니므로 '그것'으로 해석하지 않으며, 진짜 주어(진주어)를 뒤에서 찾아 it 자리에 넣어서 해석해야 한다.

● **다음 각 문장에서 굵게 표시한 it이 가리키는 것을 찾아 밑줄 그으시오.** 정답 및 해설 p. 5

1 가주어 it + V~ + to-v

When we hear someone laughing, // **it** is almost impossible not to feel cheerful and begin laughing too. 고3 모의

2 가주어 it + V ~ + 명사절

It's important that the media provide us with diverse and opposing views, // so we can choose the best available options. 수능

▸ that절 외에 whether가 이끄는 명사절, 의문사가 이끄는 명사절도 진주어로 쓰인다.

cf. *1* You should let go of perfectionism. ***It*** becomes *an obstacle* [***that*** keeps you stuck]. 수능응용
대명사(= perfectionism) 관계사절

2 ***It was*** *not too long ago* // ***that*** there were no such things / as the Internet or cellphones. 고1 모의응용
부사구 강조

It is[was] ~ that 강조구문 (It is[was] ~ that을 제외하고도 문장이 성립한다면 가주어/진주어 구문이 아닌 강조구문) (➔ 12-01 강조구문)

Check it Out! ▸ v-ing구 진주어

v-ing구를 진주어로 하는 경우는 아래 관용례에 불과할 정도로 극히 제한적이다.

- It's nice v-ing: v하는 것은 좋다
- It's no good[use] v-ing: v해봐야 소용없다
- It's worth v-ing: v하는 것은 해볼 만하다
- It's fun v-ing: v하는 것은 재미있다

정답 및 해설 p. 5

다음 각 문장에서 진주어를 찾아 밑줄 그으시오.

1 It has become increasingly difficult to find unbiased news in this flood of information. 고1 모의

2 It is the responsibility of government to take care of people who can't take care of themselves. 고2 모의

3 Considering the statistics associated with cancer, it is worth thinking about cancer insurance.

4 It was once considered an amazing achievement to reach the summit of Mount Everest. 고2 모의

5 It has been proven that a computer can store and handle more information about chess moves than a human brain can. 고2 모의응용

6 It is unknown whether the crashed plane was shot down or had a mechanical problem.

B

다음 글에서 필자가 주장하는 바로 가장 적절한 것은?

In the fast-paced world in which we live, **it** is tempting **to notice someone's flashy car or wild hairdo and conclude right away, "Aha, I understand him!"** Almost everyone has the ability to read the cues that form first impressions, and most of us tend to stop there, or at least pay significantly less attention once we've made up our mind about someone. But why? Would we rush to the salesman's office to sign a contract to buy a new sports car just because it "looked" fast? Not the prudent buyer. He would want to know more details about its engine, transmission, suspension, and more. Likewise, (examine / it / important / to / is) as many important aspects of a person's personality as possible in order to gather enough information to form a complete and accurate impression without stereotyping or shortcut thinking.

*transmission (자동차의) 변속기 **suspension (자동차의) 완충 장치

① 첫인상만으로 사람에 대해 성급하게 판단하지 마라.
② 물건을 구매할 때 그것에 대해 충분한 조사를 하라.
③ 다른 사람들에게 좋은 첫인상을 남기려고 노력하라.
④ 계약서를 작성할 때는 전문가들에게 조언을 구하라.
⑤ 물질적인 부를 지나치게 강조하는 사람을 경계하라.

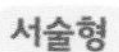

윗글의 괄호 안의 말을 바르게 배열하시오.

____

Make it Yours

1

다음 글의 요지로 가장 적절한 것은?

Mary LoVerde, an author and speaker, said, "We'd love to believe that if we don't bother a bully, he or she won't bother us." In the real world, kids fight for position. Adolescence is a time when kids test the limits of their relationships and their own power. Children constantly judge each other to figure out who is superior. **Trying to ignore a bully** invites bullying because it is perceived as avoidance. We do not help children when we give them the impression that their best option is to stay away from bullies. It gives bullies continued power and leaves your son or daughter living in fear. **It** is far better **to teach children how to take care of themselves** so they can deal with bullies instead of hiding from them.

① 친구들과의 갈등은 학교 폭력으로 이어질 수 있다.
② 친구를 괴롭혀서는 안 된다는 것을 가르쳐야 한다.
③ 사춘기 때 자녀가 정체성을 확립하는 것이 중요하다.
④ 학교 폭력 문제를 해결할 수 있는 교내 프로그램이 필요하다.
⑤ 폭력 가해 학생을 피하기보다 스스로를 지키도록 가르쳐야 한다.

2

글의 흐름으로 보아, 주어진 문장이 들어가기에 가장 적절한 곳은?

> The strategy works well in Copenhagen, where the city center has buildings between five and six stories high, and there is good visual contact between residences and street space.

Approximately 7,000 residents live in Copenhagen's city center. (①) On an ordinary weekday evening in the winter season **a person walking through the city** can enjoy the lights from about 7,000 windows. (②) The proximity to housing and residents plays a key role in the feeling of safety. (③) **It** is common practice for city planners **to mix functions and housing as a crime prevention strategy and thus increase the feeling of safety along the most important streets used by pedestrians and bicyclists**. (④) However, it does not work as well in Sydney, Australia, despite the 15,000 people living in its heart. (⑤) Here residences are generally from 10 to 50 stories above street level, and **no one who lives high up** can see what is happening down on the street.

*proximity 근접, 가까움

3 다음 글의 주제로 가장 적절한 것은?

When the Nobel Prize-winning physicist Richard Feynman was a schoolboy, he used the word "inertia" while talking to his father. His father asked him what the word meant, and Richard told him the word meant "unwilling to move." His father took him outside, put a ball in a wagon, and told him to watch. When the father pulled the wagon, the ball rolled to the back of the wagon. And when he stopped the wagon, the ball rolled to the front. His father explained that the general principle is that things that are moving try to keep moving, and things that are standing still tend to stand still. He said this principle is called "inertia." **The most effective way to understand the meaning of a word** is to visualize the concept. There is a difference between knowing the name of something and understanding it.

*inertia 《물리》 관성

① problems of using an unknown word frequently
② the best method to grasp the meaning of a word
③ the danger of taking in new concepts by wordplay
④ the importance of the principle of inertia in science
⑤ the advantage of sharing your knowledge with others

4 다음 글의 요지로 가장 적절한 것은?

You can learn from experience that just having feelings won't hurt you, and that emotions don't have to control your thoughts or behavior. It's more often our unacknowledged or unnamed feelings that control us rather than the ones we're aware of. **What we don't acknowledge** imprisons us. To answer those who say you can get rid of an unwanted feeling simply by "letting it go," think about what it means to let go of your body temperature. That's as impossible as it is meaningless. Your body temperature exists, and it is what it is, and that's all there is to it. Your temperature may change. It might be higher or lower today than tomorrow. It's the same with feelings; they hover around whatever's normal for you in your life right now, and they change according to circumstances.

*hover 맴돌다

① 감정은 생각과 행동에 직접적 영향을 미친다.
② 감정 통제 능력은 얼마든지 경험으로 습득할 수 있다.
③ 부정적 감정도 있는 그대로 인정하는 것이 바람직하다.
④ 자제하지 않은 감정 표출은 사회적 갈등으로 이어진다.
⑤ 부정적 감정은 긍정적 감정보다 통제하기가 더 어렵다.

5

다음 글의 제목으로 가장 적절한 것은?

Specific sounds are associated with specific goods, and sometimes we, as consumers, are not even aware of it. Because we are surrounded by a constant low level of white noise from washing machines, blenders, air conditioners and so on, many manufacturers once chose to invent products with no sound. **What they found** was that by removing the sound, products seemed to lose a crucial means of communication with the customer. In 1970, for example, IBM released their new improved model 6750 typewriter. IBM believed the beauty of it was that they had finally managed to create a completely silent machine. However, typists were not satisfied with it. They couldn't tell whether the machine was working or not! So IBM added an electronic sound to reproduce the functional noise they'd worked so hard to eliminate.

*white noise 백색 소음 (라디오에서 들을 수 있는 지직거리는 소리와 같이 모든 주파수를 포함한 소리)

① IBM Solves Many Electronic Problems
② White Noise Results in a Price Reduction
③ Functional Noise: A Means of Communication
④ Electronic Companies Overprice Their Products
⑤ Innovative Discovery: Removing the Electronic Sound

CHAPTER

02

목적어의 이해

UNIT 01 to부정사 · 동명사 목적어

UNIT 02 명사절 목적어

UNIT 03 가목적어 it

UNIT 04 제 위치를 벗어난 목적어

목적어는 대개 동사의 바로 뒤에 위치한다.
목적어로는 주어와 마찬가지로 (대)명사, 명사구, 명사절 등이 온다.
목적어를 파악하기 어려운 경우는 주로 it을 가목적어로 사용하는 구문이거나
목적어가 제 위치를 벗어난 경우 등이다.
이 챕터에서는 위의 목적어들을 파악하는 방법에 대해 다룬다.

UNIT 01

to부정사 · 동명사 목적어

동사가 목적어로 다른 동사를 취할 때 그 목적어는 반드시 to-v나 v-ing 형태여야 하는데, 동사에 따라 to-v만을 취하는 것과 v-ing만을 취하는 것이 있다. 또한, 어떤 동사들은 to-v나 v-ing를 모두 취할 수 있는데, 이때 어느 것을 써도 의미의 차이가 없는 경우가 있고, 분명하게 차이가 나는 경우도 있다.

● **다음 각 문장에서 굵게 표시한 동사의 목적어를 찾아 밑줄 그으시오.** 정답 및 해설 p. 9

1 S + V + to-v

I **decided** / to focus more on building a positive attitude / in *everything* I do. 수능응용

▶ to부정사만 목적어로 취하는 동사: decide, plan, choose (계획, 결심) / hope, want, wish, expect (희망, 기대) / agree, refuse, promise (동의, 거절, 약속) / afford, need, pretend 등

2 S + V + v-ing

When people say / bad things about you, // you should **avoid** / responding to what is said about you. 고1 모의응용

▶ 동명사만 목적어로 취하는 동사: keep, practice, enjoy (반복) / finish, stop, give up (중단) / mind, avoid, postpone, delay (피함, 연기) / admit, deny (인정, 부인) / consider, suggest (상상, 고려) 등

+Tip 동사 stop은 v-ing만 목적어로 취한다. stop to-v의 to-v는 stop의 목적어가 아니라 '목적'을 나타내는 부사적 용법의 to부정사.
I believe the machine was made poorly. At first, it made a lot of noise, and later, it stopped to operate / **operating** entirely. 수능응용

3 S + V + to-v[v-ing]

Dolphins **love** imitating[to imitate] swimming movements / and other behavior of fellow dolphins. 고1 모의응용

▶ 의미상의 차이 없이 to-v/v-ing를 모두 목적어로 취하는 동사: start, begin, love, intend, attempt 등

Check it Out! ▶ 목적어의 형태(to-v/v-ing)에 따라 의미가 달라지는 동사

목적어로 to-v를 취할 때와 v-ing를 취할 때 의미가 달라지는 동사들은 해석에 특히 유의해야 한다.

a. Audiences should ***remember* to turn off** their cell phones before the show. 고3 모의응용
(앞으로) v할 것을 기억하다(▶ to-v는 미래와 연결)

b. I ***remember* reading** about the rumor, which quickly spread throughout the whole country.
(과거에) v한 것을 기억하다(▶ v-ing는 과거와 연결)

- forget to-v (v할 것을 잊다) / forget v-ing (v한 것을 잊다)
- regret to-v (v하게 되어 유감이다) / regret v-ing (v한 것을 후회하다)

다음 각 문장에서 밑줄 친 부분이 어법과 문맥상 올바르면 O, 어색하면 X로 표시하고 바르게 고치시오.

1 He denied the charge and kept to plead innocent. 고1 모의

2 I remember trying to balance while walking on a railroad track when I was young. 고1 모의응용

3 Thanks to the door-to-door delivery service, you can enjoy to read new books without stepping out of your home. 고1 모의응용

4 People in reasonably good health at the age of 60 can now expect to live close to thirty more years. 고3 모의

5 Gandhi started fasting on January 13, 1948, to protest the fighting between Hindus and Muslims. 고1 모의

6 He decided becoming a director but failed his entrance exams to the film school two years in a row. 고2 모의응용

B

다음 글의 주제로 가장 적절한 것은?

Putting off activities, which is known as procrastination, can be used in a creative way and work in your favor. You can, for example, choose ⓐ postpone an unimportant task in order to engage in a pleasurable activity. You may **decide to put** something off because it's low on your priority list or because you **want to allow** time to make a thoughtful decision. In contrast, if you postpone ⓑ start important tasks chronically, it can block happiness. In other words, **avoiding completing** priorities will delay the happiness of achievement and create stress in the meantime. Moreover, studies have shown that students who frequently postpone tasks report lower grades and more stress. Therefore, anyone who **desires to live** a happy life should not put off crucial tasks, even though it is tempting to delay ⓒ do boring things through procrastination.

*procrastination 미루는 버릇

① difficulties in making your priority list
② merits and drawbacks of postponing tasks
③ effective ways to avoid unwanted activities
④ factors that make people put off activities
⑤ how stress is managed through procrastination

서술형 **Q** **윗글의 밑줄 친 ⓐ, ⓑ, ⓒ를 어법에 맞도록 적절한 형태로 바꾸시오.**

ⓐ ______________ ⓑ ______________ ⓒ ______________

UNIT 02

명사절 목적어

주어로 쓰일 수 있는 명사절은 목적어로도 쓰일 수 있다. 이 경우 목적어가 주로 길어지므로, 목적어 앞에서 한 번 끊어 읽는다. 명사절의 종류에는 접속사 that, if/whether가 이끄는 절, 의문사가 이끄는 절, 관계대명사가 이끄는 절 등이 있다.

● **다음 각 문장에서 굵게 표시한 동사의 목적어를 찾아 밑줄을 그으시오.** 정답 및 해설 p. 10

1 S + V + 접속사 that[if/whether] + S' + V'

I **believe** // that "good books" are educational / and useful to academic success. 고3 모의응용

▸ that이 이끄는 절은 '~하는 것을'으로 해석하고, if나 whether가 이끄는 절은 '~인지 (아닌지)를'로 해석한다.

+Tip 목적어로 쓰인 명사절을 이끄는 접속사는 문맥을 보고 알맞은 것으로 고른다.
After she saw the accommodations, my mother inquired [**if** / that] **she could leave her valuables in the hotel's safe**. 고3 모의응용

2 S + V + 관계대명사[의문사] + (S') + V'

People may or may not **remember** / what you said or did, // but they will always **remember** / how you made them feel. 고1 모의응용

▸ 관계대명사나 의문사가 명사절에 쓰일 때는 「관계대명사[의문사]+주어+동사」의 어순으로 쓰인다. 관계대명사나 의문사가 절에서 주어 역할을 할 때는 「관계대명사[의문사]+동사」의 어순으로 쓴다.

3 S + V + S' + V'

Most people **think** // their conscious minds control *everything* [they do]. 고1 모의응용

▸ 목적어가 되는 명사절을 이끄는 that은 생략되기도 한다.

4 S + V + 다른 절을 품은 명사절

We would **suggest** // that you not burden your readers with *messages* [that are too long or include unnecessary information]. 고1 모의응용

▸ 목적어절 안에 또 다른 절이 있는 경우로, 목적어가 매우 길어질 수 있음에 유의한다.

정답 및 해설 p. 10

다음 각 문장에서 목적어로 쓰인 명사절을 모두 찾아 밑줄 그으시오.

1 French law states that employees must receive a minimum of five weeks of vacation a year. 고1 모의

2 In Alaska, traditional beliefs and customs affect how people hunt and fish and who should do certain jobs. 고1 모의응용

3 Since I was too focused on finding my cell phone, I didn't realize my sister was right behind me.

4 Our genes determine whether we are morning people or night owls, and our daily routine needs to be adapted to our internal clock. 고2 모의

5 Look at how much communication happens through instant messaging and blogging. 고3 모의

6 The evidence shows that the time of day that we take medicine makes a difference to how successful the treatment will be. 고3 모의

B

다음 글의 제목으로 가장 적절한 것은?

In an essay, the psychologist Dean Simonton tries to (A) understand **why so many gifted children fail to develop their talents in later life**. One of the reasons, he concludes, is that they have "received an excessive amount of psychological health." They are children "too obedient to make the big time with some revolutionary idea." He goes on: "Gifted children typically emerge from highly supportive family conditions. In contrast, geniuses have a tendency to come from less favorable conditions." They could suffer from a childhood so hopeless that they push it to the furthest corners of their memory — and still some good comes from that. The existence of these geniuses suggests **that in certain circumstances a virtue can be made of hardship**.

① Gifted Children: Big Assets to Our Society
② Hardship Prevents Geniuses from Studying
③ How Memory Works in Displaying Academic Ability
④ Psychological Health: Primary Condition for Geniuses
⑤ Childhood's Influence on Geniuses and Gifted Children

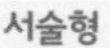

Q **윗글의 밑줄 친 (A)를 우리말로 옮기시오.**

____

UNIT 03

가목적어 it

어떤 동사들은 목적어가 to-v구, v-ing가 이끄는 명사구나 명사절인 경우, 그 자리에 대신 가목적어 it을 쓰고 원래의 목적어는 문장 뒤로 보낸다. 뒤에 나오는 진목적어를 가목적어 it의 자리에 넣어 해석하면 자연스럽다.

● **다음 각 문장의 굵게 표시한 it이 대신하는 것을 찾아 밑줄을 그으시오.** 정답 및 해설 p. 11

1 가목적어 it + C + to-v

Children (raised in *households* [that foster communication]) / find **it** easier to talk about their emotions later in life. 고3 모의응용

2 가목적어 it + C + 명사절

The professor made **it** clear / that visiting the theater is not just for the purpose of entertainment / but for experiencing the lives of others through drama. 수능응용

+Tip 가목적어 it이 쓰이는 관용표현

- **take it for granted (that)**: ~을 당연하게 여기다
- **make it a rule to-v**: v하는 것을 규칙으로 하다
- **~ has it that S+V**: ~에 따르면 (= according to ~, S+V)
- **see to it that**: 꼭 ~하게 하다, ~하도록 마음 쓰다

3 가목적어 it + C + for (대)명사 + to-v

The moving stripes on a herd of zebras / make **it** difficult for a lion to see where one zebra ends and another begins. 고3 모의응용

▶ 가목적어 다음에 진목적어 to-v의 의미상의 주어가 와서 진목적어가 멀리 떨어져 있는 경우이다. 「for+(대)명사」인 의미상의 주어까지 끊은 다음, 문장 뒤쪽에 진목적어가 있는지 찾으면 이해가 쉽다.

Check it Out! ▶ **대명사 it과의 구별**

앞에 나온 어(구)나 절의 내용을 대신하는 대명사 it과 가목적어 it을 혼동하지 않도록 유의한다.

I drank a cup of vegetable juice this morning. My mom makes it on a regular basis to help me consume a certain amount of vitamins.
(it = a cup of vegetable juice)

다음 각 문장에서 진목적어를 찾아 밑줄 그으시오.

1 The sail made it possible to trade with countries that could be reached only by sea. 고1 모의

2 While multitasking, a lot of students found it more difficult to organize their thoughts and filter out irrelevant information.

3 If you use up the paper in the copy machine, refilling it can make it easier for the next person to use the machine. 고1 모의응용

4 She made it clear that our happiness was important to her as well. 고1 모의응용

5 Our research makes it very evident that highly superior and imaginative children invent imaginary playmates. 수능응용

B

다음 글의 주제로 가장 적절한 것은?

The most obvious area in which older people and younger people differ is in how they remember. On average, younger people are more skilled at learning and retaining information when surrounded by distractions. They generally ⓐ (easy / it / engage in / find / to) several functions at once, such as watching a movie on TV while studying for a math exam. Older people, in general, require a quieter environment in which to digest new information for later use. It seems that older people **find it harder to filter out useless information, such as music or conversation**. For this reason, seniors are encouraged to read or study in a quiet environment, where they won't be easily distracted and can focus on the task at hand.

① reasons that people go to the library to study
② the importance of having a quiet environment
③ different studying styles between males and females
④ contrasting features of age-specific learning environment
⑤ various factors affecting one's academic accomplishments

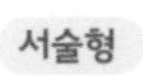

Q

윗글의 괄호 ⓐ 안의 말을 바르게 배열하시오.

____

UNIT 04

제 위치를 벗어난 목적어

목적어는 기본적으로 동사 바로 뒤에 위치한다. 그러나 강조를 위해 목적어가 문장 맨 앞에 놓이거나, 동사와 목적어 사이에 수식어구나 절이 삽입되는 경우에는 목적어의 파악이 어렵다. 또한, SVOC 문형에서 보어가 상대적으로 짧고 목적어가 긴 경우는 목적어가 문장의 맨 뒤로 가기도 한다. (●는 목적어가 원래 위치했던 자리)

● **다음 각 문장의 목적어를 찾아 밑줄을 그으시오.**

정답 및 해설 p. 12

1 O + S + V (+ C)

A lot of changes we can observe ●, // but some of them are not accepted by our brain right away. 고3 모의응용

▸ 강조하기 위해 목적어를 문장 맨 앞에 둔 형태이다.

2 S + V + M + O

He introduced ● to Europeans a new way of counting and doing math / – using what are now called Arabic numerals. 고1 모의응용

▸ 구가 삽입되어 동사와 목적어가 멀리 떨어져 있는 경우이다.

3 S + V + C + O

Most people would consider ● unfair *an economy* [in which some individuals are super-rich / while others are extremely poor]. 고2 모의응용

▸ 「S+V+O+C」 문형에서, 목적어가 길고 보어는 상대적으로 짧아 목적어가 이동했다.

다음 각 문장에서 굵게 표시한 동사의 목적어를 찾아 밑줄 그으시오.

1 He **offered** as proof of his innocence the result of a lie detector test that he took in July. 고1 모의응용

2 New words we **encounter** almost every day, but not all of them are actually useful.

3 The position of the teacher **carries** with it an authority that might influence the opinions of some students. 고3 모의응용

4 We tend to **find** more attractive a person who we expect to see again.

5 Serious mood disorders Vincent van Gogh **had**, which were the price of his intelligence and creativity.

B

다음 글의 주제로 가장 적절한 것은?

One benefit of having famous sports personalities in our society has been the attention drawn to life with a chronic illness. It is a boost for the youngster with a chronic illness to know that some of the athletes who have participated in the Olympics have chronic illnesses, including Misty Hyman and Tom Malchow (both of whom have asthma). (A) These athletes have delivered to our youth the important message that chronic illness is not an automatic barrier to success in sports. Of course, the vast majority of children, chronically ill or not, will not reach the heights of these athletes. But at the same time, they should not have to stay at home, staring out of the window while their friends play sports outside. Instead, these youngsters should be allowed the same healthy sports experience as other children.

*asthma 천식

① how to pursue an athletic career with asthma
② Olympic athletes who overcame childhood disease
③ ways to socialize children who cannot play sports
④ ending the discrimination faced by the chronically ill
⑤ the positive impact of successful athletes with chronic illnesses

서술형 Q

윗글의 밑줄 친 문장 (A)에서 목적어를 찾은 후, 그 목적어를 우리말로 옮기시오.

목적어: ______________________

해석: ______________________

Make it Yours

CHAPTER 02

1

다음 글의 요지로 가장 적절한 것은?

We have a tendency to think of happiness as something we will obtain in the future. Like the oasis visible from far away in the desert, we expect happiness down the road. We often **think there are some conditions we need to meet to be happy**, and we mistakenly **believe happiness will not come if we do not satisfy them**. For example, **suppose you think a degree will make you happy**. You think about the diploma day and night, and you do everything to get it. There may be joy in the weeks after you receive your diploma, but you will quickly adapt to that new condition, and in just a few weeks you won't feel happy anymore. We become accustomed to our circumstances, and after a while we don't feel happy any longer.

① 행복은 불행보다 쉽게 잊힌다.
② 간절히 원하면 꿈을 이룰 수 있다.
③ 진정한 행복은 성취감에서 기인한다.
④ 개인의 행복과 교육 수준은 비례하지 않는다.
⑤ 목표 달성이 영원한 행복을 보장하지 않는다.

2

다음 글에서 필자가 주장하는 바로 가장 적절한 것은?

Indecision is one of the most damaging of all time-wasters. Consider the story about a farmer who hired a man to sort his potato crop into three piles: small, medium, and large. At the end of the day, the farmer **asked if the work was difficult**, to which the man replied, "No. But the decisions are killing me!" I'll assure you of this — you're far better off making mistakes than not making decisions. I **believe that most procrastination is due to the fear of making a decision**. You've got two courses to take; you're not sure which is the better one, so you put off the decision. The thing to do is to take either one, but take it now. Once you're involved or in motion, you travel on momentum — you'll get something done. **Remember that the longer you take to make a decision, the closer you get to making no decision at all**.

① 망설여질 때는 우선 실행에 옮겨라.
② 심사숙고하여 가능한 한 실수를 줄여라.
③ 한번 결심을 내렸으면 뒤돌아보지 마라.
④ 자기 일은 타인에게 미루지 말고 직접 하라.
⑤ 가벼운 마음가짐으로 주어진 업무에 임하라.

3

다음 글의 제목으로 가장 적절한 것은?

People have the most unusual reasons for not **wanting to face** problems: fears, fantasies, and unrealistic worries. If you can bring these concerns to the surface, they may disappear quickly. When a group is **refusing to deal with** a problem, you can **suggest** to them **taking a look at the best, worst, and most likely consequences of solving and not solving the issue**. For example, you could ask, "What's the best or worst thing that might happen if we could find a solution? What's the most likely thing that might happen?" Then do the same for not solving the problem. Sometimes, when asked directly, people can't think of any terrible consequences and become more open to dealing with an issue.

① Techniques for Avoiding Terrible Consequences
② Why Are People Afraid of Confronting Problems?
③ Direct Questions Make Finding Solutions Difficult
④ Frequently Asked Questions for Facing Problems
⑤ Externalizing Concerns Can Help Problem-Solving

4

다음 글의 목적으로 가장 적절한 것은?

Dear Jody Wagner,

My name is Sara Mitchell. We talked briefly at the end of last month's parents' meeting. I've been thinking a lot about your request for fundraising ideas for a new student center. Have you **considered holding** a poster competition? We held one a few years ago at my son's elementary school, and it was quite successful. The entry fee was $20, and we placed no limit on the number of entries. This encourages multiple submissions, which brings in the most money. If you like this idea, I could make some signs to advertise it. We'd just **need to decide** on a theme for the posters and set the date for choosing a winner. I **hope to hear** from you soon.

Sincerely,
Sara Mitchell

① 포스터 대회 규정에 대해 설명하려고
② 포스터 대회 참가 방법을 문의하려고
③ 포스터 대회의 홍보 방법을 소개하려고
④ 기금 모집을 위한 아이디어를 제안하려고
⑤ 학생회관 운영을 위한 기부를 요청하려고

5

다음 글의 밑줄 친 부분 중, 문맥상 낱말의 쓰임이 적절하지 않은 것은?

If an animal is innately programmed for some type of behavior, then there are ① likely to be biological clues. It is no accident that fish have bodies which are streamlined and smooth, with fins and a powerful tail. Their bodies are structurally ② adapted for moving fast through the water. Similarly, if you found a dead bird or mosquito, you could **guess** by looking at its wings **that flying was its normal mode of ③ transport**. However, we must not be over-optimistic. Biological clues are not essential. The extent to which they are found varies from animal to animal and from activity to activity. For example, it is impossible to **guess** from their bodies **that birds make nests, and, sometimes, animals behave in a way quite ④ similar to what might be expected from their physical form**: ghost spiders have tremendously long legs, yet they weave webs out of very short strands. To a human observer, their legs seem a great ⑤ hindrance as they spin and move about the web.

CHAPTER

03

보어의 이해

'보어'는 문장의 불완전한 부분을 보완하는 역할을 하는데, 주어에 대한 설명이 불완전할 때는 '주격보어'를, 목적어에 대한 설명이 불완전할 때는 '목적격보어'를 써서 문장의 의미를 완전하게 한다.
보어로는 명사, 대명사, 형용사뿐 아니라 to-v, v-ing, 전명구, 명사절 등 다양한 형태가 올 수 있다.
이 챕터에서는 문장 내에서 보어를 파악하여 정확히 해석하는 방법을 다룬다.

UNIT 01 주격보어

주격보어는 주어를 보충 설명하는 역할을 하며, (대)명사와 형용사 외에도 부정사, 동명사, 분사, 전명구, 명사절 등 다양한 형태가 올 수 있다. 보어를 취하는 동사는 다음과 같다.

- **상태**: be, lie, remain, stay
- **상태변화**: become, get, grow, turn, go
- **겉모양**: look, seem, appear
- **감각**: feel, smell, sound, taste

● **다음 각 문장에서 주격보어를 모두 찾아 밑줄 그으시오.**

정답 및 해설 p. 16

1 S + V + 명사[형용사/분사]

Storing medications correctly is a very important issue // because many drugs become ineffective // if they are not stored properly. 고1 모의응용

+Tip 부사는 보어 자리에 올 수 없다.
If an emergency arises, stay **calm** / calmly and listen for instructions from the cabin crew.

2 S + V + to-v

The young mother appeared to be around nineteen years old. 고2 모의응용

3 S + V + 전명구

When you get into your new exercise routine, // proper rest is of great importance. 고2 모의

▶ 「전치사+명사」의 전명구는 문장에서 형용사의 역할을 한다. ex) of courage = courageous, of use = useful

4 S + V + 명사절

The reason [people prefer Friday to Sunday] is that Friday brings promise / – the promise of the weekend ahead and *all the activities* [we have planned]. 고1 모의응용

Check it Out! ▶ to-v에서 to 생략

주어가 all, the only[first] thing, what 등이 이끄는 명사절이고 do를 포함하는 문장에서, to-v가 보어로 나올 때 to를 생략할 수 있다.

The last thing [I wanted to **do**] (S) / was (V) **(to) spend hours in traffic** (C). 고1 모의

정답 및 해설 p. 16

다음 각 문장에서 주격보어를 찾아 밑줄 그으시오.

1 Before age 30, she became a member of several highly prestigious scientific societies on the basis of her work. 고1 모의 *prestigious 명망 있는

2 Sometimes all you need to do is suggest interesting ideas. 고1 모의

3 One cool thing about my uncle was that he could always pick the best places to camp. 고1 모의응용

4 Your mind will become more creative during a break, and you will become mentally fitter. 수능응용

5 One of the most common reasons for keeping a pet is for the companionship it can provide. 고3 모의응용

6 The mission of the International Space Station is to enable long-term exploration of space and provide benefits to people on Earth.

7 Even though Hippocrates lived nearly 2,500 years ago, many of his ideas sound very familiar today. 고1 모의

B

다음 글의 제목으로 가장 적절한 것은?

There has been a great campaign for the virtues of praise in helping children gain a positive self-image and improve their behavior. In some cases, praise does inspire children to improve their behavior. The problem is **that they may become approval addicts**. These children may develop self-concepts that are completely dependent on the opinions of others. Other children may resist praise, either because they don't want to satisfy the expectations of others or because they fear they can't compete with those who seem **to get praise** so easily. (appear / even though / may / work / praise / to), we must be **aware** of the long-term effect: it invites dependence on others.

① Praise: What Children Need
② Don't Follow Others' Expectations!
③ Is Praise Always Helpful for Kids?
④ What Is the Biggest Virtue of Praise?
⑤ The Problems of Depending on Others

윗글의 괄호 안의 말을 바르게 배열하시오.

____

UNIT 02 명사 · 형용사 목적격보어

목적격보어로 명사가 올 때는 목적어와 동격의 의미를 갖고, 형용사가 올 때는 목적어의 상태나 성질 등을 보충 설명한다.
목적격보어로 명사, 형용사를 취하는 동사는 다음과 같다.

- O=C(로) 명명[선출, 임명]하다: name / call / choose / appoint / elect
- O=C(의 상태로) 만들다: make / keep / leave / turn / drive
- O=C(라고) 생각하다, 여기다: think / believe / find / consider / suppose

다음 각 문장에서 목적격보어를 모두 찾아 밑줄을 그으시오. 정답 및 해설 p. 17

1 S + V + O + 명사

Lifting weights will make you a stronger runner / and will improve your strength and balance. 고1 모의응용

▶ 목적격보어로 명사가 올 때는 목적어와 동격관계를 이룬다. 「(대)명사+명사」가 되기 때문에 「간접목적어+직접목적어」로도 착각하기 쉬운데, 이때 O=C 관계가 성립하는지를 확인하면 구조를 정확히 파악할 수 있다.

cf. Next time, I(S) will make(V) you(IO) a stronger chair(DO). (you ≠ a stronger chair)

2 S + V + O + 형용사

Blinking makes the eyes wet / and keeps the front portion clear / for good vision. 고1 모의

▶ 형용사 목적격보어는 목적어의 상태나 성질 등을 보충 설명한다.

+Tip 주격보어와 마찬가지로, 목적격보어 자리에 부사는 올 수 없다.
Feathers keep a bird [**warm** / warmly] by trapping heat produced by the body close to the surface of the skin. 고1 모의응용

다음 각 문장에서 밑줄 친 부분이 어법과 문맥상 올바르면 O, 어색하면 X로 표시하고 바르게 고치시오.

1 Calcium is very important for our bones and helps keep them healthy.

2 Some people avoid the opportunity to make a public presentation because it makes them nervously. 수능

3 We made this cookie to satisfy your desire for sweets, and we hope you'll call it a masterpiece of cookies. 고1 모의응용

4 They rejected a chance to study abroad because they didn't consider themselves adventurously. 고1 모의응용

5 One may ask why audiences would find the movies enjoyable. 수능응용

B

다음 글의 제목으로 가장 적절한 것은?

In general, today's companies do not compete in terms of products but rather in terms of brands. A brand is more than just a product; it is the feeling a product evokes. A brand is the proprietary visual, emotional image that people associate with a company or a product. (A)The fact that you have positive associations with a certain brand **makes your product selection easier** and enhances the value and satisfaction you get from the product. Even if Brand X soda is preferred in taste tests to Brand Y soda, the fact is that more people buy Brand Y soda than any other soda, and most importantly, they get satisfaction from buying and drinking Brand Y soda. Memories of people, places, and occasions associated with a soda frequently take precedence over small differences in taste. This emotional relationship with brands is what **makes them so powerful**.

*proprietary 등록 상표가 붙은

① Why Do We Identify with Certain Brands?
② How Products Are Affected by Customers
③ Differentiation: The Key to Selling Products
④ Evoking Emotion: The Secret of Successful Brands
⑤ The Fiercer the Competition, the Better the Products

윗글의 밑줄 친 (A)를 우리말로 옮기시오.

UNIT 03

부정사 목적격보어

목적격보어로 to-v(to부정사)나 v(원형부정사)가 오면 목적어(O)와 목적격보어(C)는 의미상 주술관계가 성립하여 'O가 C하게 하다'로 해석한다. 목적격보어로 to-v를 취하는 동사와 v를 취하는 동사를 구별해서 알아두자.

● **다음 각 문장에서 목적격보어를 찾아 밑줄 그으시오.**

정답 및 해설 p. 18

1 S + V + O + to-v

Good parents listen to their children / and allow them to talk about their fears and unhappiness. 고3 모의

▶ 목적격보어로 to-v를 취하는 동사는 다음과 같다.
- 바람·기대의 동사: want, wish, expect
- 요구·명령의 동사: ask, require, order
- 충고·경고의 동사: advise, tell, remind, urge, warn
- 설득·장려·유도의 동사: persuade, encourage, get, cause, lead
- 강요의 동사: force, compel
- 허락·가능의 동사: allow, permit, enable

2 S + V + O + v

Comics and magazines / let students enjoy the pleasure of reading / and gain information, literacy skills, vocabulary, and more. 고3 모의응용

▶ 목적격보어로 원형부정사를 취하는 동사는 다음과 같다.
- 사역동사: make, have, let
- 지각동사: see, watch, hear, feel, notice, perceive, listen to

+Tip 동사에 따라 어떤 형태의 목적격보어가 오는지 묻는 문제가 종종 출제된다.
Most of the time the giant rock is covered with water. That **causes** many boats [crash / **to crash**] into the rock. 고1 모의응용

Check it Out! ▶ **help + O + v[to-v]**

help는 목적격보어로 to-v와 v를 모두 취한다.

A clear statement of the problem (S) ***will help*** (V) you (O) **(*to*) come up with clear options of how to fix it** (C). 고1 모의

정답 및 해설 p. 18

다음 각 문장에서 밑줄 친 부분이 어법과 문맥상 올바르면 O, 어색하면 X로 표시하고 바르게 고치시오.

1 At the age of 58, poor health forced him to sell his business. 고3 모의응용

2 Never ever let yourself get thirsty because you are making your brain to shrink, and become restless and forgetful. 고1 모의응용

3 The wind turns giant blades connected to wind towers and enables electrical generators to work. 고1 모의

4 Telescopes help us see far beyond the limits of the naked eye. 고1 모의응용

5 When facing a problem, we definitely should not let our prejudice and emotion take the better part of us. 고2 모의응용

6 Ethical decision making requires us look beyond personal needs and desires. 고1 모의응용

B

다음 글의 요지로 가장 적절한 것은?

I was never good at managing paperwork. For as long as I was a professional in the workplace, my desk always looked disorganized. I always had a problem finding the paper files that I had placed on my desk at some earlier time. I believe that a clean and tidy desk symbolizes a capability to better manage your thoughts and your priorities. I also believe that it symbolizes that you are confident in your work and that you know how to finish projects and throw away accompanying paperwork. Keep your work desk, paper files, and online files well organized to enable you ⓐ find important documents, eliminating lost time due to searching for missing paperwork and recreating reports that are missing. This will also lead your superiors, peers, and subordinates ⓑ conclude that you are a well-organized professional.

① 업무 책상과 서류를 잘 정리해두어라.
② 사무실 책상에 사적 용품을 두지 마라.
③ 소통을 장려하는 업무 환경을 만들어라.
④ 서류 작성은 핵심만 담아 간결하게 하라.
⑤ 직원들 각자의 서류작업 방식을 존중하라.

서술형 Q

윗글의 밑줄 친 ⓐ, ⓑ를 어법에 맞도록 적절한 형태로 바꾸시오.

ⓐ ____________________ ⓑ ____________________

UNIT 04

분사 목적격보어

목적격보어로 v-ing(현재분사)나 p.p.(과거분사)가 오는 경우에도 O와 C는 서로 주술관계가 성립한다. 이때 v-ing는 능동 관계로 to-v나 v에 비해 동작이나 사건이 진행 중임을 강조하며 'O가 C하고 있는'으로 해석하고, p.p.는 수동 관계로 'O가 C 된'으로 해석한다.

● **다음 각 문장에서 목적격보어를 찾아 밑줄 그으시오.**

정답 및 해설 p. 19

1 S + V + O + v-ing

She looked out her window / and saw the rain slowly beginning to fade. 고1 모의응용

▸ v-ing를 목적격보어로 취하는 동사: 지각동사, keep, get, leave, have 등

cf. Success(S) requires(V) *a high degree of motivation*(O) [**working with a high degree of ability**]. 고1 모의

분사는 형용사로서 명사를 수식하는 역할을 하기도 하므로「S + V + O + v-ing」일 경우라도 문맥상 목적어와 목적어 뒤의 분사의 관계를 잘 파악하여 해석해야 한다. 목적어와 분사 간에 주술관계가 성립하지 않으므로 목적어 뒤의 분사는 수식어구이다.

2 S + V + O + p.p.

Today, most people get their wisdom teeth removed // before they can squeeze other teeth out of place or get infected. 고1 모의

▸ p.p.를 목적격보어로 취하는 동사: 지각동사, 사역동사, keep, leave, find 등

Check it Out! ▸ **지각동사 + O + v[v-ing]**

지각동사는 O-C가 능동관계일 때 목적격보어로 v와 v-ing를 모두 취한다.

· Often an untrained dolphin in an aquarium ***watches***(V_1) another dolphin(O_1) **go through its act**(C_1) and then does(V_2) the act perfectly(O_2) without training. 고1 모의

· One afternoon, I ***saw***(V) a poor gypsy woman(O) **sitting on the sidewalk**(C) outside the subway station. 고2 모의응용

A

다음 각 문장에서 밑줄 친 부분이 어법과 문맥상 올바르면 O, 어색하면 X로 표시하고 바르게 고치시오.

1 The team's locker room was painted a bright red, which kept team members excited. 수능응용

2 The idea that "carbohydrates are bad" has left many people confused about their importance for our health. *carbohydrate 탄수화물

3 Before throwing away your old kitchen knives, consider that you may simply need to get them sharpened.

4 We pack each fish in an oxygen-inflated plastic bag with enough water to keep it relaxing and comfortable. 수능응용

5 Some fad diets might have you running a caloric deficit, and it could actually result in a loss of muscle mass. 고2 모의응용 *fad (일시적인) 유행

6 These days, I find myself laughed at things that I used to take far too seriously. 고2 모의응용

B

다음 글에 드러난 'I'의 심경 변화로 가장 적절한 것은?

It was about 3 a.m. when I suddenly was startled by the presence of a small spotlight sweeping across the walls of our living room. In the moonlight, I noticed a young man ⓐ using a flashlight to examine the contents of our house. His other hand held something metallic, which shined in the silvery light. As my sleepy brain was immediately awakened, it struck me that my home was about to be robbed by someone younger than me and in possession of a gun. I felt my heart ⓑ pounding and knees ⓒ shaken, but I crept to the phone and quickly called the police. Within minutes of my phone call, I saw a police car ⓓ to approach with its lights flashing. This all happened so quickly that my would-be attacker left his car in our driveway, with its engine still ⓔ running. He was quickly arrested.

① scared → relieved
② bored → surprised
③ envious → satisfied
④ worried → ashamed
⑤ embarrassed → regretful

서술형 **Q** **윗글의 밑줄 친 ⓐ~ⓔ에서 어법상 틀린 것을 두 개 찾아 그 기호를 쓰고, 바르게 고치시오.**

____________ → ____________

____________ → ____________

Make it Yours

1

다음 글의 빈칸에 들어갈 말로 가장 적절한 것은?

We make decisions based on our strongest inclination at the moment. This is **a simple fact** – try to think of a choice you have made that was not in accord with your strongest inclination. However, we sometimes get **confused** about this because we are **assaulted** with a wide variety of inclinations, and they ______________________. For example, after finishing a large meal, it is **easy** to decide to go on a diet. After a few hours, however, we become **hungry** again and the desire for food grows. If our desire to eat some pie surpasses our desire to lose weight, we choose the pie over the diet. All things being equal, we may want to shed excess weight. We truly want to be **slim**, but that goal is in conflict with our love of culinary pleasures. The problem is **that all things do not stay equal**.

① consist of goals we've created
② grow in strength as time passes
③ conflict with our true objectives
④ hinder us from making decisions
⑤ change in intensity from time to time

2

다음 글에 드러난 Jeff의 심경 변화로 가장 적절한 것은?

This was **a big day** in Jeff's swim class. All the students were going to jump from the high diving board into the deep end of the pool. As Jeff walked toward the board, a strange feeling started to grow inside him. It was **a lot taller** than he'd imagined, and his hands started to feel **sweaty**. After he got onto the board, he looked around and thought about backing down. The height made his stomach **turn**. Then he saw his older brother **sitting by the pool and smiling at him**. This was the motivation Jeff needed. Before he could change his mind, he swallowed hard and determined to jump. It was all over in an instant. Soon, Jeff was back above the water swimming powerfully toward the edge of the pool with a big grin on his face. He felt like he could do anything in the world.

① nervous → confident
② ashamed → surprised
③ jealous → peaceful
④ annoyed → relieved
⑤ anxious → terrified

3

다음 글의 요지로 가장 적절한 것은?

There is one important and valuable time management skill that you need to learn to be successful. If something absolutely must get **done** and you don't have time, try to find someone who can help you. For example, you can have your friend **take notes for you** when you can't attend a class. And you can return the favor if he/she is ever in the same situation. Keep in mind that it is not **something you do to avoid your responsibilities**; it's **a technique you use to fulfill them**. If someone is **more knowledgeable than you in getting a task done**, you have to ask them **to support you** and learn from them. Then the next time, you can improve upon your own performance.

① 성공에 이르려면 시간을 아껴 써야 한다.
② 협동을 잘하는 것은 학업 수행에 있어 중요하다.
③ 좋은 성적을 위해서는 학습 우선순위를 정해야 한다.
④ 시간 관리 실패의 원인을 분석해 개선하는 것이 필요하다.
⑤ 주변에 도움을 요청하는 것은 시간 관리 기술 중 하나이다.

4

다음 글의 주제로 가장 적절한 것은?

Art is **a means of connecting people**. Every work of art results in the one who receives it entering into a special type of understanding with the one who produced it. As the word which conveys men's thoughts and experiences serves to build connections, so art serves in exactly the same way. Through the spoken word a man conveys his thoughts to another, while through art people convey their feelings to each other. Art relies on the fact that we are **capable of experiencing the feelings of others through their words, expressions, and creations**. The activity of art is based on this ability of humans to be infected by the feelings of other people.

① the impact of human relations on art
② reasons for educating people about art
③ effective ways to encourage artistic activity
④ how art plays a role in building relationship
⑤ importance of analyzing emotions through art

5 **다음 글에서 필자가 주장하는 바로 가장 적절한 것은?**

Parents should be **firm** but **open** to suggestions, i.e. **authoritative** but **not a dictator**. They also must be **wary** of giving too much freedom and independence to their children, as children are not **aware** of all the possible effects of their decisions. Hence, it is up to the parent to help children **understand the possible consequences of their decisions**. The duty of the parent is **to give his or her child independence in thinking** — let him **think of the situations, what can happen, what won't happen**, if there are options, **what will work out best, etc**. Let your children **think of the impossible**, let them **dream, hope, and aspire**! Let them **challenge your beliefs** — because from those will arise new answers and new beliefs!

① 부모는 때때로 자녀의 친구로서의 역할도 수행해야 한다.
② 부모는 자녀가 독립적으로 사고할 수 있도록 지도해야 한다.
③ 부모는 자녀의 올바른 사회화를 위해 엄격하게 훈육해야 한다.
④ 부모는 자녀의 안전을 위해하는 환경을 적극적으로 개선해야 한다.
⑤ 부모는 자녀가 사회의 확립된 신념 체계를 따르도록 교육해야 한다.

CHAPTER

04

동사의 이해

영문 구조에서 문장의 핵심은 동사이다.
동사는 시제와 태에 따라 형태가 다양하게 변하고, 조동사의 도움을 받기도 한다.
동사가 우리 말에는 없는 시제로 쓰인 경우, 형태가 복잡한 수동태가 쓰이는 경우에는 해석이 까다로워질 수 있다.
이 챕터에서는 문장 내에서 중요한 동사의 쓰임을 파악하여 문장을 제대로 이해하는 방법을 다룬다.

UNIT 01

완료시제

완료시제는 우리말에는 없기 때문에 개념에 대한 정확한 이해가 필요하다. 현재완료는 '과거~현재'의 일을 현재 기준으로 표현한 것이며, 과거완료는 '대과거~과거'의 일을, 미래완료는 '현재~미래의 기준 시점'까지의 일을 표현한 것이다.

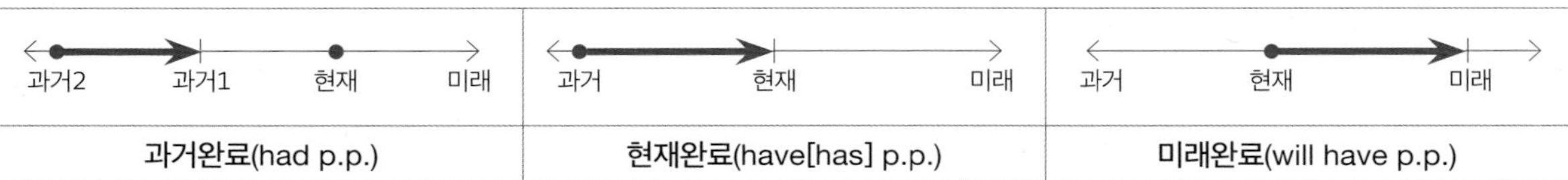

과거완료(had p.p.)	현재완료(have[has] p.p.)	미래완료(will have p.p.)

● **다음 각 문장을 굵게 표시한 부분에 유의해서 해석해보시오.**

정답 및 해설 p. 23

1 have[has] p.p.

Attending a university on a scholarship / **has been** my dream // since I was a kid. 고1 모의응용

▶ '계속(지금까지 쭉 ~이다[하다])'을 나타내는 현재완료 구문. for, since, how long 등의 부사와 같이 잘 쓰인다.

* 현재완료의 의미

1. 완료: '막 ~했다'는 의미로 just, already, recently, lately, still, yet 등의 부사와 같이 잘 쓰임.
   Many schools in the country **have *already* closed** because of the decreased number of students. 고1 모의응용
2. 경험: '지금까지 ~한 적이 있다'는 의미로 ever, never, once, before, so far 등의 부사와 같이 잘 쓰임.
   Have you ***ever*** **become** so absorbed in a good book that two hours rushed by like minutes? 고1 모의응용
3. 결과: '과거에 ~해서 지금… 이다'를 나타낸다.
   Conservation is an important issue in South Africa. The country **has lost** many natural habitats due to deforestation and overpopulation.

2 had p.p.

Muslims passed *a law* (forbidding the sale of pork), // because the founder of the Muslim religion / **had declared** pork to be unclean. 고1 모의응용

▶ 과거완료도 현재완료와 마찬가지로 '계속', '완료', '경험', '결과'의 네 가지 의미로 쓰인다.

3 will have p.p.

By the time the researchers are able to return home, // they **will have studied** penguins in Antarctica for 7 months. 고3 모의응용

▶ 미래완료는 '계속', '완료'의 두 가지 의미로 쓰인다.

Check it Out! ▶ **현재완료와 과거를 나타내는 부사**

Many years ago I [have crossed / **crossed**] the heart of the Sahara Desert in Algeria. 고1 모의
현재완료는 명백한 과거를 나타내는 부사(yesterday, last week, ago, in+특정 연도, when 등)와는 같이 쓸 수 없다.

A

다음 각 문장에서 밑줄 친 부분이 어법과 문맥상 올바르면 O, 어색하면 X로 표시하고 바르게 고치시오.

1 Many doctors have searched for the causes of a rare brain disease. 고1 모의

2 Recently, the number of blood donors has increased rapidly. 고1 모의

3 On a Sunday evening some years ago, we were driving from New York City to Princeton, as we had done every week for a long time. 고1 모의응용

4 Because of our carelessness, deserts were spreading over regions where there had been once green, fertile land. 고1 모의

5 I have just finished writing a TV script and was rushing to print it when my computer froze. 고1 모의

6 By the time the Winter Olympics is held this coming winter, the athletes will have been training as a team for 2 years.

B

다음 글의 제목으로 가장 적절한 것은?

In 1908 a cowboy named George McJunkin was riding near the small town of Folsom, New Mexico, trying to find a lost cow. Instead, he happened upon some bones with stone spearpoints beside them. The bones were much too large to have come from a cow; intrigued, McJunkin brought them home to his ranch house. There they remained until 1925, when they landed on the desk of Jesse Figgins of the Colorado Museum of Natural History. Figgins quickly identified the bones as those of a long-extinct form of bison that **had roamed** the plains at the end of the Ice Age. But it was the stone spearpoints McJunkin **had discovered** beside the bones that had the more far-reaching implications. If these spearpoints were manmade weapons used to kill the bison, then humans must have been hunting and living in America during the Ice Age.

*bison 들소

① A Cowboy's Passion and Persistence
② Why Giant Mammals Went Extinct in America
③ The Genetic Relation Between Cows and Bison
④ The Extraordinary Hunting Skills of Early Humans
⑤ Spearpoints: Proof of Human Existence during the Ice Age

주의해야 할 수동태

수동태에 조동사나 시제가 결합되어 쓰이면 형태가 복잡해지므로 하나의 숙어처럼 형태와 의미를 잘 알아두어야 한다.

● **다음 각 문장에서 수동태로 쓰인 동사에 밑줄 그으시오.**

정답 및 해설 p. 24

1 조동사 + be p.p.

Beans are a good source of vitamins A and C / and can be safely eaten every day.

고1 모의응용

▶ 조동사와 결합된 수동태 사이에 부사가 들어갈 수 있음에 유의한다.

2 have[has, had] been p.p.

Major diseases / such as smallpox and measles / have been eradicated / by mass vaccination. 고2 모의응용

*smallpox 천연두 **eradicate 근절하다

▶ 완료형 수동태로 '~되어 왔다'라고 해석하며, '완료', '결과', '경험', '계속'의 의미를 갖는다.

3 be being p.p.

People are likely to be more honest // when they feel / that they are being observed.

고1 모의응용

▶ 진행형 수동태로, '~되고 있다'라는 진행의 의미로 해석한다.

4 구동사의 수동태

Although the victims of identity theft are thought of / as individuals in general, // businesses can also fall prey to it. 고2 모의응용

▶ 구동사는 수동태에서도 하나의 덩어리로 움직인다.

Check it Out! ▶ 형태에 유의해야 할 수동태

say, believe, think, consider, know 등과 같은 동사가 that절을 목적어로 취하는 경우 두 가지 형태의 수동태가 가능하다는 것을 알아두자.

People **believe that** [fruits and vegetables] help prevent cancer.

→ **It is believed that** [fruits and vegetables] help prevent cancer. **(가주어 It 이용)**

→ [Fruits and vegetables] **are believed to** help prevent cancer. **(that절의 주어가 문장의 주어)** 고3 모의

정답 및 해설 p. 24

A

다음 각 네모 안에서 어법과 문맥상 알맞은 것을 고르시오.

1 Promising advances have [made / been made] in the area of human genetics. 고1 모의

2 We have [evolved / been evolved] the capacity to care for other people. 고1 모의응용

3 Special radar systems are [installing / being installed] at major airports to detect the location of unpredictable thunderstorms. 고3 모의

4 West Africans believe that one must [leave / be left] a pair of shoes at the door to prevent a ghost from entering the house. 고1 모의

5 His room was [broken into / breaking into] though he had locks on the door.

6 It [believes / is believed] that the institution in London was the first school to use a school uniform.

B

다음 글에서 필자가 주장하는 바로 가장 적절한 것은?

People with mental illnesses like depression or anxiety need to trust their potential employer. The decision to reveal a mental illness during job interviews may be preferable and even necessary when people with mental illness have to explain large gaps of unemployment or when transitioning from part-time employment of long duration to full-time employment. Trust and respect of employers **may be strengthened** if other people with mental illness already are working at the place of employment, and employers and coworkers have treated those employees with respect. In any event, it is essential for people with mental illness to find caring and understanding places of employment. Such employers **may be found** informally through word-of-mouth communication. Alternatively, people with mental illness ⓐ <u>may introduce</u> to such employers by mental health or vocational professionals who have first-hand knowledge and experience that those employers have dealt respectfully with people with mental illness.

① 정신질환이 있는 직원과 고용주의 신뢰 관계 형성에는 서로 노력이 필요하다.
② 정신질환이 있는 구직자는 잘 대우받을 수 있는 직장인지 확인해야 한다.
③ 고용주는 사업장에 직원들의 정신 건강을 위한 상담처를 마련해야 한다.
④ 잠재적 고용주는 구직자의 병력을 근거로 차별 대우해서는 안 된다.
⑤ 고용주는 정신질환이 있는 직원의 고용 안정성을 보장해야 한다.

Q 윗글의 밑줄 친 ⓐ를 어법에 맞도록 적절한 형태로 바꾸시오.

____

UNIT 03

주요 조동사 표현

특히 유의해야 하는 조동사 표현의 의미를 잘 익혀 정확한 해석을 할 수 있도록 한다.

● **다음 각 문장을 굵게 표시한 부분에 유의해서 해석해보시오.**

정답 및 해설 p. 25

1 used to-v

Some body parts seem unnecessary // but, in fact, / they have or **used to have** certain purposes. 고1 모의응용

▶ used to와 would는 과거의 습관을 나타내며, used to는 과거의 상태(예전에는 ~였다[했다])를 나타내기도 한다.

cf. In India, debate *was used to settle* religious arguments and to provide entertainment. 고2 모의응용
be used to-v: v하는 데 사용되다

The new employee seems *to be used to putting* the merchandise in order.
be used to v-ing: v하는 데 익숙하다

2 조동사 + have p.p.

We cannot issue your passport. Your passport picture **should have been taken** / within the last 6 months. 고2 모의응용

▶ 「조동사 + have p.p.」는 '과거'의 일에 대한 가능성 또는 추측을 나타낸다.

+ Tip **여러 가지 「조동사+have p.p.」의 의미**
- **may[might] have p.p.**: ~했을지도 모른다
- **should have p.p.**: ~했어야 하는데 (하지 않았다)
- **can't have p.p.**: ~했을 리가 없다
- **would have p.p.**: ~했을 것이다
- **must have p.p.:** ~했음에 틀림없다
- **could have p.p.**: ~할 수 있었는데 (하지 못했다)

3 V + 접속사 that + S' (+ should) + V'

The self-fulfilling effects of being optimistic / strongly **suggest** // that we **adopt** a positive approach / toward the problems we face. 고3 모의응용

▶ '명령, 요구, 제안, 주장, 필요' 등을 나타내는 동사나 형용사 뒤의 that절이 '당위성(~해야 한다)'을 나타낼 경우 that절에는 「(should+)동사원형」을 쓴다.
- **동사** order, insist, demand, ask, require, request, propose, suggest, recommend, advise 등
- **형용사** necessary, important, essential, vital, right 등

cf. New research suggests // that social isolation leads people to make risky financial decisions. 고1 모의응용
당위성이 아닌 사실을 있는 그대로 말하는 that절인 경우는 직설법으로, 즉 인칭, 수, 시제에 맞게 쓴다.

A

다음 각 네모 안에서 어법과 문맥상 알맞은 것을 고르시오.

1 Letters [used / are used] to be the usual way for people to send messages. 고1 모의

2 One of my neighbors insists that cars with an explosive roar at night [are / be] reported to the police.

3 Early humans [would / can't] have carried a map of their land in their head since they needed to know how to cross deserts without dying of thirst. 고1 모의응용

4 My first impression [should / must] have been good because the manager called to hire me the very next day.

5 You [may / can't] have heard that mouthwash will make bad breath go away, which is not true. 고2 모의응용

6 This music player is broken again. I [must / should] have checked reviews on it before I made a purchase.

B

다음 글의 제목으로 가장 적절한 것은?

In the past, ⓐ <u>우리는 문제를 해결할 기회를 놓쳤는지도 모른다</u> in a rapid, effective way because we tried to pursue solutions that had worked before. This "set effect" occurs when the first idea that comes to mind, brought up by familiar features, prevents a better solution from being found. If you are a chess master, you are likely to spot game developments that look familiar. Building your strategy on those matches will work in matches that are exactly alike, but in other situations you might lose. An awareness of the set effect therefore **suggests** that we **should try** to escape from the familiar patterns and seek new solutions. We are likely to fail if we stick to only the paths we know well, rather than evaluating each problem on its own terms.

① A Shortcut to Mastering Chess
② How Can We Escape from Familiarity?
③ Learning to Face Unfamiliar Situations
④ Familiar Solutions May Not Be the Best!
⑤ The Set Effect: A Source for Better Solutions

Q **다음 주어진 <조건>에 맞게, 윗글의 밑줄 친 우리말 ⓐ를 영작하시오.**

<조건> 1. 10단어로 작성할 것 2. 표현 miss an opportunity, solve a problem을 활용할 것

____

UNIT 04

부정사 · 동명사의 완료형

부정사와 동명사는 동사의 성질을 가지고 있으므로, 그 쓰임에 동작이나 상태가 일어난 때가 나타나야 한다.

준동사	문장의 술어동사와 같은 때	문장의 술어동사보다 앞선 때
to-v	**to-v**	**to have p.p.**
v-ing	**v-ing**	**having p.p.**

● **다음 각 문장의 ①, ② 중 시간상 먼저 일어난 일을 고르시오.** 정답 및 해설 p. 26

1 V + to have p.p.

The founding population of our direct ancestors / ① is not thought / ② to have been much larger than 2,000 individuals. 고1 모의

(= **It is not thought that** the founding population of our direct ancestors **was** much larger than 2,000 individuals.)

2 V + having p.p.

The Nobel committee / ① honors the discovery / for ② having opened up a field, / having transformed a field, / or having taken a field / in new and unexpected directions. 수능응용

(= The Nobel committee **honors** the discovery because it **opened** up a field, **transformed** a field, or **has taken** a field in new and unexpected directions.)

Check it Out! ▶ 부정사 · 동명사의 수동형과 완료수동형

부정사, 동명사가 의미상주어와의 관계가 수동일 때는 수동형을 취하여 '~당하다, ~되다'의 의미를 나타내며, 수동이면서 문장의 동사보다 앞선 때를 나타내면 각각의 완료 수동형을 쓴다.

준동사	수동형	완료 수동형
to-v	**to be p.p.**	**to have been p.p.**
v-ing	**being p.p.**	**having been p.p.**

This church is believed by some **to have been built** at the end of the fifteenth century. 고3 모의응용

믿어지는 것보다 먼저(완료형) 지어졌음(수동형)

정답 및 해설 p. 26

다음 각 문장에서 밑줄 친 부분이 어법과 문맥상 올바르면 O, 어색하면 X로 표시하고 바르게 고치시오.

1 Once the largest library in the ancient world, the Library of Alexandria, is popularly believed to be destroyed in a huge fire around 2000 years ago.

2 We agree that energy from various sources is considered to have been derived from the Sun.

3 I have fond memories of having spent time at a beautiful and peaceful beach of the Philippines last year.

4 The earliest map is thought to be made in 7000 B.C. in an ancient city that was in what is now present-day Turkey. 고2 모의

5 If you have proof of having bought tickets online in advance, you can receive 20% off your meal at Grillfish on the day of the show.

B

Leibniz에 관한 다음 글의 내용과 일치하지 않는 것은?

Leibniz was a mathematician and philosopher contemporary to Newton. They both developed calculus independently; however, Leibniz's **having introduced** many useful mathematical symbols resulted in the version of calculus we know today. Leibniz is also believed ⓐ to develop the binary system for use in philosophical arguments on religion where 1 represented God and 0 an absence of God. The system was ignored by his contemporaries because it had no practical application. But it came into widespread use when the first digital computers were invented in the 1940s. Binary numbers are useful in computers because 0 and 1 can be represented in many ways; for example, by on or off lamps, open or closed switches, or black or white dots on the screen.

*calculus ((수학)) 미적분학 **binary 2진법의

① Newton과 동시대 사람이다.
② 우리가 오늘날 알고 있는 미적분학의 창시자이다.
③ 수학적 용도로 2진법을 발전시켰다.
④ 그가 개발한 2진법은 동시대인들에게 인정받지 못했다.
⑤ 0과 1로 이루어진 2진법은 컴퓨터에서 유용하다.

서술형 Q

윗글의 밑줄 친 ⓐ를 어법에 맞도록 적절한 형태로 고치시오.

____

CHAPTER 04

Make it Yours

1

다음 글의 요지로 가장 적절한 것은?

Years ago, my husband and I built a house in a steep area. The builder we hired to do the foundation work was very busy. In a rush to complete the job before the rains came, he didn't make the ground flat or put the foundation where it **should have been**. And in a hurry to move in before the rains came, we didn't check it. If you were to visit that house now, you'd find that one wall is not straight. It had to be built in two sections, resembling two steps of a giant staircase, because the foundation wasn't level. As a result, we ended up in years-long arguments that took time, money, and energy. I realize now that it **was** all **brought about** by lack of patience.

① 다수와 업무 진행 시 상호 신뢰가 가장 중요하다.
② 성공적인 업무 수행을 위해 의견 일치가 선행되어야 한다.
③ 지나치게 서두르는 것은 일을 그르치는 원인이 될 수 있다.
④ 준비 과정에서 오는 어려움은 주변의 도움을 받는 것이 좋다.
⑤ 일을 진행할 때는 전문분야에 대한 지식 축적이 우선되어야 한다.

2

Blaise Pascal에 관한 다음 글의 내용과 일치하는 것은?

Blaise Pascal was not physically strong, but he achieved a great deal in a short time. In 1642, he invented a calculating machine named Pascaline, of which the only problem was its high cost of production. Also, he contributed greatly to probability as a mathematician, but his effort was not recognized until the eighteenth century. However, it is mostly as a religious philosopher and writer that he is remembered. He **would not have liked to have been called** a philosopher, though. His writings include many comments about how little philosophers know. Interestingly, Pascal had an experience of the presence of God in 1654. There is no evidence of his **having mentioned** the experience to anyone, but he recorded the experience on a piece of parchment, which survives to this day.

*probability 확률 **parchment 양피지

① 건강이 좋지 않아 많은 업적을 이루지 못했다.
② 제작비가 낮은 Pascaline이라는 기계를 만들었다.
③ 확률을 연구하여 당시 널리 인정받았다.
④ 자신이 훗날 철학자로 기억되기를 바랐다.
⑤ 생전의 종교 경험은 발설하지 않고 기록으로 남겼다.

3

다음 글에서 전체 흐름과 관계 없는 문장은?

Psychology is a huge subject, and its findings concern every one of us. ① The ideas and theories of psychologists **have become** part of our everyday culture, to the extent that many of their findings about behavior and mental processes are now viewed simply as "common sense." ② In its short history, psychology **has given** us many ideas that **have changed** our ways of thinking, and that **have** also **helped** us to understand ourselves, other people, and the world we live in. ③ It **has questioned** deeply held beliefs, **discovered** unsettling truths, and **provided** startling insights and solutions to complex questions. ④ Also, psychological experiments **have displayed** the limitations of relying only on statistics while ignoring the mind itself. ⑤ Its increasing popularity as a university course is a sign not only of psychology's relevance in the modern world, but also of the inherent value of examining the mind itself.

4

다음 글의 제목으로 가장 적절한 것은?

At one time, fruitcakes were more than just food — they **used to play** an important role in ritual. The Romans, for example, made a type of fruitcake that provided energy for traveling troops. Meanwhile, the Northern European version was made lighter, with wheat flour, hazelnuts, and walnuts. The inclusion of nuts in this case was for ceremony rather than taste. At the end of each year's nut harvest, fruitcakes with nuts **would be baked and stored** in hopes of ensuring a good harvest. Much later, the English tradition of handing out slices to the poor on Christmas **may have had** something to do with its eventual holiday popularity. During a time of year when fresh fruits were hard to come by, fruitcake **may have been** a welcome treat.

① The Role of Fruitcakes in Roman Rituals
② How Fruitcake Became a Christmas Dessert
③ Fruitcake: From Ritual Food to Holiday Treat
④ More than Taste: A Tradition for Wintertime Nutrition
⑤ Where Regional Differences in Fruitcake Recipes Come From

5 다음 글의 주제로 가장 적절한 것은?

Numbers **have been considered** essential to our management and understanding of life. Numbers are the natural language of the sciences, necessary for a thousand branches of study: statistics, accounting, economics, engineering ... the list is endless. Equally, numbers are crucial in the arts, in aesthetics and design, and in our sense of balance and beauty. Yet in the modern world, numbers **have acquired** a dangerous authority, and we **could** easily **be overwhelmed** by them: tax rates, percentages, averages, stock market prices, polls and statistics, and so on. We **have made** numbers responsible for expressing all things material. While numbers do have far-reaching implications for every aspect of our lives, they are necessarily limited to the measurable world.

① ways to become familiarized with academic areas
② various roles and problems of numbers in our lives
③ negative consequences of applying the rule of numbers
④ the need to educate people about numbers early in life
⑤ the importance of teaching numbers and the arts together

CHAPTER

05

가정법 구문

UNIT 01 가정법 과거 · 과거완료

UNIT 02 S + wish / as if 가정법

UNIT 03 if 조건절을 대신하는 여러 표현

가정법은 '사실과 반대인 것' 혹은 '일어날 것 같지 않은 일'에 대한 가정, 상상, 소망을 표현한다.
가정법이 특히 어렵게 느껴지는 이유는 시제의 사용이 일반 직설법과는 다르기 때문이다.
이 챕터에서는 가정법의 다양한 형태를 이해하고 의미를 정확히 파악하는 방법에 대해 다룬다.

가정법 과거 · 과거완료

가정법은 현재나 과거의 사실과 반대이거나 실현 가능성이 매우 희박한 일을 가정, 상상, 소망할 때 쓰는 표현이다.
if절에 과거 시제가 쓰이면 가정법 과거이고, 과거완료 시제가 쓰이면 가정법 과거완료이다.

● **다음 각 문장을 시제에 유의하여 해석해보시오.**

정답 및 해설 p. 30

1 If + S' + 동사의 과거형[were] ~, S + 조동사 과거형 + 동사원형

If you were a butterfly, // would you be attracted to / a more colorful flower or a less colorful one? 고3 모의

▸ 가정법 과거는 현재 사실을 반대로 가정하거나, 현재나 미래에 실현 불가능한 일을 가정한다.

2 If + S' + had p.p. ~, S + 조동사 과거형 + have p.p.

If *the decision* (to get out of the building) hadn't been made, // the entire team would have been killed. 고1 모의

▸ 가정법 과거완료는 과거 사실을 반대로 가정한다.

3 If + S' + were to-v ~, S + 조동사 과거형 + 동사원형

If physicists were to concentrate on exchanging email / only with *other physicists* around the world (working in the same specialized subject area), // they would likely be less receptive / to new ways of looking at the world. 수능응용

▸ 조건절 동사가 should나 were to일 때는 미래에 실현 가능성이 불확실하거나 희박한 일을 가정한다.

Check it Out! ▸ **if의 생략**

In my own travels, **had I taken** package tours **I never would have had** the eye-opening experiences
(← if I had taken)
that have enriched my life. 고3 모의응용
if절에서 if가 생략될 경우 주어와 (조)동사가 도치되는데, 이는 격식을 차린 문어체 표현이다.

A

주어진 우리말과 같은 뜻이 되도록 괄호 안의 단어를 바르게 배열하여 문장을 완성하시오.

1 만약 당신의 아이들이 사생활에 문제가 있는 유명인을 모방하고 싶어 한다면 기분이 어떠시겠습니까?
(to, your children, imitate, if, a celebrity, wanted)
→ How would you feel ______________________________ who has a troubled private life? 고1 모의

2 만약 새의 새끼가 자궁에서 자란다면, 임신한 새는 너무 무거워서 날지 못하고 포식자에게 잡아먹힐 것이다.
(in the womb, if, developed, birds' young)
→ ______________________________, pregnant birds would be too heavy to fly and would be eaten by predators. 고1 모의응용

3 만약 당신이 효율적으로 일정을 계획했었다면, 당신은 적절한 때에 쉬는 시간을 가졌을 것이다.
(you, your schedule, planned, if, effectively, had)
→ ______________________________, you would have had study breaks at appropriate times. 고2 모의응용

4 만약 내가 저 섬을 방문할 기회를 갖게 된다면, 나는 이 호텔에서 묵을 것이다.
(to, were, I, that island, have a chance, visit, if, to)
→ ______________________________, I would stay at this hotel.

B

다음 글의 제목으로 가장 적절한 것은?

If you **had** a magic lamp and a genie **came out of** it and **granted** you three wishes for your new project, what **would** you **wish for**? This is not "I want it to be a billion-dollar business" or "I wish all of my competition disappeared." The question is, "**If** you **could** possibly **accomplish** any three things by the end of your project, what **would** they **be**?" By asking this, you can understand the expectations for the end of a project right at the beginning of it. This helps to organize your thinking and your approach to finding potential solutions. The key is to realize what you are looking for. If you do, you won't be overwhelmed by all the possibilities, and you'll have a much better chance of arriving at your goal.

① Want to Make It? Change Your Thinking!
② The Three Magic Wishes: Just a Fantasy
③ How to Become a Successful Project Manager
④ Identify the Most Important Goals of a Project
⑤ The Question That Leads to a Clear Understanding of Yourself

UNIT 02

S + wish / as if 가정법

「S + wish」와 as if 가정법 문장에서는 시제에 특히 주의해야 한다.

● **다음 각 문장을 시제에 유의하여 해석해보시오.** 정답 및 해설 p. 31

1 S + wish(ed) + S' + (조)동사의 과거형

I've lived my life taking risks, // and I wish I could tell you / they were all successful.
고2 모의응용

▶ 「S + wish」 가정법 과거는 wish의 시제에 관계없이 소망하는 시점과 소망 내용의 시점이 일치한다.
→ I've lived my life taking risks, and I ***wished*** I **could** tell you ~.
(그때) 말할 수 있었다면 (그때) 좋았을 텐데 (소망 시점 = 소망 내용의 시점)

2 S + wish(ed) + S' + had p.p.[조동사 과거형 + have p.p.]

I wish / I had received wise advice from *those* (with more life experience than I had).
고1 모의

▶ 「S + wish」 가정법 과거완료는 wish의 시제에 관계없이 소망하는 시점보다 소망 내용의 시점이 더 먼저이다.
→ I ***wished*** I **had received** wise advice from those with more life experience than I had.
(그 전에) 받았다면 (그때) 좋았을 텐데 (소망 시점보다 소망 내용의 시점이 더 먼저)

3 S + 동사의 과거형[현재형] ~ as if[though] + S' + 동사의 과거형

Everyone was staring at him with surprise // as if he were a superhero. 고3 모의응용

▶ 「S + wish」 가정법과 마찬가지로 as if 가정법 과거는 주절과 동일한 때의 일에 대한 가정·상상을 나타낸다.

cf. The best public speakers always make what they say sound ***as if*** it really **matters**. 고2 모의응용
말하는 사람이 생각하기에 사실일 가능성이 높을 때는 as if[though] 다음에 직설법이 사용되기도 한다.

4 S + 동사의 과거형[현재형] ~ as if[though] + S' + had p.p.

After the doctor's explanation, / the man's pain disappeared // and he went home // *as if* nothing had happened. 고2 모의응용

▶ as if 가정법 과거완료는 주절보다 앞선 때의 일에 대한 가정·상상을 나타낸다.

다음 각 네모 안에서 어법과 문맥상 알맞은 것을 고르시오.

1 People can actually end up appearing more foolish when they act as if they had / had had knowledge that they do not. 고1 모의

2 I wish I started / had started taking swimming lessons at an earlier age.

3 As soon as she had her purse snatched, she wished she left / had left her passport at the hotel.

4 During the speech, he suddenly realized that he'd missed a sentence, but he went on as though nothing happened / had happened. 고3 모의응용

5 The tomatoes we picked in the morning are surprisingly sweet, as if someone added / had added sugar on them.

B

다음 글의 제목으로 가장 적절한 것은?

It's not uncommon to hear people complain that they have attended various functions in an attempt to make connections but "nothing happened." They didn't meet anyone. In probing further, we discover that these people **are approaching** the networking event **as if** they ⓐ be guests and waiting for someone to introduce them. To network successfully, instead of complaining that things aren't going well, **approach** the event **as if** you ⓑ be the host, and greet others on your own. Strike up a conversation. If you smile and extend your hand, nearly everyone you meet will smile back and introduce themselves in return. If not, you can simply add, "I don't think we've met." Don't wait to be introduced or included in conversations. Instead of milling around in the hope that someone would engage you, initiate conversations by asking simple questions like "What do you do?", "How did you hear about this event?" or "Have you heard tonight's speaker before?"

*mill around 서성거리다

① Examples of Good Conversation Openers
② Comforting Guests: The Main Role of a Host
③ Networking Tip: Be the First to Approach Others
④ A Time-wasting Party: Momentary Pleasure in Vain
⑤ The Power of a Smile Enhances a Friendly Atmosphere

서술형 Q

윗글의 밑줄 친 ⓐ와 ⓑ를 어법에 맞도록 적절한 형태로 바꾸시오.

ⓐ ____________________ ⓑ ____________________

UNIT 03

if 조건절을 대신하는 여러 표현

if가 없더라도 if절 대신 쓰이는 어구들이 조건의 의미를 포함하는 경우가 있다. 이런 경우, 문장에 과거형 조동사가 있다면 가정법 문장임을 확인할 수 있다.

● **다음 각 문장에서 조건의 의미를 포함하는 어구에 밑줄 그으시오.**

정답 및 해설 p. 32

1 Without ~, S + 조동사 과거형 + 동사원형[have p.p.]

Without donations like yours, / our center would not have *enough funds* (to keep operating). 고2 모의응용

▶ 주절의 동사로 「조동사의 과거형+동사원형」이 쓰이면, without은 '(지금) ~이 없다면'의 의미를 가지며, but for 혹은 if it were not for로 바꾸어 쓸 수 있다. 주절의 동사로 「조동사의 과거형+have p.p.」가 쓰이면, '(그때) ~이 없었다면'의 의미를 가지며, but for 혹은 if it had not been for로 바꾸어 쓸 수 있다.

2 Otherwise, S + 조동사 과거형 + 동사원형[have p.p.]

Because his concert was so successful that night, // he became well-known. Otherwise, / he would have lived the rest of his life / as a no-name piano player. 고1 모의응용

▶ otherwise: 그렇지 않으면(= if ~ not)

3 부사구, S + 조동사 과거형 + 동사원형[have p.p.]

On land, / a five-hundred-foot climb results in only a slight change in pressure. At the same depth underwater, / your lungs would shrink to the size of a soda can. 고2 모의응용

▶ 부사구에 조건의 내용이 함축된 경우로, to부정사구나 분사구문에도 이처럼 조건의 내용이 함축되어 쓰인다.

4 S + 조동사 과거형 + 동사원형[have p.p.]

Even a small decrease in subsidies / from industrial agriculture / would accelerate the rate of technical progress / in renewable energy. 수능응용

▶ 문장의 주어에 조건의 뜻이 함축된 경우이다.

A

다음 두 문장이 같은 뜻이 되도록 if를 사용하여 빈칸을 완성하시오.

1 Without the invention of the paint tube in the 19th century, impressionists such as Claude Monet wouldn't have been able to create their works of genius.
→ ______________________, impressionists such as Claude Monet ~.

2 I ran out of time. Otherwise, I would have finished my science report before the class.
→ I ran out of time. ______________________, I would have finished ~.

3 In the audience, I would have enjoyed the play and laughed a lot, but I was performing on the stage and was scared of making a mistake.
→ ______________________, I would have enjoyed the play and laughed a lot, but ~.

B

(A), (B), (C)의 각 네모 안에서 문맥에 맞는 낱말로 가장 적절한 것은?

Suppose you and your husband are preparing dinner. During the preparations, he discovers that you forgot to buy the most important ingredient. Then he grabs the car key, stares at you, and says angrily, "I'm going to the store." **Nearly everyone with a(an) (A) [injured / normal] brain would understand** two things: he is heading to a supermarket, and he is upset. Your brain's left hemisphere analyzes his words themselves and gets the exact meaning. But your right hemisphere understands the angry eyes and the voice signaling his irritation. Individuals with damage to one hemisphere can't reach this (B) [paired / single] conclusion. **A person with an injured right hemisphere would hear** such comments and **understand** that the husband is driving to the store — but would remain (C) [blind / sensitive] to the annoyance. ⓐ **A person with an injured left hemisphere would understand** that he is irritated — but might not know where he just went.

	(A)		(B)		(C)
①	injured	……	single	……	sensitive
②	normal	……	paired	……	blind
③	normal	……	paired	……	sensitive
④	injured	……	paired	……	blind
⑤	normal	……	single	……	sensitive

서술형 Q **윗글의 밑줄 친 ⓐ를 우리말로 옮기시오.**

____

Make it Yours

1

다음 글에 드러난 Jim의 심경 변화로 가장 적절한 것은?

With the sun shining, Jim woke with a smile on his face. After months of applying for jobs, his hard work had finally paid off. Today would be his first day at Limitless Design and the start of a new career. Everything already seemed better. Breakfast tasted sweeter, the sun seemed brighter, and birds sang on his way to the bus stop. Twenty minutes later, however, the bus still hadn't arrived. Jim moved back and forth, looking at his watch. Had he gotten the stop wrong? **If** the bus **didn't come** soon, he**'d be** late for sure. He hurriedly reached into his pocket and pulled out his phone to double-check the directions. His hands were beginning to sweat a bit now, and the "low battery" message only made things worse.

① happy → jealous
② excited → nervous
③ frustrated → calm
④ confused → relieved
⑤ satisfied → indifferent

2

다음 글의 제목으로 가장 적절한 것은?

As a therapist, I have learned that the ability to question skillfully is essential. "What **would** you **have if** you **got** what you wanted?" is especially useful in exposing where the client's heart lies. For example, when parents say they want their child to come home early, study in school, talk in a friendly way, and so on, I ask them what **they would have if** their child **did** all of those things. They often respond with "peace of mind" or "freedom from worry." At this point, they have identified a more fundamental want. They have more clearly described their inner world, which is crucial for effective counseling.

① How to Get Peace of Mind
② Find Out What You Really Want!
③ The Right Questions Are Keys to the Mind
④ Why Should You Listen to Your Inner Voice?
⑤ Critical Skills Every Counselor Should Possess

3 **다음 글의 목적으로 가장 적절한 것은?**

> Dear Parents,
>
> I hope you are enjoying the fall weather. Last Friday, as you know, Maple Valley High held another successful Youth Enrichment Day. Students were shown the details of a wide range of professions, and given the opportunity to listen directly to speeches by current working professionals. We know that this was an incredibly valuable opportunity for our students. We also recognize that none of this **would have been** possible **without your help**. Volunteers like you distributed lunches, organized events, greeted participants, and even offered your own advice to students. Know that your contributions are sincerely appreciated and that we look forward to seeing you again next year.
>
> Sam Lord
> Vice Principal

① 봉사자들의 참여를 독려하려고
② 직업 탐색의 중요성을 알리려고
③ 다양한 연설 행사를 소개하려고
④ 학교 행사의 세부사항을 안내하려고
⑤ 도움을 준 봉사자들에게 감사하려고

4 **글의 흐름으로 보아, 주어진 문장이 들어가기에 가장 적절한 곳은?**

> Because we are incapable of grasping quantity directly by sight, we have invented numbers.

The eyes can recognize many things, perceiving and remembering a lot of facial characteristics and a great number of landscape features. (①) However, when it comes to numbers, they exhibit a marked weakness. (②) Each of us has experienced the problem of registering more than five objects with a single glance. (③) For example, **if** you **were to drop** a handful of pencils on a table, it **would be** difficult, if not impossible, to know how many there were without counting one by one. (④) And with them, we invented counting. (⑤) To keep track of quantity, we made marks; then we named the marks and memorized the names.

5

다음 글의 요지로 가장 적절한 것은?

When you speak, your audience **responds as if** they **received** your message through your behaviors. For example, if you're unenthusiastic, your audience will feel that way, too. If you appear nervous, your audience will probably be nervous. If you constantly move your body, they will perceive a lack of self-control in you and will be likely to doubt your message. It is vital, therefore, that your body faithfully portray your true feelings and intention, so that your body language doesn't work against your goals. Providing a true indicator of your feelings and attitudes is the single greatest benefit of purposeful, effective physical action in public speaking. Proper physical actions make messages more meaningful.

① 성공적인 강연은 완벽한 준비과정에서 비롯된다.
② 진솔한 강연만이 청중들의 마음을 움직일 수 있다.
③ 청중을 너무 의식한 강연은 내용 전달에 허점이 많을 수 있다.
④ 효과적인 강연을 위해 청중의 감정을 읽어내려는 노력이 필요하다.
⑤ 강연에서 감정과 의도를 충실히 드러낸 몸동작은 중요한 요소이다.

CHAPTER 06

형용사적 수식어구

형용사적 수식어는 명사의 앞이나 뒤에서 명사를 수식하는 역할을 한다.
형용사적 수식어로는 형용사구, 전치사구, to-v, v-ing 등이 있다.
형용사적 수식어는 주로 명사 바로 앞에 위치하지만,
수식어구가 길어지면 명사 뒤에 위치하는 경우도 많다.
이 챕터에서는 위의 형용사적 수식어구를 파악하는 방법에 대해 알아보자.

UNIT 01

형용사(구) · 전명구

형용사(구)는 일반적으로 명사 앞에 오지만, 때에 따라 명사의 뒤에서 수식하기도 하고, 전명구 등의 수식어구를 동반하여 길어진 경우에도 명사 뒤에 위치한다. 또한 형용사적으로 쓰이는 전명구는 항상 명사의 뒤에 온다.

● **다음 각 문장에서 밑줄 친 명사를 수식하는 어구를 찾아 ( )로 묶으시오.**

정답 및 해설 p. 36

1 명사 + 형용사

Our anxiety is not about something specific, / but more of a sense that unknown and uncertain possibilities may be out of sight far ahead. 고3 모의

▶ 수식 받는 명사가 -thing, -one, -body로 끝날 때는 형용사가 명사 뒤에 온다.

cf. Your lips (S) **close** (V) to stop food from falling from your mouth // and your teeth crunch your food into smaller pieces. 고1 모의응용
동사로도, 형용사로도 쓰이는 단어는 문장에서 무엇으로 쓰였는지 특히 유의한다.
(close는 앞의 명사를 수식하는 형용사가 아닌 동사)

2 명사 + 형용사구

People new to another country / commonly have the feelings of fear, helplessness, and uncertainty / about how to behave. 고2 모의응용

▶ 형용사가 전명구 등의 수식어구를 동반하여 길어질 때 명사 뒤에서 수식한다.

3 명사 + 전명구

The tone of another's voice / gives us an enormous amount of information about the person, about her attitude toward life, and about her intentions. 수능응용

▶ 전명구가 형용사처럼 쓰여 명사를 수식할 때 명사 뒤에 위치한다.

+Tip 형용사(구)·전명구가 주어를 수식하는 경우 동사와의 수일치 문제가 출제된다.
The average life (of *a street tree* (surrounded by concrete and asphalt)) **is** / are seven to fifteen years. 고3 모의

정답 및 해설 p. 36

다음 각 문장에서 밑줄 친 말을 수식하는 어구를 찾아 ( )로 묶으시오.

1 Carbon dioxide gas from burning fossil fuels is released into the air, which contributes to global warming. 고1 모의

2 Inadequate water in the brain is one of the causes of being forgetful, restless and slow. 고1 모의응용

3 Unexpectedly, our garden became too large and we ended up with a garden full of overripe fruit and out-of-control plants. 고2 모의

4 In the middle of the night, he suddenly woke up, sensing something terribly wrong was happening outside of his house. 고1 모의응용

5 This program is a wonderful opportunity for anyone curious about studying film or working in the film industry.

B

다음 글의 주제로 가장 적절한 것은?

Mastery **in any field** does not come easily. When learning to play a musical instrument, the skills cannot be obtained overnight. Instead, they require years **of strict practice**. This is a problem for a culture that demands immediate results. American writer George Leonard, when questioned about what the essential ingredient **of mastery** was, said, "Love the plateau." He was talking about the importance **of patient practice**. The plateau refers to the experience all learners have — whether athletes or musicians or innovators — of finding that one's pace **of progress** slows down in spite of one's best continuing efforts. (A) Thus, loving the plateau means finding satisfaction in practice without the need **for immediate feedback and rewards**. The master is one who knows and knows that he knows. No external recognition is required.

*plateau 정체기

① the need for immediate results in education
② the correlation between mastery and genius
③ the danger of persisting a slow pace of progress
④ the significance of feeling content in persistent practice
⑤ problems caused by obsessing over becoming a master

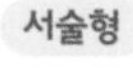

윗글의 밑줄 친 (A)를 우리말로 옮기시오.

____

UNIT 02

to부정사구

to-v가 형용사적으로 쓰일 때는 항상 명사의 뒤에서 수식하고, 'v할 ~', 'v하는 ~' 등으로 해석된다.

● **다음 각 문장에서 밑줄 친 명사를 수식하는 어구를 찾아 ( )로 묶으시오.**

정답 및 해설 p. 37

1 명사 + to-v

Making an effort to communicate in another person's language / shows your respect for that person. 고1 모의

cf. You can do a number of things *to keep the air in your home clean*. 고2 모의
(to keep the air in your home clean: v하기 위해서)

「명사 + to-v」의 to-v가 앞에 나온 명사를 수식하는 게 아니라 '목적'을 나타내는 부사적 용법으로 쓰일 수 있음에 유의한다.
(➔ 07-01 목적·원인·결과를 나타내는 to부정사)

2 명사 + to-v + 전치사

These are distractions to deal with, such as family, housework, and phone calls, // when working from home. 고3 모의응용

+Tip 자주 쓰이는 「명사+to-v+전치사」 표현

- a sofa **to sit on**: **앉을** 소파
- many friends **to play with**: **같이 놀** 많은 친구들
- a house **to live in**: **살** 집
- a pen **to write with**: **가지고 쓸** 펜
- someone **to talk to**: **이야기할** 사람
- something **to deal with**: **처리해야 할** 것

정답 및 해설 p. 37

다음 각 문장에서 형용사적 역할을 하는 to부정사구를 모두 찾아 어구 전체에 밑줄 그으시오.

1 Very often, the failure to detect spoiled or toxic food can lead to serious health problems. 고3 모의응용

2 In the 1980s, scientists developed methods to compare the DNA sequence of different individuals. 고1 모의

3 Laughing is an excellent way to reduce stress in our lives, and can help you gain the power to cope with and survive a stressful lifestyle.

4 Reading something light and entertaining is a good method to get ready for some restful sleep.

5 Hippocrates was the first to understand the physical effects of emotional stress. 고1 모의

B

다음 글의 제목으로 가장 적절한 것은?

Whenever a youngster rescues himself from boredom by generating his own amusements, it strengthens his feelings of self-worth and boosts his overall confidence ⓐ 문제를 해결하는 그의 능력에 있어서. Another significant advantage is that children who learn to cope with boredom tend to do better in situations that involve extended periods of waiting. Children who have developed their own private resources — who have learned to occupy their time with games of make-believe and imagination — tend to be less restless, demanding, and stressed when they have to tolerate tedious delays and waits. Finally, boredom is often the "trigger" for daydreaming. The capacity **to be alone** thus becomes linked with self-discovery and self-realization — with becoming aware of our deepest needs, feelings, and impulses. We may be sure that such moments do not occur when the child is playing football, but rather when he is on his own.

① Boredom Is the Enemy of Creativity
② A Necessary Component of Creativity
③ The Gift That Idle Time Gives to Children
④ Eliminate Boredom and Enhance Your Life!
⑤ Children's Games that Help Develop Social Skills

Q 윗글의 밑줄 친 우리말 ⓐ에 맞도록 주어진 단어들을 바르게 배열하시오.

solve / ability / to / his / in / problems

→ ______________________________

현재분사 · 과거분사

명사를 수식하는 현재분사(v-ing)는 능동, 진행의 의미를 나타내며, 'v하는, v한'으로 해석한다.
과거분사(p.p.)는 반대로 수동, 완료의 의미를 나타내며 'v되는, v된'으로 해석한다.
분사가 명사를 수식할 때 단독으로 쓰이면 명사의 앞에, 다른 어구를 동반해 길어지면 명사의 뒤에 온다.

● **다음 각 문장에서 밑줄 친 명사를 수식하는 분사(구)를 찾아 ( )로 묶으시오.** 정답 및 해설 p. 38

1 현재분사(v-ing) + 명사

Anxiety is a reaction to stress / and has a damaging effect / on all kinds of mental performance. 수능응용

2 명사 + 현재분사구(v-ing구)

To protect people from secondhand smoke, // many governments have passed a law forbidding smoking inside public buildings. 고1 모의응용

3 과거분사(p.p.) + 명사

Nutrients from the digested food in the stomach / are absorbed directly into the blood. 고1 모의응용

4 명사 + 과거분사구(p.p.구)

A recent study shows / how much of the information found using search engines is considered to be accurate. 수능응용

+Tip 수식 받는 명사(a ship)와 수식하는 분사의 관계가 능동이면 현재분사(v-ing)형을, 수동이면 과거분사(p.p.)형을 쓴다.
On January 10, 1992, *a ship* [traveled / **traveling**] through rough seas lost 12 cargo containers. 수능응용

Check it Out! ▶ **명사를 수식하는 분사구가 하나 이상인 경우**

There is an old Japanese legend about *a man* (**renowned for his flawless manners**) (**visiting a remote village**). 고3 모의

정답 및 해설 p. 38

다음 각 네모에서 어법과 문맥상 알맞은 것을 고르시오.

1 Like me, my daughter has freckles [stretching / stretched] across the bridge of her nose almost like a Band-Aid. 고2 모의응용

2 As we age, we move away from team sports [requiring / required] collision, such as soccer or basketball. 고2 모의응용

3 When we entered through the side door [leading / led] to the kitchen, I immediately knew that something was wrong. 고1 모의응용

4 Take a [guiding / guided] tour of the Vatican Museums for an amazing travel experience. 고2 모의

B

다음 글의 주제로 가장 적절한 것은?

The McDonald's logo reminds us of predictability: **copied** color and symbol, mile after mile, city after city, act as an **unspoken** promise between McDonald's and its millions of customers. Furthermore, each McDonald's presents a series of predictable elements — counter, menu ⓐ <u>post</u> above it, kitchen **seen in the background**, tables and seats **lined up in rows**, etc. This ⓑ <u>expect</u> setting appears not only throughout the United States but also in many other parts of the world. Thus, homesick American tourists can take comfort in the knowledge that they will likely run into this friendly restaurant. For other franchises it isn't so simple, but the idea remains the same. For example, hair-cutting franchises such as Hair-Plus cannot offer a uniform haircut, because every head is different and each hairdresser operates in a unique fashion. Still, for anxious customers ⓒ <u>seek</u> predictability, Hair-Plus establishes similar shops **stocked with recognizable products**.

① the widespread danger of franchises
② negative reactions to predictability by customers
③ the need to appeal to customers through originality
④ familiarity of franchises by using predictable features
⑤ how to create a good image through friendly promotion

서술형
Q **윗글의 밑줄 친 동사 ⓐ, ⓑ, ⓒ를 어법에 맞도록 적절한 형태로 바꾸시오.**

ⓐ ____________ ⓑ ____________ ⓒ ____________

Make it Yours

1 **다음 글의 요지로 가장 적절한 것은?**

In an interview **with a business magazine**, legendary manager Peter Drucker talked about boundaries and said that a key issue **for leaders** is to learn how to say 'no.' Leaders who always say 'yes' are very popular, he added, but they get nothing done. Like those **running a successful business**, you also need to invest the right amount of resources into yourself. In other words, do you nurture and maintain the inner powerhouse that makes the whole operation **of your life** possible? Or do you let yourself burn out because you are involved in too many projects? If you're trying to do too much at once, you may end up becoming drained, which is how Drucker described those for whom saying 'yes' to everything is best. Healthy boundaries are not optional; they are critical.

① 원활한 의사소통은 건강한 조직문화를 만든다.
② 업무에 지칠 때 잠시 쉴 수 있는 제도 마련이 시급하다.
③ 리더는 직원들에게 조직의 비전을 명확히 제시해야 한다.
④ 직원들에게 자기계발을 장려하는 기업문화를 갖추는 것이 필요하다.
⑤ 많은 일을 해내려 하기보다 적절한 선에서 거절할 수 있는 것이 중요하다.

2 **다음 글의 제목으로 가장 적절한 것은?**

When we are filled with loving feelings, we put ourselves in a position **to attract love**. When our heart is filled with love, and we are sharing that love, we become kinder, gentler, and more patient. Often, when we're only looking to be loved, it's easy to forget how wonderful it is to give love. Yet, when we start to discover the ways **to share our love**, a magical transformation takes place in our lives. We become more interested in others, more accepting and wiser. Whatever your circumstances, dreams, or preferences, filling your life with opportunities **to express your love** is always a good idea.

① Shared Joy Is a Double Joy
② Share Your Love, Enrich Your Life
③ Unconditional Love by Your Parents
④ Showing Your Feelings Can Bother You
⑤ A Balance Between Reason and Emotion

3

다음 빈칸에 들어갈 말로 가장 적절한 것은?

The first thing **to understand about anxiety** is that it's part of our biological heritage. Long before any recorded human history, our ancestors lived in a world **filled with life-threatening dangers**: predators, hunger, toxic plants, unfriendly neighbors, heights, disease, drowning. It was in the face of these dangers that the human mind evolved. The qualities **necessary to avoid danger** were the qualities that evolution bred into us as human beings. A good many of those qualities amounted simply to different forms of caution. Fear was protective; one had to be cautious about many things to survive. This cautiousness persists in our present psychological makeup in the form of some of our deepest hatreds and fears. These fears represent ________________ — we owe a great deal to their existence.

① harm　② stressors　③ ambiguity
④ remnants　⑤ communication

4

탄산수에 관한 다음 글의 내용과 일치하지 않는 것은?

Humans first enjoyed bubbly water from natural underground springs. However, there is no evidence that anyone attempted to flavor naturally carbonated spring water until the 17th century, when Parisians enjoyed spring water **flavored with honey and lemon**. In 1767, Englishman Joseph Priestley created the first man-made carbonated water, and in 1770 Swedish chemist Torbern Bergmann invented a machine **adding bubbles to still water**. In 1832, American John Mathews further improved equipment **mass-producing carbonated water** and began selling his machines for "soda fountains." When it comes to how early soda water gained flavors, some historians point to Dr. Philip Syng Physick. In 1807, Syng Physick added some flavoring to carbonated water to make it easier for a patient to drink. Physicians **following his example** soon tried out other flavors, some of which soon became popular.

*carbonated (음료에) 탄산이 든

① 본래 천연 지하수이다.
② 17세기가 되어서야 천연 샘물에 향을 가미한 형태가 나왔다.
③ 처음 인공적으로 만들어낸 사람은 Joseph Priestley이다.
④ Torbern Bergmann은 탄산수 기계를 발명해 상업적으로 이용했다.
⑤ 환자들의 음용을 돕기 위한 향료 첨가는 19세기 들어 이루어졌다.

5 다음 글의 목적으로 가장 적절한 것은?

Attention Staff,

As you may already be aware, the city of Newport has put in place new laws **related to waste disposal**. Many of these are aimed specifically at the recycling of businesses. Over the years, we here at Dunbar Electronics have done our best to be environmentally responsible, but we are far from perfect. In order to meet the new legal requirements, we will need to update many of our practices. The first step is for everyone to get a better understanding of recycling and waste reduction. To accomplish this, there will be a mandatory training session this Thursday. I apologize for the inconvenience, but I'm sure everyone can recognize the importance of this issue. Please check the announcement board in the lunchroom for details, and please arrive on time. Thank you.

Andy Spade
General Manager

① 환경 보호 운동에 동참해줄 것을 호소하려고
② 쓰레기 처리에 관련된 의무 훈련 시행을 공지하려고
③ 새롭게 시행되는 쓰레기 처리 법안에 대해 설명하려고
④ 회사의 쓰레기 처리 시행을 위한 회의 개최를 안내하려고
⑤ 쓰레기 수집 및 재활용 촉진을 위한 법 개정을 촉구하려고

CHAPTER

07

부사적 수식어구: 부정사

to부정사는 명사, 형용사적 역할 외에 부사적 기능도 한다.
부사적으로 쓰이는 to부정사는 의미가 다양하기 때문에 그 쓰임을 잘 파악해야 한다.
이 챕터에서는 to부정사가 부사적으로 쓰일 때 문맥 속에서 정확한 의미를 파악하는 방법을 알아본다.

UNIT 01
목적 · 원인 · 결과를 나타내는 to부정사

to부정사가 부사적으로 쓰일 때는 '목적'을 나타낼 때가 가장 많고, 그 외에 '원인'이나 '결과'를 나타내기도 한다.

● **다음 각 문장에서 굵게 표시한 to부정사의 의미를 <보기>에서 골라 그 번호를 쓰시오.** 정답 및 해설 p. 42

<보기> ① 목적	② 결과	③ 원인

1 (in order[so as]) to-v

One of *the best things* [you can do / **to get** support for your dream] / is to support somebody else's first. 고1 모의

◆ You must strictly follow safety rules **in order to decrease** the possibility of accidents. 고1 모의
Groups of newborn birds and animals gather together into a ball, minimizing exposed surface area **so as to keep** themselves warm. 고3 모의응용
목적의 의미를 명확히 하거나 강조하기 위해 to-v 앞에 in order나 so as를 덧붙이기도 한다.

2 감정을 나타내는 어구 + to-v

We are very *happy* **to announce** / that our library has been selected / as one of the top 10 libraries / in the nation this year. 고3 모의

3 only[never] + to-v

He failed the test but then studied harder, / **only to fail** it repeatedly for eight years. 고2 모의응용

▶ only, never 등의 부사 뒤에 to부정사가 오거나, 주어의 의지와 무관한 동작을 나타내는 동사(grow up, live, wake up, awake 등) 뒤에 to부정사가 올 때는 '결국 v하다'의 뜻이 된다.
cf. In much of social science, evidence is used **only to affirm a particular theory** — to search for the positive cases that support it. 수능응용
<목적> 단지 v하기 위해서
only to가 쓰였다고 해서 항상 '결과'를 나타내는 것은 아니므로 앞뒤 문맥에 따라 자연스럽게 해석한다.

정답 및 해설 p. 42

A

다음 각 문장에서 밑줄 친 to부정사의 의미를 <보기>에서 골라 그 번호를 쓰시오.

<보기> ① 목적	② 결과	③ 원인

1 To save drowning swimmers, a lifeguard needs to be mentally and physically prepared to cope with harsh sea conditions. 고1 모의응용

2 I returned to my car only to realize that I'd locked my car key inside the vehicle. 고1 모의응용

3 I was fortunate to get a recommendation from my professor and get a decent job.

4 I woke up early in the morning because of a scratching sound to find out my missing cat had come back.

5 In the 19th century, astronomers were astonished to discover that outer space was much more crowded than they had thought. 고1 모의응용

B

다음 빈칸에 들어갈 말로 가장 적절한 것은?

When it comes to empathy, context is essential. And sometimes **to** fully **understand** context it is necessary ____________________. This is true when it comes to personal relationships, and it is equally true in the business world. For example, IDEO, a design firm famous for its understanding-based research techniques, was asked by a hospital to improve the patient experience. So, some of the firm's designers actually climbed into hospital beds ⓐ 사물들을 보기 위해 from the patient's perspective. Among other discoveries, they learned that patients spend a lot of time staring at the ceiling, which led to recommendations to decorate ceiling space or use it **to display** patient information.

*empathy 공감

① to form emotional bonds
② to physically place yourself in it
③ not to rely on common knowledge
④ to extend your experiences at work
⑤ not to make judgements about others

서술형 **Q**

다음 주어진 <조건>에 맞게, 윗글의 밑줄 친 우리말 ⓐ를 영작하시오.

<조건> 1. 5단어로 작성할 것
2. 어휘 see, things를 활용할 것

____

UNIT 02

형용사를 수식하는 to부정사

to부정사는 막연한 의미의 형용사를 뒤에서 수식하여 의미를 한정하며, 이때 'v하기에 ~하다'라고 해석한다.

● **다음 각 문장에서 굵게 표시한 to부정사가 수식하는 단어에 밑줄 그으시오.**

정답 및 해설 p. 43

1 형용사 + to-v (1)

Aloe veras love to absorb carbon dioxide, // and they're easy **to grow**. 고2 모의응용

» easy, hard, difficult, impossible, dangerous, nice, boring 등의 형용사가 to-v의 수식을 받을 때는 「It is + 형용사 (+ for + O) + to-v」 구문으로 바꿔 쓸 수 있다.
(= Aloe veras love to absorb carbon dioxide, and **it is easy to grow them**.)

+Tip 「S + be + 형용사 + to-v」 형태로 잘 쓰이는 형용사
- **쉬움, 어려움**: easy, difficult, hard, impossible
- **안전, 위험**: safe, dangerous
- **유쾌, 안락**: pleasant, interesting, comfortable, convenient

2 형용사 + to-v (2)

We are likely **to get** more hurt / from being too familiar with / than from complete ignorance of another party. 고1 모의응용

+Tip **관용적으로 쓰이는 「be + 형용사 + to-v」**
- **be likely to-v**: v할 것 같다
- **be willing to-v**: 기꺼이 v하다
- **be anxious[eager] to-v**: v하기를 갈망하다
- **be sure[certain] to-v**: 분명히 v하다

정답 및 해설 p. 43

다음 각 문장에서 형용사를 수식하는 to부정사구를 찾아 어구 전체에 밑줄 그으시오.

1 If your father's hair becomes gray when he is quite young, you are highly likely to be in the same situation. 고1 모의

2 Drowning people are dangerous to approach because they can drag you down with them.

3 You actually feel stronger and are ready to fight when your body produces a chemical called adrenalin in your blood. 고1 모의응용

4 My youngest son seems to be extroverted and eager to please other classmates at school.

5 While a novel is relatively easy to study because it is written to be read, a play is slightly more difficult to study because it is written to be performed. 고3 모의응용

6 Throughout history, a lot of people have fought many wars to protect freedom, and have been willing to die to maintain it. 고1 모의응용

B

다음 글의 요지로 가장 적절한 것은?

(A) Sometimes the reason why you feel unhappy is not **easy to figure out**, but you should start by examining your emotions. Professor John Hamler teaches a course on scientific thinking. He says: "All science is noticing patterns." Events and conditions are not random; they have causes and effects. The difference between most people and scientists, Professor Hamler explains, is that people are **likely to let** the world be random to them. They allow events to pass without connecting them to other events. In dealing with our own emotions, we need to be **willing to notice** patterns and examine them as a scientist would. Those who are **likely to** quickly **overcome** a sense of depression are those who can define the sources of their feelings.

① 모든 사건에는 인과관계가 존재한다.
② 감정의 원인과 패턴을 파악해야 한다.
③ 과학자처럼 비판적으로 생각해야 한다.
④ 부정적인 감정은 빨리 극복할수록 좋다.
⑤ 심한 감정변화를 다스리는 법을 배워야 한다.

서술형

윗글의 밑줄 친 (A)를 우리말로 옮기시오.

____

UNIT 03

정도 · 결과를 나타내는 to부정사

to부정사는 enough, too, so 등과 함께 쓰여 '정도'나 '결과'를 나타내기도 한다.

● **다음 각 문장을 굵게 표시한 부분에 유의해서 해석해보시오.**

정답 및 해설 p. 44

1 ~ enough to-v

If you're *lucky* **enough** / **to live** in a sunny part of the country, // solar heating panels are *an excellent way* (to heat water for your home). 고3 모의응용

▶ 「형용사 + enough to-v」는 'v하기에 충분히 ~한'의 의미로 쓰이며, 「so + 형용사 + that + 주어 + can[could] + 동사원형」으로 바꾸어 쓸 수 있다.

2 too ~ to-v

Although polar bears are able to swim a hundred miles nonstop, // they're **too** *slow* **to catch** a seal in open water. 고3 모의응용

▶ 「too + 형용사 + to-v」는 'v하기에는 너무 ~한' 혹은 '너무 ~해서 v할 수 없는'의 의미로 쓰이며, 「so + 형용사 + that + 주어 + cannot[couldn't] + 동사원형」으로 바꾸어 쓸 수 있다.

3 so ~ as to-v

Food has become **so** *plentiful and easy* (*to obtain*) / **as to cause** fat-related health problems / in some developed economies. 고3 모의응용

▶ 「so + 형용사 + as to-v」는 'v할 만큼 ~한', 혹은 '아주 ~해서 v하는'의 의미를 갖는다.

A 주어진 우리말과 같은 뜻이 되도록 괄호 안의 단어를 바르게 배열하여 문장을 완성하시오.

1 그 허리케인은 거리에 있는 간판 대부분을 떨어뜨릴 만큼 강력했다.
(powerful, most signboards, as, to, so, bring down)
→ The hurricane was ______________________________ on the street.

2 인생은 기회가 생겼을 때 도움의 손길을 내밀지 않기에는 너무 짧다.
(a helping hand, too, lend, short, not to)
→ Life is ______________________________ when the opportunity arises.

고3 모의응용

3 Keith는 대회에서 일등상을 탈 정도로 충분히 첼로를 잘 연주했다.
(get, enough, well, to, a first prize)
→ Keith played the cello ______________________________ at the contest.

B 다음 글의 주제로 가장 적절한 것은?

Everyone wants to feel good, but most people believe that what is around them is not **pleasing enough to make** them feel good. Indeed, what most people feel entirely depends on the situation they are in. If what they are observing pleases them, they feel good; otherwise, they don't. Most people feel quite helpless in regards to constantly feeling good because they believe that in order to feel good, the situation must change, but they also believe that ⓐ they are so powerless that they cannot change many of the conditions they face. However, every subject really is two subjects — what is wanted and what is not — and you can learn to see the positive aspects of whatever you are giving your attention to. By doing so, you can become **so free as to find** happiness even when circumstances are bad.

① benefits of pursuing happiness in daily life
② how to make people around you feel good
③ importance of having a positive mind to be happy
④ different situations where people feel good and bad
⑤ the impact of circumstances that make people happy

서술형 Q 윗글의 밑줄 친 ⓐ와 같은 뜻이 되도록, 다음 빈칸을 완성하시오.

they are ______________________ many of the conditions they face

Make it Yours

1 다음 빈칸에 들어갈 말로 가장 적절한 것은?

The etiquette warning to "Keep your elbows off the table while you eat!" is such a universal experience. As with many rules of etiquette, "elbows off the table" isn't necessarily about formal behaviors or appearances; it's observed **so as to** ______________________. Elbows get in the way. They can knock another person's arm while bringing a fork or spoon to the mouth or quickly pull the tablecloth, which can disrupt dishes and tableware. An elbow can also knock a dish or bowl from the table, or get in the way of a server putting something on the table. In other words, keeping elbows close to one's sides during meal service and while eating serves a practical purpose.

① help others feel good
② make oneself look polite
③ keep children well-behaved
④ help communications improve
⑤ make other people comfortable

2 다음 빈칸에 들어갈 말로 가장 적절한 것은?

Pretend you are a freshman in high school and know a psychiatrist named Daniel Offer, who one day decides to ask you several questions: Was religion helpful to you growing up? Did you receive physical punishment as discipline? And so on. Then 34 years later he finds you and asks you the same questions again with the goal of comparing your responses. Surprisingly, the memories you recalled as an adolescent aren't **likely to** ________________ the ones you recall as an adult, as Dr. Dan, who had the patience to actually do this experiment, found out. Take the physical punishment question. Though only a third of adults recalled any physical punishment, Dr. Dan found that almost 90 percent of the adolescents had answered the question with a "yes." This is only a fraction of the data that demonstrates the inaccuracy of memory.

*psychiatrist 정신과 의사

① change ② deny ③ help
④ interrupt ⑤ resemble

3

다음 글에서 전체 흐름과 관계 없는 문장은?

Many people feel ashamed **to say**, "I was wrong." The truth is we increase our reputation when we are **big enough to admit** mistakes. Leaders who can honestly say they were wrong are the most respected leaders of all. ① The most frustrating man I've ever known was a company owner who, no matter what happened, could never admit he was wrong — everything was always somebody else's fault. ② As a leader, he was **too inexperienced to manage** such an important project. ③ People like that think they look powerful and strong by pretending to be perfect. ④ In fact, others immediately find out these people have a lack of confidence. ⑤ So, if you make a mistake, admit it, because life is a lot easier for people who are **strong enough to say**, "I was wrong."

4

다음 글에 드러난 Becky의 심경으로 가장 적절한 것은?

Becky watched as the train pulled into the station, and she saw several passengers exiting the train as she began to search for Jane. Jane would soon be stepping off the train, but instead Becky's cell phone rang. Becky answered **to hear** Jane's familiar stream of words. "Oh, Becky, I'm so sorry **to have missed** the train but I'm on the next one and I expect it to arrive soon." Becky hung up and then sat down for a long wait. She stared at the monotonous landscape in front of her. A few people were waiting in the terminal as well, and she glanced at them, but nobody proved very entertaining. Not even a passing car interrupted the calm of the summer afternoon. She glanced at her watch again and then leaned back in the chair. She listlessly stared out at the familiar scene, yawning several times.

① lonely ② ashamed ③ bored
④ flattered ⑤ relieved

5

다음 글에서 필자가 주장하는 바로 가장 적절한 것은?

We give silent, often angry, messages to ourselves every day, such as "How stupid could I be," or "Why did I do that — what an idiot I am." It seems more acceptable in our society to get mad at yourself, than at a friend or someone else, even when they are clearly in the wrong. People who outwardly congratulate themselves are often seen as "conceited" or "egotistical" — all very negative labels. So there is a high percentage of people who aim their anger inward. I find too many people who say "sorry" for everything, even when it is the other person's fault. We may use this unconscious strategy **to protect** relationships by not expressing anger — thus "saving" the relationship, be it a personal one, or with a co-worker or boss. Don't punish yourself. Don't tell yourself that you are wrong when you're not.

*egotistical 자기중심적인

① 지나친 자만심으로 다른 사람들을 깎아내리지 마라.
② 다른 사람에게 화가 났을 때 부드럽게 의사를 전달하라.
③ 자기중심적으로 사람들을 대하지 않도록 스스로 경계하라.
④ 인간관계를 지키기 위하여 당신 자신을 부당하게 비난하지 마라.
⑤ 상황을 모면하기 위하여 자신의 잘못을 타인에게 전가하지 마라.

CHAPTER 08

부사적 수식어구: 분사구문

분사(v-ing/p.p.)가 이끄는 어구가 문장에서 부사의 역할을 할 때 이를 분사구문이라고 한다. 이때 분사는 동사와 접속사의 역할을 동시에 하며, 앞에서부터 순서대로 이해해 나가면 된다. 이 챕터에서는 분사구문의 여러 가지 의미와 주의해야 할 분사구문의 형태에 대해 알아본다.

UNIT 01 분사구문의 의미

분사구문은 두 문장을 하나로 합칠 때 「접속사 + 주어 + 동사 ~」의 부사절을 현재분사 혹은 과거분사로 시작하는 간단한 부사구로 나타낸 것으로 문장의 앞, 뒤, 중간 어디에나 올 수 있다. 분사구문은 '때, 원인, 조건, 양보' 등의 의미를 나타내며, 앞에서부터 순서대로 자연스럽게 해석하면 된다.

● **다음 각 문장을 굵게 표시한 부분에 유의해서 해석해보시오.** 정답 및 해설 p. 48

1 때를 나타내는 분사구문

Arriving in Alsace after three hours on the road, / Jonas saw nothing but endless agricultural fields. 수능응용

▶ 때를 나타내는 분사구문을 부사절로 바꿔 쓸 때는 문맥에 따라 when(~할 때), while(~하는 동안), after(~한 후에), since(~ 이후로), before(~ 전에), as soon as(~ 하자마자) 등의 접속사를 사용한다.

2 이유를 나타내는 분사구문

Believing that everyone else thinks and feels exactly like we do, / we frequently misunderstand the intentions of others. 고1 모의응용

▶ 이유를 나타내는 분사구문을 부사절로 바꿔 쓸 때는 because, as, since 등의 접속사를 사용한다.

3 조건을 나타내는 분사구문

Being hired as a member of the Marketing Department, I would be the one to ensure that current customers continue to feel excited about their purchases. 고2 모의응용

+Tip 양보의 의미로 쓰인 분사구문

Admitting what you say, I don't think it is related to the topic we are discussing.

양보의 의미로는 분사구문이 잘 쓰이지 않고, 쓰이더라도 양보를 나타내는 접속사(Although)와 함께 쓰이는 경우가 많다.

Check it Out! ▶ 분사구문으로 혼동하기 쉬운 구문

1. **v-ing형 전치사 + 명사(구)**

Many foot problems are due to uncomfortable shoes, ***including*** **high heels.** 고1 모의응용
(including: 전치사 (~을 포함하여))

including, excluding, considering, regarding 등의 v-ing형 전치사를 분사로 혼동하지 않도록 유의한다.

2. **동명사 주어 구문**

Accepting a job / means that you accept the responsibility that goes with it. 고1 모의
(Accepting a job: S (~하는 것은) / means: V / that you accept the responsibility that goes with it: O)

밑줄 친 분사구문을 부사절로 바꿔 쓸 때, 문맥상 더 자연스러운 접속사를 고르시오.

1 Being poor, he couldn't attend college, but he continued to study on his own. 고1 모의
→ [If / Because] he was poor, he couldn't attend college, but he continued to study on his own.

2 Opening the door, they realized the house had been broken into while they were away.
→ [When / If] they opened the door, they realized the house had been broken into while they were away.

3 Looking at people you work with, you will notice that they tend to get stressed by the same situations.
→ [Before / If] you look at people you work with, you will notice that they tend to get stressed by the same situations.

B

다음 빈칸에 들어갈 말로 가장 적절한 것은?

The state of mind of today's consumer is more important than age, location, or number. For instance, your consumer research may tell you that young urban professionals are your "ideal" target market. That's fine, but here's what the research doesn't say. **Feeling overworked, burdened, and depressed**, they dream about changing their jobs, moving to the country, and living a pleasant and simple life, which might not be "ideal" for you. By ______________________, you can get a better idea of how you should be marketing. (A) **Knowing how those city-dwelling professionals really feel**, you can find ways to reach them. This might lead you to consider "relief products," things designed to relieve stress and reduce the sense of burden.

① keeping up with trends
② remaining relaxed and open
③ carrying out detailed research
④ thinking about consumer moods
⑤ understanding consumers' economic condition

서술형

윗글의 밑줄 친 (A)를 우리말로 옮기시오.

____

UNIT 02

시간 관계를 나타내는 분사구문

대부분의 분사구문과 「주어 + 동사 ~」의 논리적 관계는 '시간' 관계를 나타내는 경우가 많은데, 그중에서도 '동시에' 또는 '연속적으로' 일어나는 일이 가장 많다. 분사의 동작과 문장 동사가 일어난 때의 시간적 선후 관계를 살펴본 뒤 가장 자연스러운 것으로 해석하면 된다.

● **다음 각 문장에서 분사구문을 찾아 밑줄 그으시오.** 정답 및 해설 p. 49

1 동시동작을 나타내는 분사구문

Cultures have rarely been completely isolated from outside influence, // because throughout human history / people have been moving from one place to another, / spreading goods and ideas. 고1 모의응용

▸ 주어가 동시에 두 개 이상의 동작을 하는 동시동작(~하면서[~한 채로] … 하다)을 나타내는 분사구문이다.

2 연속동작을 나타내는 분사구문

Spotting the kids fighting in the corner, / Janet yelled as loudly as she could / to separate them. 고3 모의응용

▸ 동작이나 사건이 계속해서 일어나는 연속동작(~하고 나서 …하다)을 나타내는 분사구문이다.

3 결과를 나타내는 분사구문

The various poses of yoga / help to train the muscles and joints, / allowing you to prevent injuries. 고1 모의응용

▸ 분사구문의 연속 동작 중 한 동작이 다른 동작의 결과(~하여 (그 결과) …하다)를 나타낼 수도 있다.

Check it Out! ▸ 부사로 시작하는 분사구문

분사구문 앞에 부사가 오기도 하는데, 콤마 뒤에 부사가 먼저 나와서 분사구문인 것을 바로 파악하기 어려울 수 있다.

Music can convey the scope of a film, ***effectively*** **communicating whether the motion picture is an epic drama or a personal tale.** 고3 모의응용

정답 및 해설 p. 49

다음 각 문장에서 분사구문을 찾아 밑줄 긋고, 그 의미로 더 적절한 것을 고르시오.

1 Over the years Steven successfully overcame many obstacles in his life, becoming president of one of the largest banks in the country. 고3 모의
① 동시동작 (~하면서 …하다) ② 연속동작 (~하고 나서 …하다)

2 Working at home can free you from ringing phones or chattering coworkers, giving you enough time to focus on your work. 고3 모의응용
① 연속동작 (~하고 나서 …하다) ② 결과 (~하여 …하다)

3 Watching the boy get carried away in an ambulance, he took a deep breath. 고1 모의
① 동시동작 (~하면서 …하다) ② 결과 (~하여 …하다)

B

다음 글의 제목으로 가장 적절한 것은?

Tourism certainly creates many jobs, but often the highest-paid work goes to those who run the capital-intensive businesses such as hotels, who tend to be outsiders. When local people are employed, the work is often poorly paid and may be seasonal, which leaves many locals unemployed for much of the year. The majority of the money that tourists spend never even enters the destination country, (A) and goes to companies based in industrialized countries. Tourism also impacts cultural diversity, **bringing outside influences into traditional societies, disturbing established economic and social relations, and turning essential elements of a culture into hollow performances**. The physical harm done to sensitive environments, wildlife habitats, and historic treasures by thousands of visitors can also be huge.

① The Pros and Cons of Tourism
② The Environmental Impact of Tourism
③ How to Respect and Preserve Local Cultures
④ Is Tourism Really Good for Local Communities?
⑤ The Gap between the Rich and the Poor in Tourism

Q 윗글의 밑줄 친 (A)를 분사구문으로 고치시오.

____

UNIT 03

형태에 주의해야 하는 분사구문

분사구문의 시제나 태에 따라 분사구문의 형태가 바뀌고, 때에 따라 접속사나 의미상의 주어를 분사 앞에 남겨두기도 한다. 다음에 소개하는 분사구문은 그 형태에 주의해야 한다.

● **다음 각 문장을 굵게 표시한 부분에 유의해서 해석해보시오.**

정답 및 해설 p. 50

1 having p.p. ~, S + V

Henri Matisse became a painter later in life, / **having trained to be a lawyer to please his father.** 고3 모의응용

2 (Being/Having been) p.p. ~, S + V

Deprived of sleep at night, / our brain can't function properly, / which affects our cognitive abilities and emotional state. 고1 모의응용

▶ 부사절이 수동태인 경우 분사구문으로 고칠 때 수동형 being p.p. 또는 having been p.p.가 된다. 이때 being이나 having been은 대부분 생략되어 과거분사만 남는다.

◆ The prisoner was released, **having been saved by a last-minute statement from a witness.** 고1 모의응용
완료수동형 분사구문은 의미상주어와의 관계가 수동이면서, 준동사의 시제가 문장의 동사보다 앞선 때를 나타낼 때 쓰이며 having been p.p.의 형태이다.

3 (Being/Having been) 명사/형용사 ~, S + V

Native to a tropical climate, / this leafy tree can survive almost anywhere in the world. 고1 모의

▶ 분사구문에서 명사나 형용사 앞의 being 혹은 having been은 자주 생략된다.

4 접속사 + v-ing ~, S + V

When facing a choice that entails risk, / which guideline should we use / — "Nothing ventured, nothing gained" / or "Better safe than sorry"? 수능응용

*entail 수반하다

▶ 분사구문의 의미를 명확히 하기 위해 접속사를 생략하지 않기도 한다.

Check it Out! ▶ **주어가 있는 분사구문**

분사구문의 의미상 주어가 문장의 주어와 다른 경우는 꼭 분사 앞에 의미상 주어를 밝혀 주어야 한다.

I remember watching my daughter from across the room, **her eyes welling with tears**. 고2 모의

(I ≠ her eyes)

다음 각 문장에서 밑줄 친 부분이 어법과 문맥상 올바르면 O, 어색하면 X로 표시하고 바르게 고치시오.

1 Raising with a rapidly maturing Internet and expanding cell phone capabilities, teens became able to have much access to the world around them. 고3 모의응용

2 Certainly praise is critical to a child's sense of self-esteem, but when given too often for too little, it kills the impact of real praise when it is called for. 고1모의

3 Grateful that she has been truthful and kept her promise, we decided to express our gratitude with thank-you messages and a small gift. 고3 모의응용

4 While studying about education, I was surprised to learn that children's IQs drop each summer vacation because they aren't exercising their brains. 고1 모의응용

5 Curious to see what she was doing, the boys headed off in her direction. 고2 모의응용

6 Exciting to see her favorite movie star in person, she began screaming.

B

다음 글의 요지로 가장 적절한 것은?

In a typical conversation, most words are simply words. However, **when ⓐ use in a speech**, some of these same words can turn an audience against you. It takes experience for a speaker to learn what these words and expressions are, and **once ⓑ recognize**, they should be mentally catalogued as fighting words and not used again. Depending on the circumstance, such fighting words could be: "We of the intelligentsia —," or "You civilians couldn't understand —." To the audience, such words and expressions indicate an air of superiority and a lack of compassion. Some listeners will give you the benefit of the doubt, but more often than not, you will be poorly received. Similarly, jokes that are appropriate and amusing in one situation may be perceived as offensive or belittling in another.

① 대화 중에는 상대방이 이해하기 쉬운 표현을 써야 한다.
② 연설을 잘하기 위해서는 많은 연습과 경험이 필요하다.
③ 청중의 반응에 따라 발표의 진행 방법을 조절하는 것이 좋다.
④ 상황에 적절하지 않은 농담은 상대방에게 불쾌감을 줄 수 있다.
⑤ 연설가는 청중의 마음을 상하게 하는 말을 사용해서는 안 된다.

서술형 Q **윗글의 밑줄 친 ⓐ, ⓑ를 어법에 맞도록 적절한 형태로 바꾸시오.**

ⓐ ____________ ⓑ ____________

UNIT 04 with + 목적어 + v-ing/p.p.

「with + 목적어 + v-ing/p.p.」에서 목적어는 분사의 의미상 주어로, 문장의 주어와 다르므로 분사 앞에 둔 것이다. 부대상황의 의미를 나타내며, 현재분사가 올 때는 '(목적어가) v한 채로, v하면서, v하여'로, 과거분사가 올 때는 '(목적어가) 된 채로, 되어'로 해석한다.

● **다음 각 문장에서 동시상황을 나타내는 분사구문을 찾아 밑줄 그으시오.** 정답 및 해설 p. 51

1 with + 목적어 + v-ing ~

Chris proudly stood next to his brother, the regional chess champion, / with a smile stretching from ear to ear. 고2 모의응용

▸ 분사구문의 의미상 주어인 목적어와 분사가 능동 관계일 때는 v-ing를 쓴다.

2 with + 목적어 + p.p. ~

Ducks swim with their tail held above the water, // so when trouble comes, they can spring directly into the air. 고2 모의응용

▸ 분사구문의 의미상 주어인 목적어와 분사가 수동 관계일 때는 p.p.를 쓴다.

Check it Out! ▶ 「with+목적어+형용사[부사, 전명구]」

「with+목적어+v-ing/p.p.」 구문에서 v-ing/p.p. 대신 형용사, 부사, 전명구 등이 쓰이는 경우도 많다.

Despite being last, she found herself crossing the finish line **with a big smile on her face**. 고3 모의응용
(얼굴에 큰 미소를 띈 채로)

+Tip **자주 쓰이는 분사구문의 관용표현**

분사구문의 의미상 주어가 막연한 일반인(one, you, we 등)이면 문장의 주어와 일치하지 않더라도 생략 가능하며, 이는 관용표현처럼 익혀두는 것이 좋다.

Judging from his appearance, he might not be a very trustworthy person. 고3 모의응용

- **generally[frankly, strictly, roughly] speaking**: 일반적으로[솔직히, 엄격히, 대략] 말해서
- **judging from[by]**: ~으로 판단하건대
- **taking ~ into account[consideration]**: ~을 고려하면
- **speaking[talking] of**: ~에 대해 하는 말인데[말하자면]
- **granting[admitting] that**: ~이기는 하나, ~을 인정한다 하더라도

정답 및 해설 p. 51

다음 각 네모에서 어법과 문맥상 알맞은 것을 고르시오.

1 With the industrial society [evolving / evolved] into an information-based society, the concept of information as a product has emerged. 수능

2 He approached her and expressed his sorrow for the death of her brother with his head [bowing / bowed]. 고1 모의응용

3 Ben overslept and was late for school, so he had to run with his schoolbag [holding / held] in his hand.

4 Pompeii is one of Italy's most popular tourist attractions, with about 2,500,000 people [visiting / visited] every year. 고1 모의응용

5 I was extremely nervous because the interviewers were all sitting down with their arms [crossing / crossed].

6 Last night, a police car with its siren [blaring / blared] passed me in the street.

*blare 요란하게 쾅쾅 울리다 고1 모의응용

B

글의 흐름으로 보아, 주어진 문장이 들어가기에 가장 적절한 곳은?

By contrast, baseball, football, and basketball players really do what spectators see them do.

Actors give scripted performances, which are designed by others and in which all cooperate to follow a pre-established course with a predetermined outcome. (①) The tension inherent in movies, and all forms of drama, affects the audience but not, ordinarily, the participants. (②) But players in games give unscripted performances in which two sides compete, <u>각각의 팀은 만들어 내려고 노력하면서</u> a different — indeed the opposite — outcome. (③) Actors who appear to do dangerous, difficult things on the screen almost never actually do them. (④) Their doubles take the real hazards, and the feats are usually made to appear more dangerous than they actually are. (⑤) What they do is real and spontaneous and the outcome of their efforts is unknown in advance to both audience and participants.

서술형

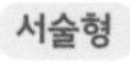

윗글의 밑줄 친 우리말 뜻에 맞도록 주어진 단어를 바르게 배열하시오. (단, 필요하다면 동사의 형태를 바꿀 것)

to / each team / produce / with / try

____

Make it Yours

1

다음 글의 제목으로 가장 적절한 것은?

NASA's primary goal is to explore and better understand the cosmos. But much of the technology NASA developed in reaching for the stars has filtered down to the masses, **leading to innovations such as more nutritious infant formula and sunglasses that block harmful ultraviolet light, and many more**. One-third of all cell-phone cameras use technology originally developed for NASA spacecraft. And in the 1960s, NASA scientists who wanted to enhance pictures of the moon invented digital image processing. The technology later found many other applications — particularly in the medical field, where it helped enable body-imaging techniques such as Magnetic Resonance Imaging (MRI).

① What Benefits Space Exploration
② Space Technology Brought to Earth
③ Is Space Exploration Worth the Cost?
④ NASA Inventions Originated from Daily Goods
⑤ NASA Opened Up a New Era in Space Exploration

2

다음 글의 빈칸에 들어갈 말로 가장 적절한 것은?

Competition seems to interfere with achievement primarily because it is stressful. The anxiety that arises from the possibility of losing interferes with performance. Even if this anxiety can be suppressed, it is difficult to do two things at the same time: trying to do well and trying to beat others. Competition can easily distract attention from the task at hand. Consider a teacher asking her pupils a question. A little boy waves his arm wildly to attract her attention, **crying, "Please! Please! Pick me!" Finally recognized**, he has forgotten the answer. So he scratches his head, **asking, "What was the question again?"** The problem is that he has focused on ______________________________, not on the subject matter.

① asking the question
② doing well on an exam
③ suppressing his anxiety
④ distracting his teacher
⑤ beating his classmates

3

Yann Martel에 관한 다음 글의 내용과 일치하지 않는 것은?

Yann Martel, famous for his novel *Life of Pi*, was born in 1963 in Salamanca, Spain, to parents who were Canadian diplomats. **Having traveled widely throughout many countries**, Martel knows much about change, adaptation, and survival. The influences in Martel's home were literary as well as political. His father is an award-winning French poet, and both his parents, **working as literary translators**, undertook the French translation of *Life of Pi*. The novel was rejected by five London publishing companies before being published in 2001. But the following year it won the Man Booker Prize and became well-known. Martel has a strong sense of how to write. **Emphasizing the equality of writers and readers**, he once said, "Don't try to be a storyteller, because the reader feels kidnapped, taken in but left with nothing."

① 많은 나라를 여행하며 적응력을 배웠다.
② 가정에서 문학적, 정치적 영향을 받았다.
③ 부모님이 *Life of Pi*를 프랑스어로 번역했다.
④ *Life of Pi*는 출간한 그 해에 Man Booker상을 수상했다.
⑤ 작가와 독자의 평등성을 주장했다.

4

다음 글에 드러난 Molly의 심경 변화로 가장 적절한 것은?

Molly stared out the window at the passing fields **with eyes half closed**. The three-hour train journey with her dad to her grandparents' home seemed like a two-week trip to her young mind. She could find nothing of interest, and the dullness was almost too much to stand. **Feeling sorry for his daughter**, her dad took out a pad of colored paper he'd brought from home and folded a piece into a paper swan. Molly grabbed the swan and stared at it. "How could paper be folded so perfectly into such a beautiful shape?" she wondered. Her eyes traced over the folds as she tried to imagine how her dad had done it. "Can you make another one?" she asked. Her dad then skillfully produced a small paper star. Molly's mind was awake now. She took a piece of paper and got to work making a swan of her own.

① pleased → astonished
② bored → interested
③ tired → cheerful
④ outraged → curious
⑤ indifferent → scared

5

Thomas Gainsborough에 관한 다음 글의 내용과 일치하지 않는 것은?

Born in Sudbury, Suffolk, Thomas Gainsborough displayed great artistic skills. **Recognizing his obvious talent**, his family sent him to London at the age of 13. In 1745, Gainsborough set up a business **hoping to make a living selling landscapes**, but the venture failed and he returned to Suffolk. Gainsborough preferred landscapes to "face painting," but found that the latter was more profitable. **Keeping this in mind**, he eventually moved from Suffolk to the fashionable resort of Bath, where he was employed by the rich and famous. Here, Gainsborough perfected his skills, **often painting by candlelight, in order to give his brushwork its distinctive appearance**. By 1768, he was so famous that he was invited to become one of the founding members of the Royal Academy. Gainsborough accepted, and spent the final years of his career in London.

① 어려서부터 예술적 재능이 있어 열세 살에 London으로 갔다.
② 풍경화를 선호했으나, 그것으로 금전적 이익을 얻지 못했다.
③ 고향에서 부유층과 유명인들의 초상화를 그려 생계를 꾸렸다.
④ 촛불 곁에서 그리는 독특한 붓놀림으로 자신의 기술을 완성했다.
⑤ Royal Academy의 창립 멤버로 초대받았다.

CHAPTER

09

접속사의 이해

접속사는 단어와 단어, 구와 구, 절과 절을 연결해주는 기능을 하며,
앞뒤 논리 관계를 명확하게 해주기 때문에 독해에 도움을 준다.
하지만 의미가 다양한 경우, 형태가 비슷해서 혼동되는 경우,
연결해주는 어구의 범위를 파악하기 어려운 경우에는 독해에 어려움을 초래하기도 한다.
이 챕터에서는 접속사의 다양한 형태를 익히고, 정확히 해석하는 방법을 알아본다.

UNIT 01

의미가 다양한 접속사

두 가지 이상의 의미를 갖는 접속사는 주절과 종속절의 논리 관계를 따져 가장 알맞은 뜻으로 해석해야 한다.

- **as**: ① ~이기 때문에 ② ~할 때 ③ ~처럼, ~이듯이 ④ ~함에 따라서 ⑤ 비록 ~이지만
- **while**: ① ~하는 동안 ② ~인 반면 (= whereas) ③ 비록 ~일지라도, ~라고는 해도 (= although)
- **when**: ① ~할 때; ~인 경우에 (= if) ② ~임에도 불구하고 (= although); ~인데
- **whether A or B**: ① 《부사절》 A이든 B이든 ② 《명사절》 A인지 B인지
- **since**: ① ~이래로 ② ~이기 때문에
- **if**: ① 《부사절》 만약 ~라면 ② 《부사절》 비록 ~일지라도 (= even if) ③ 《명사절》 ~인지 아닌지 (= whether)

● **다음 각 문장에서 굵게 표시한 접속사가 어떤 의미로 쓰였는지 괄호 안에서 골라 그 번호를 쓰시오.** 정답 및 해설 p. 55

1 as

As we mature, // we learn / that we must balance courage with caution. 고2 모의응용

__________________ (① ~이기 때문에 ② ~처럼, ~이듯이 ③ ~함에 따라서)

2 while

Pigs were traditionally associated with dirtiness / because of their habit of rolling around in mud // **while** cats were believed to be clean. 고1 모의

__________________ (① ~하는 동안 ② ~인 반면 ③ 비록 ~일지라도)

3 when

Solar technology is not being fully used / as a way to power our civilization // **when** we are being bathed in such a sweet rain of solar energy. 고2 모의응용

__________________ (① ~할 때 ② ~임에도 불구하고)

4 whether A or B

According to a survey, / **whether** a customer's problem was solved immediately **or** not / had an impact on the customer's perception / of how fast the phone call had been answered. 고2 모의응용

__________________ (① A이든 B이든 ② A인지 B인지)

» 「whether A or B」가 'A이든 B이든'의 뜻으로 쓰일 때는 부사절이고, 'A인지 B인지'의 뜻으로 쓰일 때는 명사절임에 특히 유의한다.

A 다음 각 문장에서 밑줄 친 접속사가 어떤 의미로 쓰였는지 괄호 안에서 골라 그 번호를 쓰시오.

1 Compulsive shopping is a serious disorder that can ruin lives <u>if</u> it's not recognized and treated. 고1 모의 ___________ (① 만약 ~라면 ② 비록 ~일지라도 ③ ~인지 아닌지)

2 <u>While</u> napping for 30 minutes or less can enhance daytime brain function, longer naps can negatively affect health and sleep quality. ___________ (① ~하는 동안 ② ~인 반면)

3 <u>Whether</u> you are conducting an experiment or observing, you should wear safety gear in the laboratory. 고1 모의응용 ___________ (① A이든 B이든 ② A인지 B인지)

4 Appropriate ways to express politeness will vary in different cultures <u>since</u> it is culturally bound. 고2 모의응용 ___________ (① ~ 이래로 ② ~이기 때문에)

B 다음 글의 목적으로 가장 적절한 것은?

Dear Samantha Park,
Thank you for your submission to the Eco Festival's Sustainable Art Contest. Each year, we receive hundreds of submissions from amateur artists and professionals alike, but few display the talent and care that your piece clearly shows. Unfortunately, in the interest of promoting sustainability and environmental awareness, we must remain strict in our enforcement of the contest guidelines. One of these states that entries must use at least 90% recycled content, (A) <u>**whether** that is metals, plastic, glass, **or** another type of material</u>. After careful consideration, our judges have ruled that your submission does not meet this qualification requirement. Your piece will be returned to you by mail sometime during the next week. Thank you for your participation, and we wish you the best of luck in your career as an artist.
Sincerely, Kate Ling
Festival Organizer

① 대회의 참가에 대해 감사를 표하려고
② 대회 출품작의 일괄 반환을 요청하려고
③ 대회 출품작이 접수되었는지를 문의하려고
④ 대회에 참가하기 위한 주요 규정을 설명하려고
⑤ 출품작이 자격 기준에 미치지 못함을 통보하려고

서술형 Q 윗글의 밑줄 친 (A)를 우리말로 옮기시오.

____

UNIT 02

혼동하기 쉬운 접속사

다음의 접속사는 형태가 비슷해서 혼동하기 쉬우므로 각각의 의미를 구분해서 알아두어야 한다.

- **so (that)**: ~하기 위해서, ~하도록 (= in order that)
- **so + 형용사[부사] + that ...**: 아주 ~해서 …하다; …할 정도로 ~하다
- **such (+ a[an]) (+ 형용사) + 명사 + that ...**: 아주 ~해서 …하다; …할 정도로 ~하다
- **~(,) so (that) ...**: 그래서 …하다

● **다음 각 문장을 굵게 표시한 부분에 유의해서 해석해보시오.** 정답 및 해설 p. 56

1 so + (that)

Today, scientists collect information worldwide // **so that** they can understand and predict changes in the weather more accurately. 고1 모의

▶ so that에서 that은 종종 생략되며, in order that으로 바꿔 쓸 수도 있다.

2 so + 형용사[부사] + that

Our brains are **so** sensitive to loss // **that** once we have been given something, / we are hesitant to give it up. 고3 모의응용

3 such + (a[an]) + (형용사) + 명사 + that

Jealousy is **such** a depressing feeling // **that** we cannot talk about it / with even our best friends. 고2 모의응용

4 (,) + so + (that)

Certain honeybees pack together in a small space / and move their wings quickly to produce heat**,** // **so that** they can keep warm. 고1 모의

정답 및 해설 p. 56

A

주어진 우리말과 같은 뜻이 되도록 괄호 안의 단어를 바르게 배열하여 문장을 완성하시오.

1 그 콘서트는 홍보가 아주 잘 된 행사여서 모든 표가 두 시간 만에 매진되었다 .
(a, event, such, that, all the tickets, were, well-advertised, sold out)
→ The concert was ________________________________ within two hours.

2 우리는 선조들의 실수로부터 배우기 위해서 역사를 공부한다.
(from, mistakes, can learn, so, our ancestors', that, we)
→ We study history ________________________________.

3 개 짖는 소리는 너무 시끄러워서 나는 내 아파트에서 휴식을 취할 수 없다.
(that, so, I, in my apartment, cannot, loud, relax)
→ The noise of barking dogs is ________________________________. 수능응용

B

주어진 글 다음에 이어질 글의 순서로 가장 적절한 것은?

One of the great frustrations in life is that we don't feel understood. No one seems to really understand our problems, our wishes, or our unique situation.

(A) This illustrates nicely that the most important communication skill you can learn is how to listen. Real listening doesn't mean you're just silent. It means that you listen considerately until the speaker is understood.
(B) As soon as he feels understood, he must pass it to someone else **so that** they too can feel understood. Wouldn't it be great to have one when you're trying to share your feelings with others?
(C) There is a solution to this problem. It's called the Talking Stick, and ⓐ 그것은 너무 유용해서 북미 원주민들은 그것을 사용해왔다 for centuries. The person holding the Talking Stick, and no one else, is permitted to speak until he feels that everyone understands him.

① (A) - (C) - (B) ② (B) - (A) - (C) ③ (B) - (C) - (A)
④ (C) - (A) - (B) ⑤ (C) - (B) - (A)

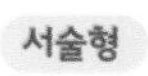

다음 주어진 <조건>에 맞게, 윗글의 밑줄 친 우리말 ⓐ를 영작하시오.

<조건> 1. 10단어로 작성하되, 「so ~ that」 구문을 활용할 것 2. useful, Native American, have used 등의 표현을 활용할 것

____

UNIT 03 상관접속사 구문

상관접속사는 떨어져 있는 두 개의 어구가 짝을 이루어 하나의 접속사와 같은 역할을 하는 것을 말한다. both, either, not only 등 상관접속사의 일부처럼 보이는 어구가 있으면 뒤에 쌍을 이루는 어구가 있는지 확인해본다. 상관접속사로 연결된 어구 A와 B는 문법적으로 대등한 형태여야 한다.

● **다음 각 문장에서 굵게 표시한 상관접속사로 연결된 두 개의 어구를 찾아 밑줄 그으시오.** 정답 및 해설 p. 56

1 both A and B

Correct breathing comes from the deepest area of the lungs, / and benefits **both** your body **and** mind. 고1 모의

▸ 「both A and B」는 'A와 B 둘 다'의 의미이다.

2 either A or B

When we encounter dangerous circumstances, // our body prepares / **either** to fight the danger / **or** to escape it. 고1 모의응용

▸ 「either A or B」는 'A와 B 둘 중에 하나'의 의미이다.

3 neither A nor B

Energy may be changed into different forms / but is **neither** created **nor** destroyed. 고2 모의응용

▸ 「neither A nor B」는 'A도 B도 아닌'의 의미이다.

4 not A but B

A healthy self-concept is fueled / **not** by judgments of others, / **but** by *a genuine sense of worth* [that you recognize in yourself]. 고2 모의응용

▸ 「not A but B」는 'A가 아니라 B'의 의미이다.

5 not only A but (also) B

The Internet is *the greatest tool* [we have] / **not only** for making people smarter, / **but also** for making people dumber. 고3 모의응용

▸ 「not only A but (also) B」는 'A뿐만 아니라 B도'의 의미로, only 대신 just, merely, simply 등도 쓰이며, 「B as well A」로 바꾸어 쓸 수 있다. (= ~ we have for making people dumber(B) **as well as** for making people smarter.(A))

정답 및 해설 p. 57

다음 각 문장에서 상관접속사로 연결된 두 개의 어구를 찾아 밑줄 그으시오.

1 Conflict is not only unavoidable but actually crucial for the long-term success of a relationship. 고1 모의응용

2 We are not jealous of someone who is either too highly placed or too distantly connected with us. 고1 모의

3 My experiences both in New Zealand and around the globe have taught me to always be open to new ideas.

4 She embarrassed me by neither accepting my ideas nor suggesting her own.

5 When we speak about having enough sleep, it is not about its quantity but about its quality.

B

다음 글의 제목으로 가장 적절한 것은?

Sometimes we stick to the false belief that if an ending comes into our lives, something must be terribly wrong. However, this is not the case. Take, for instance, our graduation ceremonies, which mark far more than the end of a level of schooling. ⓐ Graduations **not only** signal the end of an era **but also** celebrate the beginning of a new one. So, when you experience an ending of any sort, think of it in the same way — as **both** an end **and** a start. Life is a schoolroom and, in many cases, our endings are actually **either** graduations **or** promotions, although they may at first feel like just the opposite. Most of the time, endings come because we've learned one lesson and are ready for the next. When an ending appears in your life, you can be sure it has a purpose.

① Why Are We Afraid of Endings?
② Be Prepared for New Beginnings
③ Understand Endings in a Different Way
④ Knowing When It Is Time to End Things
⑤ Several Misunderstandings about Endings

서술형

윗글의 밑줄 친 ⓐ와 같은 뜻이 되도록, 다음 빈칸을 완성하시오.

Graduations celebrate the beginning of a new era ________ ________ ________ signal the end of one.

UNIT 04 병렬구문

두 개 이상의 단어, 구, 절이 등위접속사(and, or, but)나 상관접속사로 연결될 때 이를 병렬구조라 한다.
병렬구문을 해석할 때는 접속사로 연결된 어구를 정확히 파악하는 것이 중요하다.

● **다음 각 문장에서 굵게 표시된 곳과 문법적 성격이 대등한 곳을 모두 찾아 밑줄 그으시오.** 정답 및 해설 p. 57

1 V + 등위[상관]접속사 + V

Doctors Without Borders **provides primary health care**, / performs surgery, / runs nutrition programs, / and provides mental health care. 고1 모의응용

◆ To protect your original songs, you as an artist can license what you have made **and** then (can) sell the rights to others. 고1 모의응용
동사가 병렬구조를 이룰 때, 진행/완료/수동형 문장과 조동사를 포함한 문장은 접속사 뒤에서 반복되는 be/have/조동사를 보통 생략한다.

2 to-v + 등위[상관]접속사 + to-v

I was so delighted / **to receive your letter** / and to learn that you have been accepted to the university of your choice. 고1 모의응용

◆ When individuals have self-worth, they do not need to compare themselves with others, to tear others apart, **or** (to) feel superior. 고3 모의응용
to부정사가 병렬구조를 이룰 때, 뒤에 오는 to는 흔히 생략된다.

3 v-ing + 등위[상관]접속사 + v-ing

Most obstacles can be overcome / by **seeing possibilities**, / focusing on what is within your control, / and then taking the first logical step. 고3 모의응용

4 절 + 등위[상관]접속사 + 절

The doctor concluded // **that he had suffered nerve damage** / and that he might never regain / the full use of his right arm. 고3 모의

Check it Out! ▶

등위접속사로 병렬 연결된 두 어구는 문법적으로 성격이 대등해야 한다.
Between 1969 and 1972, the United States sent astronauts to the moon for their studying the moon and [returned / **returning**] to Earth with rock samples. 고1 모의

정답 및 해설 p. 58

A 다음 각 문장에서 네모 표시한 접속사가 병렬 연결하는 어구를 모두 찾아 밑줄 그으시오.

1 Sometimes, reading books in poor light gives you a headache, makes you tired, or causes pain in the muscles around your eyes. 고1 모의응용

2 When we blink, a film of tears covers the eyes and washes away all the tiny dust particles that may be present. 고1 모의응용

3 In the not-too-distant future, your toothbrush will be capable of analyzing your breath and booking an appointment with your doctor. 고1 모의응용

4 It has been told that praise is vital for happy children and that the most important job in raising a child is nurturing his or her self-esteem. 고2 모의응용

5 For better first impression, let your children stand straight, make eye contact, and turn towards people when they are speaking.

6 Some people prefer to work alone and to deal with things on an individual basis. 고2 모의응용

B 다음 글의 밑줄 친 부분 중, 문맥상 낱말의 쓰임이 적절하지 않은 것은?

When students are young, they need a teacher or parent to help ① decide what is important for them to learn. In college, students still need to learn the required material, **but** as they become more effective and active learners, they often have their own learning goals to ② achieve more than just what the instructor has planned. (A) Helping your child to plan classes or lessons, **or** to just identify some things she would like to learn in a class, ③ encourages the development of independent learning skills. Of course, students still need an "expert" to help them learn about certain subjects like algebra or chemistry, **but** they should be able to ④ direct their own learning to some degree in many subjects. Eventually, they may only need someone to ⑤ disturb them, provide critical answers or resources, share experiences, **and** test their understanding.

*algebra 대수학

서술형 Q 윗글의 밑줄 친 (A)를 우리말로 옮기시오.

____

Make it Yours

1

다음 글에서 전체 흐름과 관계 없는 문장은?

Important decisions take time, commitment, and thought. ① **While** we usually don't make these types of decisions in haste, many people choose a companion animal based on impulse. ② A cell phone or car can be sold or traded in **if** it doesn't perform well **or** is quickly outgrown, but animals shouldn't be thought of as commodities. ③ And unlike switching colleges or majors **when** we change our minds, it is not reasonable to assume that **if** a pet doesn't perform well **or** we outgrow our interest, we can just get rid of it **or** neglect it. ④ Having an animal to take care of can provide a pet owner with a sense of purpose that may be beneficial to cognitive functions. ⑤ It's a big step to bring an animal into a household, **and** there are big decisions that should be made **before** that happens.

*outgrow 나이가 들면서 ~에 흥미를 잃다

2

다음 빈칸에 들어갈 말로 가장 적절한 것은?

In the early 1990s, the World Trade Organization (WTO) decided not to ban tuna nets that harmed dolphins. This upset many environmentalists. So, they got organized **and** began to shape the value they wanted to support — that fishermen shouldn't kill dolphins simply to catch tuna cheaply. Activists relied on consumers and the Internet to pressure the tuna companies into going dolphin-safe, **and** the tuna companies pressured the fishermen into using dolphin-safe nets because they didn't want to lose their customers. As a result, it has become impossible to buy a can of tuna in an American grocery store that isn't labeled "Dolphin Safe." And many dolphins were saved. This improvement was possible **not** because the government got involved, **but** because the green activists ______________________.

① raised funds from a large number of donors
② asked for cooperation among public institutions
③ shaped a new standard with the help of citizens
④ negotiated with tuna companies to follow their values
⑤ informed the media of the seriousness of killing dolphins

3

다음 글에서 전체 흐름과 관계 없는 문장은?

Our relationships with friends are very different from those with parents and siblings. Unlike family relationships, particularly adult-child relationships, peer relationships are based on a degree of equality between the participants. This allows more negotiation of the terms of the relationship. ① Also, unlike family relations, which one cannot pick and choose, peer relationships can be relatively easily established and just as easily destroyed. ② Our parents and siblings are generally stuck with us **whether** they or we like it or not. ③ But there is always the danger that friends, **if** we say **or** do something that hurts **or** annoys them, will declare, 'I'm not your friend any more.' ④ Relationships with their peers exert **such** a significant impact on children's character building **that** parents should always pay close attention to them. ⑤ Children therefore need to make much more of an effort to strengthen **and** maintain relationships with their peers than with their siblings and parents — or any other adult, for that matter.

4

다음 글의 밑줄 친 부분 중, 문맥상 낱말의 쓰임이 적절하지 않은 것은?

The presentation of televised sports involves a highly structured and controlled production. **Since** there is ① complexity involved with producing a sports event, it is important to control as many variables as possible. The production staff generally includes a hierarchical ② division of labor, typically between the producer, the director, commentators, camera operators, visual and sound mixers, and technicians. Each individual has clearly defined responsibilities, which they are expected to ③ fulfill despite any deficiencies in equipment. Each is employed in a particular role according to skills and previous experience, **while** flexibility is also a desired quality. The pressures involved come **not just** from time limitations **but also** from ④ certainty, **as** producers have to react to unpredictable occurrences **both** within the event **and** external to it. **While** the game itself may be ⑤ unscripted, the production of the sporting event is as organized as possible.

*commentator 실황 방송 아나운서

5 다음 글의 내용을 한 문장으로 요약하고자 한다. 빈칸 (A), (B)에 들어갈 말로 가장 적절한 것은?

Just **as** you are born with no self-image, you are born without negative emotions. You must be taught negative emotions **as** you are growing up. You typically learn negative emotions mostly from your family. You copy the negative emotions and reactions of those with whom you identify, like your mother or father. **If** someone suggests to you that your way of behaving is inappropriate, you reject their input by saying, "That's just the way I am." Often, you've held certain negative ideas for **so** long **that** you're not even aware of them, or where they came from originally. But one thing you can be sure of: you weren't born with them. They are not permanent. You can be free of them **if** you want to be.

↓

Instead of being inborn, negative emotions are learned by ______(A)______ others**, so** they can be ______(B)______ **if** you want.

	(A)		(B)
①	teaching	……	saved
②	imitating	……	corrected
③	imitating	……	lasting
④	rejecting	……	lasting
⑤	teaching	……	corrected

CHAPTER 10

관계사절

UNIT 01 관계대명사절 · 관계부사절

UNIT 02 다양한 형태의 관계사절

UNIT 03 보충 설명하는 관계사절

관계사에는 「접속사+대명사」의 역할을 하는 관계대명사와 「접속사+부사」의 역할을 하는 관계부사가 있다.
관계사는 형용사절을 이끌어 선행사인 앞의 명사를 수식하는 것이 가장 기본적인 용법이다.
이 챕터에서는 관계사절의 다양한 쓰임에 대해 알아본다.

관계대명사절 · 관계부사절

관계대명사 who, which, that은 그 앞에 오는 선행사인 명사를 수식하는 형용사절을 이끈다.
관계부사 when, where, why는 그 앞에 오는 선행사인 명사를 수식하는 형용사절을 이끌며 대신 that을 쓸 수도 있다.
관계부사 how와 그 선행사 the way는 둘 중 하나가 반드시 생략된다.

● **다음 각 문장에서 밑줄 친 명사를 수식하는 어구를 찾아 [ ]로 묶으시오.**

정답 및 해설 p. 62

1 명사 + 관계대명사 who

For <u>students</u> who want to do well in school, breakfast is the most important meal of the day. 고1 모의

+Tip 관계대명사절 내에서 소유격을 대신하는 경우 선행사의 종류에 관계없이 **whose**를 쓴다.
He was an economic historian [**whose** / which] **work** centered on the study of business history and, in particular, administration. 고1 모의응용

2 명사 + 관계대명사 that

Language is one of <u>the primary features</u> that distinguish humans from other animals. 고2 모의

3 명사 + 관계부사 where

Because the Internet is <u>free space</u> where anybody can post anything, // it can be full of all sorts of useless data. 고3 모의

4 명사 + 전치사 + 관계대명사

All human societies have <u>economic systems</u> within which goods and services are produced, distributed, and consumed. 고3 모의

▸ 관계대명사가 관계사절 내에서 전치사의 목적어로 쓰일 때, 그 전치사는 관계대명사 바로 앞에 오거나, 혹은 관계대사명절의 끝에 온다.

Check it Out! ▶ 관계대명사 vs. 관계부사 구별

관계사절에서 관계사를 뺀 문장 구조가 완전하면 관계부사, 불완전하면 관계대명사이다.
Life and sports present *many situations* [which / **where**] <u>critical and difficult decisions</u> (S) <u>have to be made</u> (V). 고1 모의

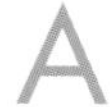

다음 각 문장에서 관계사절을 찾아 밑줄 그으시오.

1 We are social animals who need to discuss our problems with others. 고1 모의

2 The Bermuda Triangle has long been believed to be the site where a number of mysterious plane and boat incidents have occurred.

3 In most cases sound reaches the ear through the air, but air is not the only medium through which sound is carried. 고1 모의응용

4 Some boys were playing in the little stream that the rain had made by the roadside. 고2 모의응용

5 We are living in times when we can search for information about another culture very easily.

B

다음 빈칸에 들어갈 말로 가장 적절한 것은?

Advocates of franchising have long presented it as the safest way of going into business for yourself. The International Franchise Association (IFA), a trade group backed by the large chains, has released studies "proving" ⓐ that franchisees fare better than independent businessmen. In 1998, an IFA study claimed that 92 percent of all franchisees said they were "successful." The survey was based on a somewhat limited sample: franchisees ⓑ that were still in business. Franchisees ⓒ who'd gone bankrupt were never asked if they felt successful. A study ⓓ where Bates conducted found that within five years of opening, 38.1 percent of new franchised businesses had gone under. According to another study, three-quarters of the American companies ⓔ that started selling franchises in 1983 had gone out of business by 1993. "In short," Bates argues, "the franchise route to self-employment is ______________________."

① risky at best
② currently booming
③ susceptible to recession
④ relatively easy to undertake
⑤ indifferent to economic growth

Q **윗글의 밑줄 친 ⓐ~ⓔ에서 어법상 틀린 것을 찾아 기호를 쓰고, 바르게 고치시오.**

____

UNIT 02

다양한 형태의 관계사절

관계사는 문장에서 생략되기도 하고, 선행사와 관계사가 떨어져 있기도 한다. 또한, 관계사절 안에 「S + V」절이 삽입되거나, 하나의 문장 안에 두 개 이상의 관계사절이 쓰이기도 한다.

● **다음 각 문장에서 밑줄 친 명사를 수식하는 어구를 찾아 [ ]로 묶으시오.**

정답 및 해설 p. 63

1 명사 + 어구 + 관계사절

There are wipes, creams, and sprays / on store shelves / that remove germs / without the addition of running water. 고2 모의응용

▶ 선행사와 관계사절이 떨어져 있는 문장이다. 관계사절 바로 앞에 있는 단어가 선행사가 아닌 경우 문맥을 통해 찾아야 한다.

2 명사 + S' + V'

In physics, / scientists invent models, or theories, / to describe and predict the data / we observe about the universe. 고2 모의

▶ 목적격 관계대명사 whom, which, that은 자주 생략되며, 관계부사 when, where, why도 생략 가능하다. 관계사가 생략되면 문장 구조는 (대)명사 다음에 「S'+V'」가 이어진다.

◆ There are *a few mushroom varieties* [(which are) **found in the wild**] [that are highly poisonous].

주격 관계대명사 뒤에 be동사가 올 경우 「주격 관계대명사+be동사」는 함께 생략 가능하다.

3 명사 + 관계사 + (S + V) + S' + V'

Every political leader / who we think had an impact on history / practiced the discipline of being alone / to think and plan. 고1 모의응용

▶ 관계사절 내의 삽입절 「S+V」를 괄호로 묶으면 문장 구조를 더 쉽게 알 수 있다.

4 명사 + 관계사절 + and + 관계사절

An ambiguous term is one / which has more than a single meaning / and whose context does not clearly indicate / which meaning is intended. 고2 모의

▶ 두 관계사절이 병렬 연결되어 하나의 선행사를 수식하고 있다.

다음 각 문장에서 선행사에는 밑줄을 긋고 관계사절에는 [ ] 표시하시오.

1 Breathing is something you do without thinking, but it can be consciously controlled. 고1 모의

2 The birds that biologists say can sing the loudest and the longest usually wind up with the best territories. 고2 모의응용

3 Last week, when I was driving through town, I heard a song on the radio that I'd loved when I was a kid.

4 We hired new employees who we believed were most competent among the applicants.

5 The birch is a tree that grows in the coldest countries and that thrives in the Highlands of Scotland as well as in Sweden and Russia. 고2 모의 *birch 자작나무

B

다음 빈칸에 들어갈 말로 가장 적절한 것은?

The Internet and computers are just tools — wonderful tools that can extend one's reach enormously. But you still need to know how to get the best out of them. These tools can search, but they can't judge. They can enable you to interact far and wide, but they teach you nothing about how to be a good neighbor. (A) <u>The best thing parents can do to prepare their kids for the Internet age</u> is not to teach them high-tech skills, or buy their kids faster computers, but rather to ______________________. If you want to see your kids thrive, their own personal software must be stronger, which can only be built in the traditional way: by reading, writing, religion, and family. It can't be downloaded from the Internet; it can only be uploaded by parents and teachers.

① serve as a good role model
② establish a trusting relationship
③ think deeply about parental roles
④ stress more old-fashioned fundamentals
⑤ encourage the balanced use of technology

서술형 Q 윗글의 밑줄 친 (A)를 우리말로 옮기시오.

____

UNIT 03 보충 설명하는 관계사절

관계사 앞에 콤마(,)가 있으면 관계사는 선행사를 수식, 한정하는 것이 아니라 보충 설명한다. 대부분 앞에서부터 차례대로 「접속사+대명사」로 풀어 해석하면 자연스럽다. 관계대명사 which는 (대)명사뿐 아니라 앞에 나온 구나 절에 대한 보충 설명을 할 수도 있으며, 관계대명사 that과 what은 보충 설명하는 절을 이끌 수 없다.

● **다음 각 문장에서 굵게 표시한 부분이 보충 설명하는 선행사를 찾아 밑줄 그으시오.** 정답 및 해설 p. 64

1 명사, 관계대명사절

The appendix serves as a "safe house" for good bacteria, // **which help people digest food and fight off "bad" bacteria.** 고1 모의응용 *appendix 맹장, 충수

+Tip that은 계속적 용법으로 쓸 수 없으므로 앞에 콤마(,)가 있다면 which를 써야 한다.
In this **knowledge economy**, [that / **which**] grows more and more important with each passing day, you need to learn how to write well. 고2 모의응용

2 명사, 관계부사절

If you see the world as one big contest, // **where everyone is competing against everybody else**, // you will never be satisfied. 수능응용

▶ 관계부사도 관계대명사처럼 선행사를 보충 설명할 수 있다. 단, why와 how는 이렇게 쓰이지 않고 where, when만 쓰인다.

3 구/절 ~, 관계대명사절

Food becomes smaller in your mouth, // **which is helpful for the next step of the digestive process.** 고1 모의

▶ which는 (대)명사뿐 아니라 앞에 나온 어구나 절 전체를 선행사로 취할 수 있다.

Check it Out! ▶ 선행사 수식·한정 vs. 선행사 보충 설명

수식·한정	보충 설명
• 관계대명사 앞에 콤마 없음 • 선행사가 무엇인지 그 의미를 제한함 He has *two sisters* **[who became police officers]**. ▶ 경찰이 아닌 여동생이 더 있을 수도 있음	• 관계대명사 앞에 콤마 있음 • 선행사를 보충 설명함 He has *two sisters*, **who became police officers**. ▶ 경찰이 된 두 여동생 외엔 다른 여동생이 없음

정답 및 해설 p. 64

다음 각 문장에서 선행사에는 밑줄을 긋고 관계사절에는 [ ] 표시하시오.

1 Monday is overloaded with meetings, which aren't very productive. 고1 모의응용

2 They have their own gardens nearby, in which they cultivate vegetables. 고1 모의응용

3 To increase your knee strength, you should boost the surrounding muscles, which act as a support system. 고1 모의응용

4 The origins of contemporary Western thought can be traced back to the golden age of ancient Greece, when Greek thinkers laid the foundations for modern Western politics, philosophy, science, and law. 고3 모의응용

5 You could have a notice board in your room, where you can pin up important notes. 고1 모의응용

B

주어진 글 다음에 이어질 글의 순서로 가장 적절한 것은?

When you look at the lives of creative geniuses, you find that their belief and creativity are strongly connected. An example is Michelangelo, ⓐ __________ was hired to paint a fresco at the Sistine Chapel.

(A) He executed the frescos in great discomfort, having to work looking upward, ⓑ __________ damaged his sight badly. But by doing his best, he created the masterpiece that established him as the artist of the age.
(B) His rivals persuaded Pope Julius II to hire him because they knew Michelangelo had never painted a fresco, ⓒ __________ included a complicated process. His competitors were convinced he would turn down the job, and if he accepted it, the result would be poor.
(C) However, Michelangelo believed he was the greatest artist in the world and could create masterpieces using any medium. He acted on that belief by accepting the task.

*fresco 프레스코화(석회를 바른 벽에 그것이 마르기 전에 그림을 그리는 것) **Pope (가톨릭교의) 교황

① (A) – (B) – (C) ② (A) – (C) – (B) ③ (B) – (A) – (C)
④ (B) – (C) – (A) ⑤ (C) – (A) – (B)

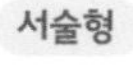

윗글의 밑줄 친 ⓐ, ⓑ, ⓒ에 들어갈 알맞은 관계사를 쓰시오.

ⓐ __________ ⓑ __________ ⓒ __________

Make it Yours

1 주어진 글 다음에 이어질 글의 순서로 가장 적절한 것은?

When scientists have trained primates and other animals to use simple tools, they've discovered just how profoundly the brain can be influenced by technology.

(A) The tools, so far as the animals' brains were concerned, had become part of their bodies. As the researchers **who designed the experiment with the pliers** explained, the monkeys' brains began to act as if the pliers were now fingers.

(B) Monkeys, for example, were taught how to use rakes and pliers to reach food **that was otherwise beyond their grasp**. When researchers monitored the animals' neural activity, they found significant growth in the visual and motor areas involved in controlling the hands **that held the tools**.

(C) But they discovered something even more striking as well. The data showed that the rakes and pliers actually came to be incorporated into the neural pathways of the animals' brains.

① (A) – (C) – (B)　② (B) – (A) – (C)　③ (B) – (C) – (A)
④ (C) – (A) – (B)　⑤ (C) – (B) – (A)

2 다음 글에 드러난 Fil의 심경으로 가장 적절한 것은?

When they finally reached the port, Fil raced off the ship. He pushed his way as close to the front of the queue as he could. The other passengers, **who were just as eager as he was to get off the ship**, pushed him back. After going through Customs and not having much to declare, he had a whole new life ahead of him in the new city **he was to live in**: Rangoon, Burma. Now, here he was in the farthest of lands. He had heard of all the wonders of the Far East and now he was actually experiencing all these exotic, strange sites, food and people. It was a big step for him and his family. No one had ever wandered this far off from home.

① bored　② lonely　③ excited
④ perplexed　⑤ exhausted

3

다음 글의 주제로 가장 적절한 것은?

What should you say if a foreigner jumps to conclusions about the country **where you live**, and you don't agree? First, don't be upset. Instead, you can say something like, "It might appear that way, but I don't think most people **who live here** share that view, myself included." Questions from a foreigner **which seem quite personal**, such as "Why don't you have any children?" might be acceptable in his homeland, so just view them as a genuine curiosity about your culture. Also, you can offer a general response to some personal questions, such as "There are lots of married couples in this country **who don't have children**, and I'm sure they all have their own reasons." If the person presses the point, and you don't want to be more specific, say, "That's a topic **that I don't feel comfortable discussing**."

① several ways to be friendly to foreigners
② unacceptable questions in various cultures
③ the importance of making careful conclusions
④ the necessity of understanding cultural differences
⑤ how to deal with awkward questions from foreigners

4

다음 빈칸에 들어갈 말로 가장 적절한 것은?

The spread of Western clothing to areas **in which little or no clothing was worn in the past** has sometimes ____.
In many such cases, people took over only one part of the clothing complex, that is, the wearing of clothes. They knew nothing of the care of clothing and in many cases lacked the necessary equipment for such care. When they had worn no clothing, their bodies got a cleansing shower in the rain, and the bare skin dried quickly in the sun and air. When they obtained clothing, however, a shower meant wet clothes **that did not dry so quickly as bare bodies**, and pneumonia or other lung diseases sometimes resulted. Often they had little or no water for washing clothes, even if they had known how to do it. There were no fresh clothes to change into so people usually simply wore what they had until the clothes fell apart.

*pneumonia 폐렴

① came into conflict with local valuation of cultural heritage
② brought about an unexpected and positive change in society
③ provided opportunities for people to socialize with each other
④ produced disastrous results in terms of health and cleanliness
⑤ influenced and accelerated the development of modern civilization

5 **다음 글의 밑줄 친 부분 중, 문맥상 낱말의 쓰임이 적절하지 않은 것은?**

Until relatively recently, Sweden was an agriculturally based society. About 90% of families lived on farms until the Industrial Revolution in the early 1900s brought workers to the cities. Sweden has changed ① quickly into an industrialized, city-based country, with only 2% of the population now employed in agriculture. Thus, many Swedes remember life on the farm or have certainly heard stories about it. ② Ties to the farm are very strong and deeply personal. Although they enjoy everyday city life, most Swedes are still peasants at heart **who could easily return to the ways of their ancestors**, because the past is not too ③ distant. Back-to-the-farm and back-to-nature romanticism constitutes a major part of Swedish culture. Swedes long for an ④ escape to the country **where they can remind themselves of a simpler time**. This is also true of younger Swedes **who, similar to their counterparts elsewhere, seem to devote a significant amount of time to their computers and smartphones**. Still, while in the countryside, these younger Swedes behave in a fashion ⑤ opposite to their parents.

CHAPTER 11

비교구문

비교구문은 두 대상을 비교하여 서로 같은지 혹은 다른지를 표현하는 것이다.
비교구문은 형용사나 부사의 원급, 비교급, 최상급을 활용해 표현한다.
이 챕터에서는 다양한 비교 표현의 형태를 익히고 비교 대상 파악에 대해 학습한다.

UNIT 01

원급을 이용한 표현

「as+원급+as」를 이용하여 비교하는 두 대상에 정도의 차이가 없음을 표현하기도 하고, 이를 활용해 다양한 비교 표현을 나타낼 수도 있다. 이때 앞의 as는 부사, 뒤의 as는 접속사이다.

● **다음 각 문장의 굵게 표시한 부분에 유의해서 해석해보시오.**

정답 및 해설 p. 68

1 as ~ as

Metal **is as hard as** rock / but behaves like a plastic / and is almost infinitely reusable. 고2 모의응용

▶ 「A + 동사 + as + 원급 + as + B」는 'A는 B만큼 ~하다'의 뜻으로 비교 대상이 되는 A와 B의 동사가 서로 같을 때 접속사 as 뒤의 (조)동사는 종종 생략되며, be동사는 인칭이 다르더라도 생략할 수 있다.

◆ My lifestyle is **not as** *colorful or exciting* **as** other people's, but at least it gives me a sense of security. 고3 모의응용

비교 대상 (My lifestyle — other people's: B)
(A는 B만큼 ~하지는 않다 (A<B))

두 대상에 차이가 있을 때는 not as[so] ~ as로 표현한다.

2 as much[many] as

Today, **as much as** 8 to 10 percent of the American adult population / may be compulsive shoppers. 고1 모의응용

▶ as much[many] as는 수나 양이 많다는 느낌을 전달하는 표현으로, '무려 ~나 되는 양[수]의'로 해석한다.

+Tip **as many as** + 셀 수 있는 명사 / **as much as** + 셀 수 없는 명사
The new trading center in that small town attracts as [much / **many**] as 3 million visitors each year.

3 as ~ as possible

Some novelists / prefer to include / **as many characters as possible** / in their stories. 고3 모의

▶ 「as ~ as possible」은 「as ~ as + 주어 + can[could]」로 바꿔 쓸 수 있으며 '가능한 한 ~한'의 의미로 해석한다.

4 twice[half, three times, ...] as ~ as

A study found // that attractive candidates received **two and a half times as *many* *votes* / as** unattractive candidates. 수능응용

▶ '~보다 …배 더 ~하다'라는 뜻으로, 「배수사 + as + 원급 + as ~」는 「배수사 + 비교급 + than ~」으로 바꿔 쓸 수 있다.
(➔ 11-02 비교급을 이용한 표현)

A

주어진 우리말과 같은 뜻이 되도록 괄호 안의 단어를 바르게 배열하여 문장을 완성하시오.

1 수백만 년 전에, 인간의 얼굴은 오늘날의 얼굴만큼 납작하지 않았다.
(they, are, as, as, today, weren't, flat)
→ Millions of years ago, human faces ______________________. 고1 모의응용

2 오클라호마 시를 강타한 토네이도는 13,000채에 달하는 주택을 파괴했고 20억 달러나 되는 피해액을 초래했다. (much, as, destroyed, as, many, $2 billion, 13,000 homes, and, caused, as, as)
→ The tornado that went through Oklahoma City ______________________
______________________ in damage.

3 날이 건조하면, 선인장은 표면적을 최소화하여 가능한 한 많은 물을 계속 보유하기 위해 수축한다.
(water, as, possible, hold on to, as, much)
→ When it's dry, a cactus contracts to minimize its surface area and ____________
______________________. 고3 모의응용

*cactus 선인장

4 모든 에너지원 중에서 화석 연료의 비중이 가장 큰데, 이는 재생 가능 에너지보다 네 배 정도 높다.
(high, about, times, four, as, as)
→ Of all energy sources, the percentage of fossil fuels is the largest, which is ______________________ that of renewables. 고1 모의

B

글의 흐름으로 보아, 주어진 문장이 들어가기에 가장 적절한 곳은?

In the case that the stress is not too severe, the brain can actually perform better.

Not surprisingly, people who experience chronic stress are sick more often. One study showed that ⓐ stressed individuals were **three times as** likely to suffer from the common cold **as** individuals without stress. (①) That is because stress affects the immune system. (②) Likewise, the brain is just **as** sensitive to stress **as** the immune system is. (③) Memories of stressful experiences are formed more easily because your brain and body are forced to pay attention. (④) However, if the stress is too severe over the long term, it begins to harm learning. (⑤) You can see the effects of stress on learning in everyday life. Stressed people can't do math, process language, or adapt old pieces of information to new scenarios **as** effectively **as** non-stressed individuals.

서술형 Q **윗글의 밑줄 친 ⓐ를 우리말로 옮기시오.**

____

UNIT 02

비교급을 이용한 표현

「비교급+than」을 이용하여 비교하는 두 대상에 정도의 차이가 있음을 표현하기도 하고, 이를 활용해 다양한 비교 표현을 나타낼 수도 있다.

● **다음 각 문장을 굵게 표시한 부분에 유의해서 해석해보시오.**

정답 및 해설 p. 69

1 비교급 + than

As humans, / we "eat with our eyes" // because our sense of sight is **more highly developed** / **than** the other senses. 고3 모의응용

» 「A+동사+비교급+than+B」는 'A는 B보다 더 ~하다'의 의미로, than 뒤의 be동사, 조동사, 대동사 do도 생략 가능하다.

◆ The difference between skateboarding and snowboarding is that asphalt tends to hurt ***much*** **more than** snow when you fall down. 고1 모의응용
비교급을 수식하는 부사로는 much, far, even, still, a lot 등이 있으며 very, so, pretty는 비교급을 수식할 수 없다.

+Tip **than 대신 전치사 to를 쓰는 비교급**: superior, inferior, senior, junior, preferable 등의 형용사는 than 대신 전치사 to를 쓴다.
Racism is driven by the belief that one racial group is innately **superior to** others.

2 the + 비교급 ~, the + 비교급 …

The more knowledge and experience / a decision maker has, // **the greater** the chance for a good decision. 고1 모의응용

» 「the + 비교급 ~, the + 비교급 …」는 '~하면 할수록 더 …하다'의 의미로, 비교급 뒤에 나오는 동사는 생략되는 경우도 있다.

3 two[three, four ...] times + 비교급 + than

When people see or hear something funny, // they are **30 times more likely to laugh** when they are with others / **than** when they are alone. 고1 모의응용

» 이 구문은 「배수사 + as + 원급 + as ~」로 바꿔 쓸 수 있다(= 30 times as likely to laugh when they are with others as when they are alone). 「배수사 + 비교급 + than ~」에서는 「배수사 + as + 원급 + as ~」와 달리 half와 twice를 쓰지 않음에 주의한다. (← 11-01 원급을 이용한 표현)

A 주어진 우리말과 같은 뜻이 되도록 괄호 안의 단어를 바르게 배열하여 문장을 완성하시오.

1 때로는 상식과 실질적인 노하우가 지적 능력보다 더 유용하다.
(intellectual, more, than, useful, ability)
→ Sometimes common sense and practical know-how are ______________________
______________________. 고1 모의

2 하나의 단어에 더 많은 의미를 담을수록, 생각을 전달하는 데 더 적은 단어가 필요하다.
(fewer, meaning, are, you, needed, the, more, pack, the, words)
→ ______________________ into a single word, ______________________
______________________ to get the idea across. 수능응용

3 개의 뇌는 인간의 뇌보다 최소 20배 더 많은 냄새와 관련된 세포를 갖고 있다.
(20, more, cells, at, least, times, smell-related)
→ A dog's brain holds ______________________________
than the human brain. 고2 모의응용

B 다음 글의 제목으로 가장 적절한 것은?

Believing we control outcomes increases calmness and motivation. Exaggerated beliefs that external causes — nature, luck, fate, other people, or the weather — control the outcomes we want can lead to a "why try?" apathetic attitude. We can slip into the role of being a weak victim of these powerful external powers. **The more** we believe that we can control the outcomes, ⓐ (feel, the, will, more, we, optimistic and confident). Believing that we can control the satisfaction of our ultimate concerns helps produce deep, pervasive optimism. Knowing that our happiness is determined by our thoughts and knowing that we can control our thoughts is a pillar of that deep optimism.

*apathetic 무관심한

① Take Comfort in Being a Victim
② Don't Be Influenced by Inner Conflict
③ The Illusion of Controlling Outcomes
④ The Less Confident Become More Optimistic
⑤ Feeling Empowered: The Key to Happiness

서술형 Q 윗글의 괄호 ⓐ 안의 말을 바르게 배열하시오.

____

UNIT 03
최상급 표현

최상급은 셋 이상 중에서 어느 하나가 가장 정도가 심한 것을 나타내는 표현이다.
「the + 최상급」 외에 원급이나 비교급을 이용한 최상급 표현도 있음을 기억하자.

● 다음 각 문장을 굵게 표시한 부분에 유의해서 해석해보시오.

정답 및 해설 p. 69

1 the + 최상급

The most important part of any experiment / is to conduct it safely. 고1 모의

▶ 「the + 최상급」은 범위를 나타내는 'of[in] ~'와 같이 잘 쓰여 '~ 중에서 가장 …한'의 의미를 나타낸다.

2 one of the + 최상급 + 복수명사

One of the best things / you can do to get support for your dream / is to support somebody else's first. 고1 모의

▶ 「one of the + 최상급 + 복수명사」는 '가장 ~한 것들 중 하나'란 의미이다.

3 부정어를 포함한 주어 + 비교급 + than

Nothing / teaches kids **quicker** / about what things cost / **than** giving them their own money to spend. 고1 모의응용

▶ '…보다도 더 ~한 것은 없다'의 의미로, 최상급의 의미를 갖는다.
최상급의 의미를 갖는 원급과 비교급 표현들은 다음과 같다.

nothing ~ as[so] + 원급 + as ...	…만큼 ~한 것은 없다
nothing ~ 비교급 + than ...	…보다도 더 ~한 것은 없다
no other + 단수명사 ~ as[so] + 원급 + as ...	…만큼 ~한 다른 것은 없다
no other + 단수명사 ~ 비교급 + than ...	…보다도 더 ~한 다른 것은 없다
비교급 + than any other + 단수명사	다른 …보다도 더 ~하다
as + 원급 + as any (+ 단수명사)	다른 … 못지않게 ~하다

Nothing teaches kids about what things cost **as quick as** giving them their own money to spend.
= **Nothing** teaches kids about what things cost **quicker than** giving them their own money to spend.
= **No other thing** teaches kids about what things cost **as quick as** giving them their own money to spend.
= **No other thing** teaches kids about what things cost **quicker than** giving them their own money to spend.

정답 및 해설 p. 70

A

주어진 우리말과 같은 뜻이 되도록 괄호 안의 단어를 바르게 배열하여 문장을 완성하시오.

1 19세기 후반 동안, 피아노 제조업은 뉴욕에서 가장 거대한 산업 중 하나였다.
(the, largest, one, industries, of)
→ During the late 19th century, piano manufacturing was ______________________ ______________________ in New York. 고1 모의응용

2 영어를 배우는 가장 효과적인 방법은 그 언어에 완전히 몰입하는 것이다.
(most, way, learn, the, to, English, effective)
→ ______________________________ is to fully immerse yourself in the language.

3 몸과 마음에 양분을 주는 것에 관한 한, 질 좋은 재료를 가지고 음식을 준비하는 것보다 나은 것은 없다.
(preparing, to, nothing, is, your food, superior)
→ When it comes to feeding your body and mind, ______________________ ______________________ with quality ingredients. 고2 모의응용

B

다음 빈칸에 들어갈 말로 가장 적절한 것은?

The process of getting to know someone involves a lot of conversation. But **one of the most important steps** you need to go through is to ______________________. How do they treat others, especially those who are providing a service? What sort of temper do they display? How do they deal with frustration? What kind of driver are they? What is their relationship to money? We are attempting, in other words, to figure out our new friend's philosophy of life to see if it matches with our own. If we value kindness over coldness, teamwork over competition, and generosity over greed, we want friends who act in line with these beliefs. ⓐ **Nothing teaches you about a stranger more than** spending time with him.

① share what kinds of values you respect
② rely on the first impression they gave to you
③ observe how they behave in different situations
④ ask others about their philosophy and personality
⑤ discover whether they have similar hobbies with you

서술형
Q

윗글의 밑줄 친 ⓐ와 같은 뜻이 되도록 할 때, 빈칸에 알맞은 말을 쓰시오.

= __________ __________ __________ teaches you about a stranger __________ __________ __________ spending time with him.

Make it Yours

1

다음 글에서 전체 흐름과 관계 없는 문장은?

Fingernails grow about a tenth of a millimeter a day. ① Toenails grow **slower than** fingernails, and drugs or disease can change the growth rate. ② There are differences from finger to finger: the middle and fourth finger tend to grow a little **faster than** the thumb and the fifth. ③ Stress and anxiety are the main causes of nail biting for most people, and the habit can cause severe damage. ④ Nails grow faster in summer, some research indicates, while winter and a cold environment tend to slow nail growth. ⑤ Other studies seem to find that the right-hand fingernails grow **faster than** the left, at least for right-handed individuals, and that stimulation, such as massage, helps them grow faster.

2

다음 글의 요지로 가장 적절한 것은?

Finding a lasting and satisfying bond with another person requires knowing what qualities of character we desire, and a lot of luck. We may be aware of the positive traits we seek, yet not have the good fortune to meet him or her. In this case, depending on the depth of our loneliness, we generally accept someone less fit. However, **the more** patience we have, **the more** time we have in which to meet the person of our dreams. The world is filled with many beautiful people, so it can be hard to believe we'll find the perfect one. Nevertheless, there is the right one for you somewhere at the end of your journey. With a little bit of knowledge, luck, and especially patience, this destiny can be yours.

① 인내심을 가지면 완벽한 이상형을 만날 수 있다.
② 어떤 사람이 나에게 어울리는지 아는 것이 중요하다.
③ 친구와 지속적인 관계를 유지하기 위해 노력해야 한다.
④ 이상형이라는 환상을 좇기보다는 현실을 직시해야 한다.
⑤ 이상형을 만나기 위해 스스로 먼저 좋은 사람이 돼야 한다.

3

다음 글에 드러난 'I'의 심경 변화로 가장 적절한 것은?

I jacked the front end of the car up and cleared away the snow from under it. In the meantime, Daniel built a fire about two feet in front of the radiator to keep the car warm and us from freezing to death, and to furnish enough light for the operation. The wheel correction was surprisingly easy; we were ready to leave again in a few minutes. Then we discovered that it would be **more** difficult to get out of the lane **than** it had been to get in. Because of the density of the trees, there was no way of turning around without serious risk of getting stuck. And the whirling snow made the visibility extremely poor. There was nothing more we could do.

*jack up (차 등을) 잭으로 들어 올리다

① worried → pleased
② mournful → embarrassed
③ angry → sympathetic
④ relieved → frustrated
⑤ affectionate → moved

4

글의 흐름으로 보아, 주어진 문장이 들어가기에 가장 적절한 곳은?

> Vitamin C, however, is **more than** an antioxidant.

How does vitamin C affect the brain? **The most obvious power** of vitamin C is as an antioxidant. Leading researcher Lester Packer says vitamin C is **one of the most powerful antioxidants**, along with vitamin E. (①) As an antioxidant, it protects brain cells from various damaging sources. (②) For example, studies have shown that people with Alzheimer's disease have much **lower** levels of vitamin C in the brain **than** young healthy people. (③) It can improve IQ and various mental functions. (④) For example, students with **the highest** blood levels of vitamin C have been shown to do **better** on memory and IQ tests **than** others. (⑤) Those who score low are able to improve their test results by taking more vitamin C.

*antioxidant 산화[노화] 방지제 **Alzheimer's disease 알츠하이머병 (노인성 치매의 일종)

5 다음 글의 제목으로 가장 적절한 것은?

As a single mom, Susan wanted to give **as much as possible** for her son, Jake. However, Jake had difficulty relating to others and didn't want to leave the house. Susan thought it might help if she worked from home, where she could keep an eye on Jake and give him extra support. Despite her many sacrifices, Jake didn't improve, so she sought professional help. Finally, she suggested to Jake that he try living apart from her. That single act of separation turned out to be the source of a great change. Within months, both of their lives took an upward turn. From her story, we can learn that keeping our children **as comfortable as they can be** is not always the answer. There is a time when giving **as much support as possible** is the right thing to do, but that time isn't forever.

① Try to Be Independent from Your Parents
② Get Professional Help If You Are Desperate!
③ Sacrifice as Much as You Can for Your Child
④ To Give More, You Should Sometimes Give Less
⑤ Family Conflict: A Usual and Natural Occurrence

CHAPTER 12

복잡하고 긴 문장의 이해

UNIT 01 강조구문

UNIT 02 삽입구문 · 동격구문

UNIT 03 생략구문

UNIT 04 도치구문

UNIT 05 부정구문

영어 문장은 항상 정해진 틀에만 갇혀있지 않다. 독해를 하다 보면 어떤 부분이 강조되거나, 일부가 삽입 또는 생략되기도 하고, 아예 어순이 도치된 문장들을 접할 수 있다. 따라서 이러한 다양한 구문에 강해져야 정확한 독해를 하는 데 한 걸음 더 가까이 나아갈 수 있다. 이 챕터에서는 변칙이 사용되어 복잡하거나 이해하기가 어려울 수 있는 구문에 대해 알아보기로 한다.

UNIT 01

강조구문

「It is[was] ~ that ...」은 '…하는 것은 바로 ~이다'란 뜻으로, 강조되는 어구 '~'에는 주어, 목적어, 부사구[절]가 올 수 있다.
강조되는 (대)명사인 '~'가 사람이면 that 대신에 who(m), 사물이면 which를 쓸 수 있다.
그리고 강조동사 do, does, did를 이용하는 등, 문장 각 요소를 강조할 수 있는 다양한 방법이 있다.

● **다음 각 문장에서 굵게 표시한 부분이 강조하는 대상에 밑줄 그으시오.**

정답 및 해설 p. 73

1 It is[was] + 명사(구) + that

It is the kind of food people eat for each meal // **that** plays the most significant role in health. 고1 모의응용

cf. **It is** *obvious* **that** a collision at a lower speed is less likely to result in death or serious injury. 고1 모의
S(가주어) S´(진주어)

「It is[was] ~ that ...」 형태는 강조용법 외에 「가주어-진주어」 구문으로도 잘 쓰이므로 혼동하지 않도록 주의한다.

2 It is[was] + 부사구[절] + that

It was not until after 9 a.m. // **that** my airplane finally left the terminal / in preparation for takeoff. 고1 모의응용

▶ 「It is[was] not until ~ that ...」은 관용적으로 '~하고 나서야 비로소… 하다'로 해석되기도 한다.

◆ ***When*** **was it that** // passports as we recognize them today / began to be used?
「It is[was] ~ that ...」 구문에서 의문사 when이 강조된 형태로, 의문문에서 의문사가 강조되면 「의문사 + is[was] it that ...?」의 형태가 된다.

3 do[does, did] + V

Many times I have seen proof // that a random act of kindness **does** in fact / encourage others to do the same. 고1 모의응용

+Tip 기타 강조구문은 다음과 같이 나타낼 수 있다.

명사 강조	**the very + 명사** 또는 **재귀대명사**	바로 그
부정어 강조	**not ~ at all [in the least, a bit, by any means]** 등	전혀 ~아니다
의문문 강조	**의문사 + on earth [in the world, ever]**	도대체

정답 및 해설 p. 73

다음 각 문장의 강조구문에서 강조되는 대상을 찾아 밑줄을 그으시오.

1 It was the Italians that first started the trend with the cappuccino which has coffee, milk, and an addition of milk foam on top. 고1 모의

2 Because of his injury, Jim wasn't able to play on the basketball team, but the coach did make him equipment manager so that he could practice. 고3 모의응용

3 It was with documentaries that the director's career started, so his later work featured many techniques from that genre. 고3 모의응용

4 We cannot predict the outcomes of sporting contest. It is the uncertainty of the result and the quality of the sporting contests that we find attractive. 고1 모의응용

5 Some degree of artistic ability is natural talent, but people really do get better with practice. 고2 모의

B

다음 빈칸에 들어갈 말로 가장 적절한 것은?

Activation energy is the energy needed to start a chemical reaction. For example, paper burns at 451 degrees Fahrenheit but does not at 450 degrees. Now imagine yourself lost in a forest, cold, and needing warmth. You invest energy by rubbing two sticks together, hoping to burn some paper and leaves. You create heat by your efforts and even raise the temperature up to 450 degrees. Sadly, you quit in disappointment, not knowing that the activation energy is 451 degrees. However, **it was** only a tiny bit of effort **that** prevented you from lighting the fire. Great champions know that the difference between good and great is incredibly small. Sometimes all it takes is a bit more patience and you find yourself at the next level. ____________________ **does** form the foundation for great performances.

*activation energy 활성화 에너지 **Fahrenheit 화씨

① Giving extra effort
② Setting a clear goal
③ Believing in yourself
④ Looking on the bright side
⑤ Acquiring essential knowledge

UNIT 02

삽입구문 · 동격구문

문장 내에서 설명을 덧붙이거나 의미를 추가하기 위해 어구나 절을 콤마(,)나 대시(—)다음에 넣어주기도 하는데, 이를 삽입구문이라 한다. 삽입어구는 괄호로 묶으면 문장 구조의 파악이 더 쉽다. 또한, 명사나 대명사를 다르게 표현하거나 그에 대한 구체적인 설명을 더하기 위해 그 뒤에 콤마(,), of, or, that 등 다른 명사 어구가 덧붙은 것을 동격구문이라 한다.

● **다음 각 문장에서 삽입된 어구는 찾아 ( )로 묶고, 서로 동격을 이루는 어구에는 각각 밑줄을 그으시오.** 정답 및 해설 p. 74

1 대시(—) + 삽입절[구] + 대시 (—)

Music study enriches all the learning / — in reading, math, and other subjects — / that children do at school. 고1 모의

2 콤마(,) + 삽입절[구] + 콤마(,)

Simon's new house, / it seemed, / was much too big for *one man* (living by himself). 고1 모의응용

+Tip 수일치 문제가 나오면, 동사 바로 앞에 있는 삽입어구 내의 명사를 주어로 혼동하지 않도록 주의한다.
Sydney and Melbourne are the largest cities of Australia, but **Canberra**, *with fewer than half a million people*, [**is** / are] the nation's capital. 고3 모의

3 명사(구) + 콤마(,) + 명사(구)

The eye, / the most delicate and sensitive part of the body, / has to withstand *the dust* (present in the air). 고1 모의응용

4 명사 + that절

Fairness to the future involves the idea / that the living generation must be protectors of the earth's resources / for later generations. 고2 모의응용

▸ 동격절을 이끄는 that 뒤에는 완전한 구조, 관계대명사 that 뒤에는 불완전한 구조가 온다는 점에 주의한다.
cf. The key to attracting investors is to talk about your project in a way [**that seems particularly interesting to them**]. 고1 모의응용
(동격의 that절이 아니라 선행사 a way를 수식하는 관계대명사절)

+Tip **동격절을 이끄는 주요 명사**
news, fact, belief, theory, idea, thought, doubt, opinion, hope, question, suggestion 등

정답 및 해설 p. 74

A 다음 각 문장에서 삽입구문은 ( )로 묶고, 서로 동격을 이루는 어구에는 각각 밑줄 그으시오.

1 Today, wind towers much taller than windmills — usually about 20 stories high — are being used to capture the power of wind. 고1 모의응용

2 Extensive research has shown that watching violent scenes leads people, especially children, to become violent. 고1 모의

3 Fossil fuels, one of the main sources of electric power, are nonrenewable energy sources because once they are burned, they are hard to replace. 고1 모의

4 The belief that athletes run faster and faster until they reach the finish line is not true in most cases. 고2 모의응용

5 The kiwi, a non-flying bird found in New Zealand, weighs about four pounds, and its egg about one pound.

6 Hiding your mistakes or making excuses for your blunders increases the chances that you'll repeat those mistakes again.

*blunder 실수

B 다음 글에서 전체 흐름과 관계 <u>없는</u> 문장은?

Indeed, abstracting is difficult for people in every discipline. ① Many famous novelists **— Mark Twain and Ernest Hemingway come to mind —** have written to their editors that they regretted the extreme length of their manuscripts; if they had had more time, the work would have been half as long. ② Winston Churchill is supposed to have said that he could talk for a day with five minutes' notice but needed a day to prepare if he had only five minutes in which to speak. ③ <u>One of the 20th century's most influential voices in American and English literature, Ezra Pound declared, each poem should have a rhythm which corresponds exactly to the emotion or shade of emotion to be expressed.</u> ④ **The poet Edwin Arlington Robinson** shifted from writing short verse to lengthy works as he got older, remarking, "I am over sixty now, and short poems require too much effort." ⑤ The essence of writing, **these individuals say**, is not putting words on the page but learning to recognize and erase the unnecessary ones.

서술형 Q 윗글의 밑줄 친 문장에서 동격을 이루는 어구를 찾아 쓰시오.

____

UNIT 03

생략구문

앞에 나온 내용이 뒤에 반복되는 것을 피하고 문장을 간결하게 할 때 종종 생략이 일어난다. 이러한 생략구문은 생략된 부분 때문에 연결이 자연스럽지 못하고 끊어지는 느낌을 줄 수 있으므로, 생략된 공통 어구가 무엇인지 먼저 찾아보면 문장 구조의 파악이 더 쉽다.

● **다음 각 문장에서 생략이 일어난 부분을 찾아 ∨로 표시하고, 생략된 어구를 쓰시오.**

정답 및 해설 p. 75

1 반복되는 어구 생략

Education was important / to people / throughout history // and it certainly is / to us / today. 고2 모의응용

2 부사절의 「S+ be동사」 생략

While playing with collections (such as dolls, comic books, stickers, and so on), // children can organize them by size, shape, or color. 고1 모의응용

▸ when, while, (even) though, if, unless, as 등이 이끄는 부사절의 주어가 주절의 주어와 같은 경우, 부사절의 「S + be동사」는 생략되는 경우가 많다.

3 대부정사

One way to stay motivated / is to hang around with *those* [who have already achieved what you would like to]. 고1 모의응용

▸ 같은 동사의 반복을 피하기 위해 뒤에 오는to 부정사의 v를 생략하는데 이렇게 to만 남은 형태를 대부정사라고 한다.

+Tip **관용적 생략어구**

생략되더라도 의미 전달에 어려움이 없어서 관용적으로 생략이 일어나는 경우이다.

- **if** (there is[are]) **any**: 만약에 있다면; 만약에 있다 하더라도
- **if** (it is) **possible**: 가능하다면
- **if** (it is) **necessary**: 필요하다면
- **what** (would happen) **if**: 만약 ~하면 어떻게 될까?

정답 및 해설 p. 75

다음 각 문장에서 생략이 일어난 부분을 찾아 ∨ 로 표시하고, 생략된 어구를 쓰시오.

1 When unable to open a hard nut, birds usually drop it from great heights. 고3 모의응용

2 All employees are required to wear identification cards while at work.

3 I made efforts to correct my nail-biting habit even though it was hard to. 고3 모의응용

4 You may not even know what "irony" means now, but someday you will. 고3 모의응용

5 A study found that enrollment in physical education classes was not related to academic achievement scores, but involvement in vigorous physical activity was. 고3 모의응용

B

글의 흐름으로 보아, 주어진 문장이 들어가기에 가장 적절한 곳은?

A clear vision can save you from a similar fate.

It's easy to lose your concentration if you're caught up in trivial matters. You can't afford to waste resources or effort. (①) Therefore, everything must be focused on making your vision a reality, because it determines what is important and ⓐ **what is not**. (②) Some years ago, ten whales beached themselves on the Baja Peninsula and died. (③) Marine biologists were alarmed, so they studied the whales to discover the reason for this massive loss of life. (④) A few weeks later, a newspaper reported that the whales had lost their focus and beached themselves ⓑ **while chasing tiny little fish close to the shore**. (⑤) Andy Stanley, a minister and author, urges us to understand this when he says, "To focus on what's around you diminishes your ability to focus on what's before you."

서술형 Q

윗글의 밑줄 친 ⓐ, ⓑ에 생략된 어구를 각각 쓰시오.

ⓐ what is not ________________

ⓑ while __________ __________ __________ chasing tiny little fish close to the shore

UNIT 04

도치구문

문장의 특정 어구를 강조하기 위해 그 어구를 문장의 맨 앞으로 보내면 뒤의 어순이 「(조)동사+주어」로 종종 뒤바뀌는데, 이를 도치구문이라 한다. 부정어(구)가 문두로 가면 도치가 반드시 일어나며, 방향·장소의 부사구나 보어가 문두로 가도 도치되는 경우가 많다.

● **다음 각 문장에서 주어와 동사, 조동사를 찾아 밑줄을 긋고 각각 S, V, 조동사로 표시하시오.** 정답 및 해설 p. 76

1 강조어구(부사, 보어 등) + V + S

Gone are *the days* [when clean water was limitless and free everywhere]. 고1 모의응용

▶ 보어가 강조를 위해 문장 맨 앞으로 오면 뒤의 주어와 동사가 도치된다.

2 부정어구 + (조)동사 + S

Only after much trial and error / does the average person realize // what he or she truly wants to do in life. 고1 모의응용

▶ 의미상 부정어에 가까운 Only를 포함한 부사구가 문장의 맨 앞에 오면서 뒤의 주어와 조동사가 도치되었다.

+Tip **자주 쓰이는 부정어**
no, not, never, hardly, seldom, scarcely, little, few, not until, not only, only(준부정어)

3 방향·장소의 부사구 + V + S

Deep within the jungle of the southeast Indonesian province of Papua lives the Korowai tribe. 고1 모의

▶ 장소의 부사구가 문장의 맨 앞에 오면 뒤의 주어와 동사가 도치된다.

Check it Out! ▶ 그 외 도치가 일어나는 경우

문법상 관용적으로 어순이 도치되는 경우이다.

1. So[Neither, Nor]+V+S: S도 그렇다[그렇지 않다]
People who communicate to others about themselves freely can be considered as the self-disclosing type, and **so** *are people who share their personal experiences with others*. 고2 모의응용

2. There[Here]+V+S
With the introduction of improved agricultural equipment, **there** *is less need for human muscular strength*. 고2 모의응용

다음 각 문장에서 도치된 주어와 동사, 조동사를 찾아 각각 밑줄을 긋고 S, V, 조동사로 표시하시오.

1 Fundamental to most moral approaches is the idea that human life is more valuable than self-interest. 고3 모의응용

2 Only by imagining what we would feel in a certain situation can we understand how others feel. 고1 모의응용

3 Shocked was I at the news of a plane crash when I turned on the radio.

4 Standing next to him was an eleven-year-old boy dressed in shabby clothes. 고3 모의

5 Not only can some types of plants reduce air pollutants, but they can also convert carbon dioxide back into oxygen. 고2 모의

6 On the table in the room was a big bowl of chocolate chip cookies. 고2 모의응용

B

주어진 글 다음에 이어질 글의 순서로 가장 적절한 것은?

> Hardly ⓐ <u>we can see</u> the world as it is because of the stereotypes we rely upon. This can be seen clearly in the following story. A man started playing a violin at a metro station in Washington, DC.

(A) However, the violinist was Joshua Bell, a world-famous musician. This event, ⓑ <u>Joshua Bell playing</u> in a metro station, had been organized by the Washington Post as part of a social experiment.
(B) Thousands of people passed through the station, but only rarely ⓒ <u>anyone was</u> concerned with the man's skillful performance. When he finished playing, no one clapped, nor ⓓ <u>was there</u> any other obvious recognition.
(C) Because Bell was playing in a subway station, people assumed he was a street musician playing for money. They saw and heard what ⓔ <u>they expected</u> to see and hear from a street musician.

① (A) - (C) - (B)　　② (B) - (A) - (C)　　③ (B) - (C) - (A)
④ (C) - (A) - (B)　　⑤ (C) - (B) - (A)

서술형
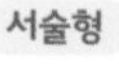

윗글의 밑줄 친 ⓐ~ⓔ에서 어법상 <u>틀린</u> 것을 <u>두 개</u> 찾아 그 기호를 쓰고, 바르게 고치시오.

______________, ______________

부정구문

부정구문은 자칫 정반대로 해석할 수 있으므로 유의해야 한다. 특히 부분부정은 전체를 부정하는 것과 달리 일부만 부정하는 것이므로 바꿔 말하면 일부는 긍정하는 것이다.

전체부정	모두 부정	no, never, not~any[either], neither, nobody, none
부분부정	일부 부정 (= 일부 긍정)	not all[every, both, always, necessarily, entirely] (모두[모두, 둘 다, 항상, 반드시, 전적으로] ~한 것은 아니다)
이중부정	강한 긍정	부정어 A without B(A하면 반드시 B한다)

● **다음 각 문장을 굵게 표시한 부분에 유의해서 해석해보시오.**

정답 및 해설 p. 77

1 전체부정

In science, / we can **never** really prove / that a theory is true. All we can do in science / is use evidence / to reject a hypothesis. 고2 모의

2 부분부정

It is **not always** easy to eat well // when you are dealing with school, work, and a variety of other demands. 고1 모의응용

▸ 부분부정은 전체부정과 달리 일부만 부정하는 것으로 일부는 긍정한다는 것에 유의해야 한다.

3 이중부정

Just as you ca**n't** keep driving a car / **without** ever refilling the gas, // you ca**n't** keep giving to kids / **without** ever refueling emotionally. 고2 모의

4 부정어가 없는 부정구문

As an artist, / the search for an appropriate medium / is not always easy, // but it is **far from** impossible. 고1 모의응용

▸ not, never, no 등의 부정어가 포함되어 있지 않으면서도 부정의 뜻을 나타내는 어구가 있다.
rarely, hardly, barely, free from(~이 없는), anything but(~이 결코 아닌), few, little, the last ~ to-v(결코 v하지 않을 ~), far from(전혀 ~이 아닌), be[have] yet to-v(아직 v하지 않고 있다[않았다]) 등.

정답 및 해설 p. 77

A

다음 각 문장의 빈칸에 문맥상 가장 적절한 것을 보기에서 골라 쓰시오.

<보기> nothing / have yet to / not all / nobody / without

1 Wanting to be accepted by others is part of human nature. ________________ wants to feel left out. 고1 모의

2 ________________ children of successful people become successful themselves. 수능

3 ________________ great in the world has ever been accomplished ________________ passion. 고1 모의응용

4 While there are hundreds of thousands of known marine life forms, there are many that ________________ be discovered.

B

다음 빈칸에 들어갈 말로 가장 적절한 것은?

Herman, a financial counselor, works with people who have debt problems. His observations of his clients capture an important reality about credit cards. Paying with plastic fundamentally changes the way we spend money, altering our calculations and financial decisions. When you buy something with cash, the purchase involves an actual loss — your wallet is literally lighter. Credit cards, however, make the purchase abstract, so that you're **free from** ____________________________. Brain-imaging experiments suggest that paying with credit cards actually reduces activity in the brain region associated with negative feelings. As a professor at Carnegie Mellon said, the nature of credit cards ensures that (A) <u>your brain is **anything but** aware of the negative aspects of payment</u>. Spending money feels **far from** bad, so you spend more money.

① the desire to spend more
② the pain of spending money
③ the inconvenience of carrying cash
④ the fear of living with constant debt
⑤ the control of organized consumption

서술형 **Q**

윗글의 밑줄 친 (A)를 우리말로 옮기시오.

____

1

다음 글에 드러난 'I'의 심경으로 가장 적절한 것은?

Last week, my 10 year-old daughter showed me a picture she drew for her teacher. Being an artist myself, I immediately found a few details that she was missing, so I suggested some things that she could add to make the drawing even better. She looked at me with tears in her eyes as she said, "My drawings are never good enough for you, are they?" Those simple words pierced me. I was so proud of my daughter's artistic ability and all this time, I had been making her feel terrible. I was only trying to improve her work but I instantly realized that I'd been damaging her self-confidence. Every time I pointed out something in her drawings, she felt like she was a failure. All she wanted was for me to be proud of her. **Little did I know** how bad I made her feel.

① gloomy ② ashamed ③ furious
④ excited ⑤ bored

2

주어진 글 다음에 이어질 글의 순서로 가장 적절한 것은?

> We tend to think of imitation as a solo action. However, in many contexts — **and normally in mother-infant interactions** — achieving successful imitation is more of a cooperative undertaking.

(A) So the model's "you are successfully imitating me" display will typically be met by the imitator's "I am successfully imitating you" display, and this makes the success display mutual.

(B) **The person being imitated, the model,** becomes the demonstrator, and, by smiling and encouraging, facilitates the imitator's efforts. Even in contexts **where no such assistance is necessary, where the imitation is effortless**, the model will usually be aware of being successfully imitated and will display this back to the imitator.

(C) This acknowledgment of success display might consist of a smile or a meeting of gazes, and performance of the action might become more enthusiastic. Furthermore, the imitator will be aware of when his imitation is successful and may produce a similar success display.

① (A) - (C) - (B) ② (B) - (A) - (C) ③ (B) - (C) - (A)
④ (C) - (A) - (B) ⑤ (C) - (B) - (A)

정답 및 해설 p. 78

3 다음 글의 주제로 가장 적절한 것은?

Native species are preferred by environmentalists because they are a product of the natural habitat and ecosystem. Species of plants and animals within any habitat are **anything but** randomly distributed, and the introduction of a new species from outside can threaten what exists naturally. For example, a non-native sycamore tree would take up a space that would otherwise have been occupied by a native oak. Compared with an oak, the sycamore supports a limited variety of leaf-eating insects and small mammals. This, in turn, would affect the number and even the survival of other species, such as insect-eating birds or mammals. Although native species may **not always** support a more diverse ecosystem than non-native ones, it is true that native species have had much more time to develop close links with each other.

*sycamore 유럽산 단풍나무의 일종

① how to introduce new species into an environment
② factors determining the survival of a specific species
③ reasons for sustaining native species in an ecosystem
④ the danger of rejecting non-native species in a habitat
⑤ the predictable environmental importance of new species

4 다음 글의 밑줄 친 부분 중, 문맥상 낱말의 쓰임이 적절하지 않은 것은?

Sports encourage many personal virtues, such as self-discipline, but **it is** ① cooperation and teamwork **that** they truly emphasize. In part, this is because they teach about authority. Team sports give participants experiences of leading and following, and participants learn the ② connected nature of these roles. A student placed in the role of captain learns leadership skills — how to motivate others. Other players on the team learn that they need to support each other even if they do not like each other. How individual team members work together ③ overcomes their success. Sports also demonstrate the ④ relativity of winning and losing. When boys and girls find themselves on top one day and on the bottom the next, they learn modesty and compassion. Indeed, they discover that treating the ⑤ defeated well pays off when things change and the last game's losers are in the winners' position on another occasion.

5 (A), (B), (C)의 각 네모 안에서 문맥에 맞는 낱말로 가장 적절한 것은?

Environmentalist Patti Wood, director of Grassroots Environmental Education, spends much of her time working to get schools to stop using pesticides and embrace green cleaning products. Why? Wood points to **the fact that we're seeing (A) [falling / rising] rates of children's asthma, learning disabilities, development disorders, and allergies.** "We need to be (B) [comfortable / concerned] about indoor air quality because kids today are spending more and more time inside," says Wood. "During the school year, kids learn and play in the same buildings and classrooms day after day, and if there are air-quality issues related to cleaning products and other chemicals, this can mean significant exposures." She's made considerable progress so far, having helped many private and public schools make the (C) [resistance / switch] to "Child-Safe" products, which meet a very strict standard that Wood developed for use around children.

*asthma 천식

	(A)		(B)		(C)
①	falling	......	comfortable	......	resistance
②	falling	......	concerned	......	switch
③	rising	......	concerned	......	switch
④	rising	......	comfortable	......	switch
⑤	rising	......	concerned	......	resistance

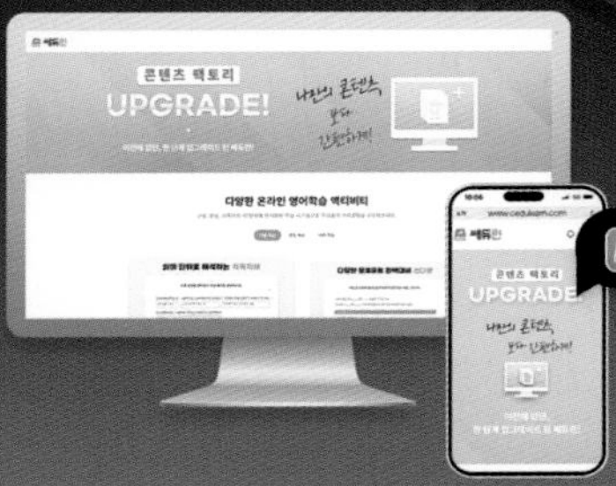

쎄듀런

① 구문

판매 1위 '천일문' 콘텐츠를 활용하여 정확하고 다양한 구문 학습

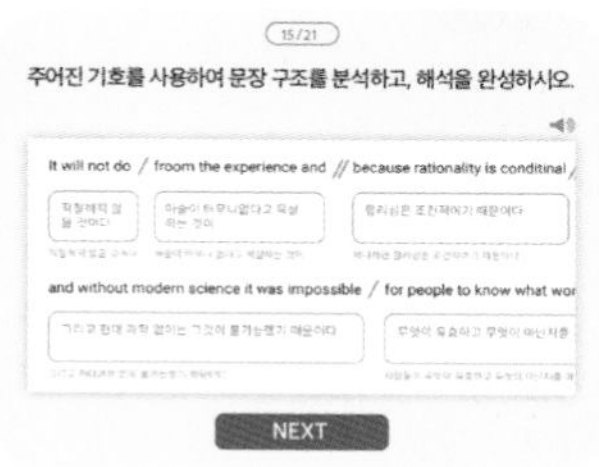

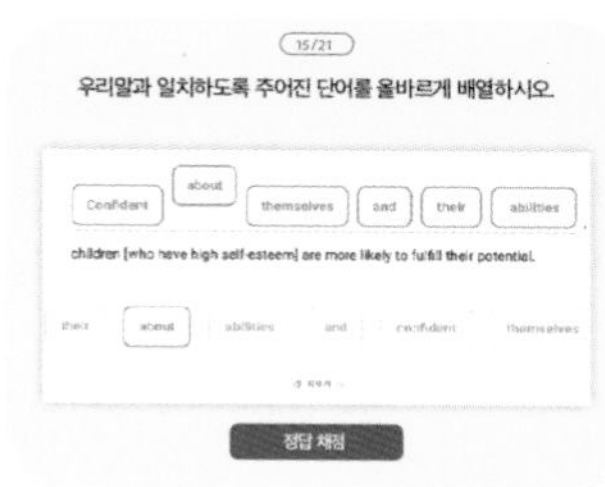

끊어읽기 / 해석하기 / 문장 구조 분석 / 해설·해석 제공 / 단어 스크램블링 / 영작하기

② 문법·서술형

쎄듀의 모든 문법 문항을 활용하여 내신까지 해결하는 정교한 문법 유형 제공

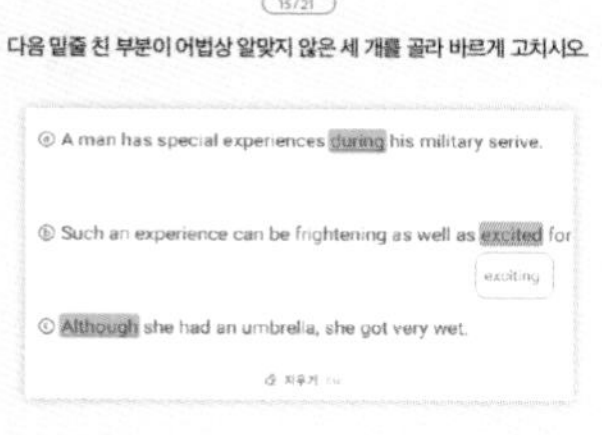
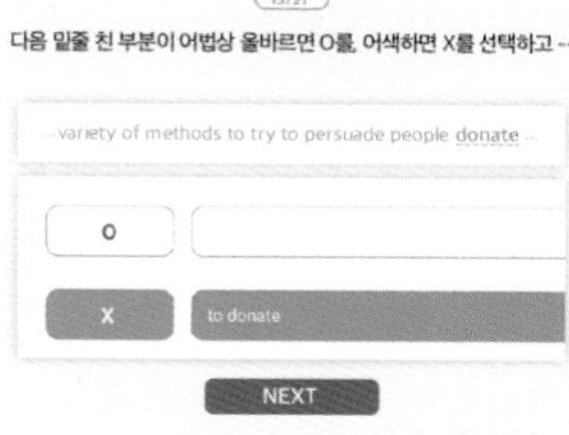
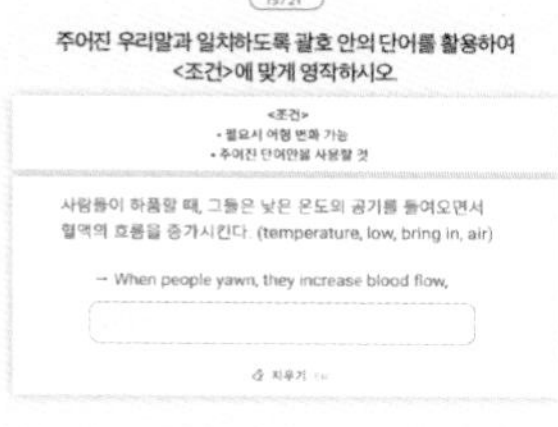
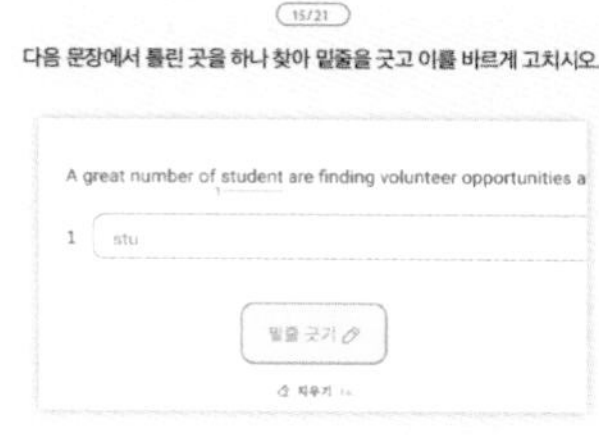

객관식과 주관식의 결합 / 문법 포인트별 학습 / 보기를 활용한 집합 문항 / 내신대비 서술형 / 어법+서술형 문제

③ 어휘

초·중·고·공무원까지 방대한 어휘량을 제공하며 오프라인 TEST 인쇄도 가능

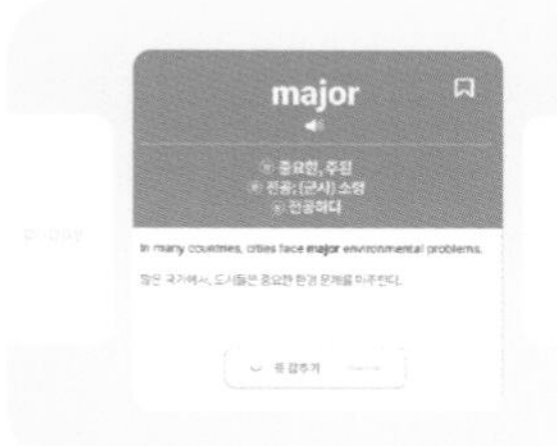
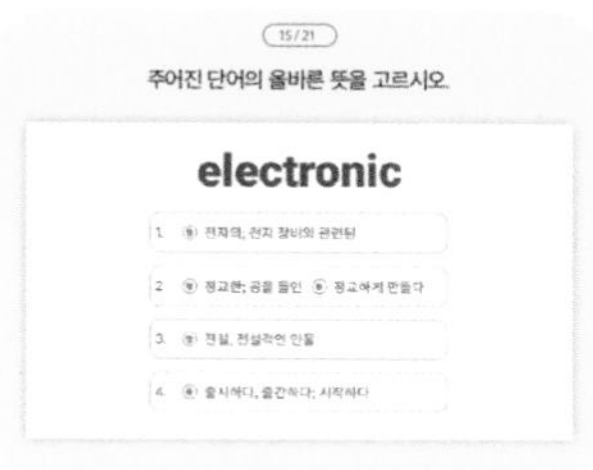
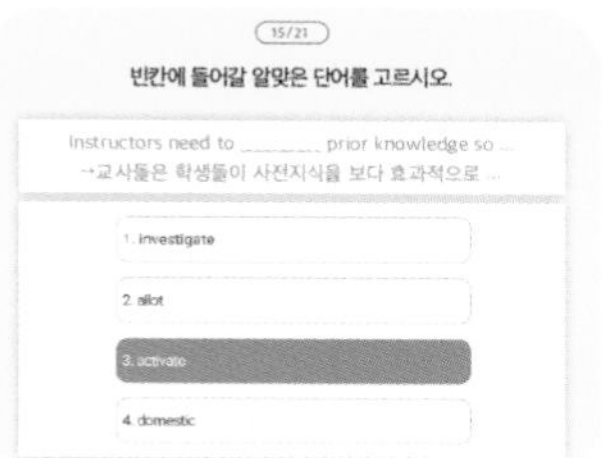

영단어 카드 학습 / 단어 ↔ 뜻 유형 / 예문 활용 유형 / 단어 매칭 게임

④ 선생님 보유 문항 이용

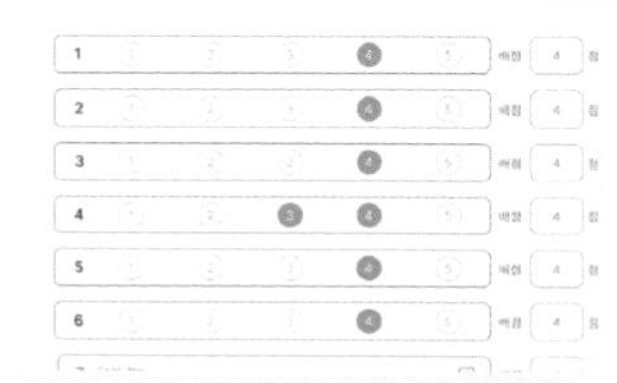

Online Test / OMR Test

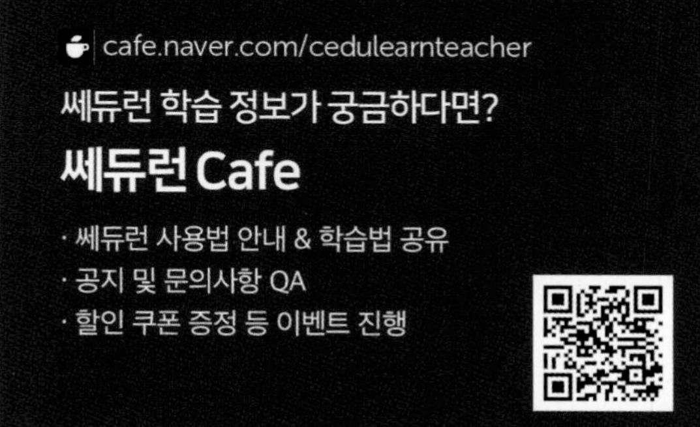
cafe.naver.com/cedulearnteacher
쎄듀런 학습 정보가 궁금하다면?
쎄듀런 Cafe
· 쎄듀런 사용법 안내 & 학습법 공유
· 공지 및 문의사항 QA
· 할인 쿠폰 증정 등 이벤트 진행

구문을 알아야 독해가 된다

정답 및 해설

구문을 알아야 독해가 된다

정답 및 해설

CHAPTER 01 주어의 이해

UNIT 01 수식어가 딸린 긴 주어

p. 10

1 (toward making a dream come true), is
꿈을 실현시키기 위한 첫 번째 단계는 실제로 꿈을 갖는 것이다.
+Tip 도시 공간에 있는 벤치에 대한 연구는 도시 생활을 가장 잘 보여주는 위치에 있는 좌석이 훨씬 더 자주 사용됨을 보여준다.

2 (of the most important skills [you can develop in human relations]), is
인간관계에서 당신이 발전시킬 수 있는 가장 중요한 기술 중 하나는 다른 사람의 관점에서 사물을 바라보는 능력이다.

3 [we use], [we think about], are
우리가 쓰는 대부분의 단어와 우리가 생각하는 의미는 더 단순한 생각들의 조합이다.

Check it Out! 교사들에게 '똑똑하다'고 소개되는 학생들은 성취도 평가에서 그들 또래보다 종종 더 잘한다.

Tip frequently 자주, 종종
2 point of view 관점, 견해
Check it Out! achievement test 학업성취도[검사] / peer 또래

A

1 [many family gardeners fall into], is | 텃밭을 가꾸는 많은 사람들이 빠지는 가장 큰 함정은 너무 큰 밭을 만드는 것이다. **해설** many 앞에 관계대명사 that이 생략되었다.

2 [who has ever achieved any degree of success], knows | 어느 정도의 성공이든 이뤄본 적 있는 사람은 누구나 삶에서 소중한 것은 아무것도 쉽게 오지 않는다는 것을 안다.

3 [that simply makes you feel great], will not help | 단지 당신을 기분 좋게 하는 피드백은 장기적으로 당신의 능력을 발전시키는 데 도움이 되지 않을 것이다.

4 (of the unique animals (living in the area)), is | 그 지역에 사는 독특한 동물 중 하나는 커모드 곰이다.

5 (left behind at the scene of a crime), has been used | 범죄 현장에 남겨진 DNA는 법정에서 증거로 이용되어왔다.

6 (about the meaning and purpose (of prehistoric art)), rely | 선사시대 예술의 의미와 목적에 대한 추측은 현대 수렵 채집인 사회로부터 얻어진 유사성에 크게 의존한다.

1 trap 덫, 함정
3 feedback 피드백, 의견
5 court 법정; 공터, (테니스) 코트
6 speculation 추측 / prehistoric 선사시대 / analogy 비유, 유사점 / hunter-gatherer 수렵 채집인

B ① 서술형Q 주어: The problem 주어 수식어구: inherent in looking outward for sources of happiness

해석 기쁨과 행복을 추구하는 것은 보편적인 욕망이다. 하지만, 사람들이 너무나 자주 그 추구가 완벽한 직업을 찾거나, 어떤 새로운 도구를 얻거나, 체중을 감량하거나, 또는 어떤 이미지를 유지함으로써 완전히 성취될 것이라고 믿는 것은 불행한 일이다. 행복의 원천을 찾기 위해 외부로 눈길을 돌리는 것에 내재되어 있는 문제는 당신이 가지지 못한 것이나 당신답지 않은 것에 초점을 맞추는 것이 필연적으로 불행을 초래한다는 것이다. '남의 떡이 더 커 보인다'라는 말이 있다. 당신 자신과 당신의 자산을 다른 사람들과 비교하는 것을 중단할 때, 다른 사람들에게는 당신이 더욱 축복받은 쪽이라는 것을 깨달을 수 있을 것이다. 현재를 사는 법을 배우고 당신 자신의 운명을 즐기는 것이 깊은 만족감의 원천이 될 수 있다.

해설 자신과 다른 사람들을 비교하지 않고, 자신의 현재 상태를 즐기면 깊은 만족감을 얻을 수 있다는 것이 필자의 주장이다. 따라서 정답은 ①.

서술형 해설 문장의 주어는 과거분사구(inherent ~ happiness)의 수식을 받는 The problem이다.

어휘 quest 추구, 탐색 / universal 보편적인; 일반적인 / entirely 완전히, 전적으로 / fulfill 성취하다, 완수하다 / acquire 획득하다, 취득하다 / gadget 도구, 기구, 장치 / maintain 유지하다 / inherent 내재적인, 타고난 / inevitably 필연적으로, 반드시 / asset 자산, 재산 / lot 운명, 운 / profound 깊은, 엄청난; 심오한 / contentment 만족[자족](감)

구문 [1행] The quest (for joy and happiness) is a universal desire.
S V

[1~3행] **It** is unfortunate, however, / that people so often believe / that the search will be entirely fulfilled / **by finding** the perfect job, **acquiring** some new gadget, **losing** weight, or **maintaining** an image.
(It: 가주어 / that ~ image: 진주어)

It은 가주어이고 that 이하는 진주어이다. 「by+v-ing」는 'v함으로써'의 의미이다. 네 개의 v-ing가 전치사 by의 목적어로 병렬구조를 이룬다.

[3~5행] The problem (inherent in looking outward / for sources of happiness) / is **that** focusing on **what you do not have** or **what you are not** inevitably leads to unhappiness.
(The problem: S / is: V / focusing on ~ what you are not: S' / leads to: V')

접속사 that이 이끄는 보어절 안의 주어는 focusing on ~ what you are not이며, 동사는 leads to이다. 전치사 on의 목적어로 쓰인 관계사절 what ~ have와 what ~ not이 or로 병렬 연결되었다.

UNIT 02 v-ing 주어

p. 12

1 Making an effort to communicate in another person's language
다른 사람의 언어로 의사소통하기 위해 노력하는 것은 그 사람에 대한 당신의 존중을 보여준다.
+Tip 다른 문화들에 대해 배우는 것은 우리가 세계를 조금 더 잘 이해하는 데 도움이 된다.
cf. 당신의 작품이 완벽해야 한다고 믿기 때문에, 당신은 점차 그것을 할 수 없다고 확신하게 된다.

2 finding out what does not work
과학 분야에서, (예상대로) 작용하지 않는 것을 알아내는 것이 작용하는 것을 알아내는 것만큼 중요하다.

Check it Out! 한 사람의 행동을 이해하기 위해서는, (그 사람의) 정신과 환경 둘 다 고려해야 한다.

cf. convinced 확신하는
2 field 분야

A

1 hunting these fast animals like reindeer with spear or bow and arrow | 이상적인 환경에서도 순록과 같이 이러한 빠른 동물을 창이나 활과 화살로 사냥하는 것은 불확실한 일이다.

2 Hiding behind a barrier | 장벽 뒤에 숨는 것은 자신을 지키기 위해 우리가 어린 나이에 배우는 정상적인 반응이다.

3 Simply knowing they are being observed | 단순히 그들이 관찰되고 있다는 것을 아는 것만으로도 사람들이 다르게(예를 들어, 더 예의 바르게!) 행동하게 할 수 있다.

4 developing renewable energy sources like wind, water, and solar power | 현시점에서는 풍력, 수력, 태양력처럼 재생 가능한 에너지원을 개발하는 것이 필요하다.

5 Maintaining a healthy weight and wearing proper footwear while walking or jogging | 건강한 체중을 유지하고, 걷거나 조깅할 때 알맞은 신발을 착용하는 것은 건강한 무릎 관절을 유지하는 데 도움을 줄 것이다.

6 recalling their problems | 사람이 우울해할 때, 그들의 문제를 상기시키는 것은 상황을 악화시킨다.

1 ideal 이상적인 / circumstance 환경, 정황 / reindeer 순록 / spear 창 / bow 활 / arrow 화살
2 barrier 장벽; 장애물 / response 반응; 대답
3 observe 관찰하다 / behave 행동하다 / politely 예의 바르게, 공손히
4 at this point in time 현시점에서는 / renewable 재생 가능한
5 maintain 유지하다 / proper 적절한, 제대로 된 / footwear 신발(류) / joint 관절
6 recall 상기하다, 기억해내다

B ② 서술형 Q defining 또는 to define

해석 내가 당신에게 탁자가 무엇인지 설명해 보라고 했다고 상상해 보라. 당신은 이것이 쉽다고 생각하고 '네 개의 다리 위에 수평으로 지탱되는 평평한 직사각형 모양의 나뭇조각'과 같은 진술을 내놓기 시작할지도 모른다. 그러나 나는 '어떤 탁자들은 둥글다'라고 말할 수 있으며, 그러면 당신은 '직사각형'이라는 말을 빼야 할 것이다. 나는 또한 어떤 테이블은 유리나 플라스틱으로 만들어졌다고 말할 수 있다. 어떤 탁자는 네 개보다 더 많은 다리를 갖고 있으며, 작고 둥근 탁

해설 마지막 문장이 이 글의 주제문이며, 단순한 사물도 단 하나의 정의로 표현하기 어렵다는 것을 탁자를 예로 들어 서술하고 있다. 따라서 정답은 ②.

선택지분석 ① 하나의 사물에 대한 다양한 정의
② 대상을 정의하는 일의 어려움
③ 무언가를 적절하게 설명하는 방법
④ 적절한 탁자를 고르기 위한 조언
⑤ 사물을 명료하게 정의하는 것의 중요성

자는 때로 중앙에 한 개의 다리만 갖고 있다. 만약 당신이 내리는 정의(定義)가 당신이 지금까지 보아온 모든 탁자를 포함하려 해도, 나는 당신이 내린 정의가 미래에 만들어질 수도 있는 종류의 탁자들을 감안한 것인지에 대해 여전히 의문을 제기할 수 있을지도 모른다. 당신의 노력에도 불구하고, 탁자와 같은 그저 단순한 사물을 정의하는 것도 결코 쉬운 일이 아니다.

서술형 해설 문장의 주어로 쓰이면서, 뒤에 목적어 just a simple thing such as a table을 이끌어야 하므로, v-ing 형태인 defining 혹은 to define으로 써야 한다.

어휘 **come up with** (해답 등을) 내놓다 / **statement** 진술 / **rectangular** 직사각형의 / **horizontally** 수평으로 / **definition** (사전에 나오는 단어 등의) 정의 ***define** 정의하다 / **throw doubt upon[on]** 의문을 제기하다, 의심하다 / **allow for** 감안하다, 참작하다 / **despite** ~에도 불구하고 **[선택지어휘] appropriate** 적절한

구문 **[1행]** Suppose (**that**) I asked you to explain **what a table is.**
명령문으로 I asked ~ is는 동사 Suppose의 목적어로 쓰였다. what a table is는 explain의 목적어로 쓰인 의문사절이다.

[6~8행] **If** your definition tried to cover *all the tables* [you've ever seen], I might still be able to throw doubt upon **whether** your definition allows for *the kinds of tables* [that might be produced in the future].
여기서 If는 '비록 ~일지라도'의 의미로 부사절을 이끌며, whether는 '~인지 아닌지'의 뜻으로 쓰여 명사절을 이끈다.

[8~9행] Despite your effort, defining *just a simple thing* (such as a table) (S) is (V) not easy at all.

UNIT 03 명사절 주어

p. 14

1 Whether we develop effective communication skills
우리가 효과적인 의사소통 능력을 키우는가 (아닌가)는 어릴 때 얼마나 쉽게 감정을 표현하는가에 크게 달려있다.
cf. 은행에 있든 놀이공원에 있든, 줄 서서 기다리는 것은 아마 즐겁지 않을 것이다.

2 Where your ancestors came from
당신의 조상이 어디 출신인지가 감염에 대한 당신의 저항력에 영향을 줄 수 있다.
+Tip 우리가 생각하기에 우리가 누구인가 하는 것은 어떤 사람이 되고 싶은지에 대해 우리가 내린 선택의 결과이다.

3 What is more surprising
더 놀라운 것은 실제 오렌지보다 하얀 중과피에서 더 많은 비타민C를 찾을 수 있다는 것이다.

Check it Out! 우리 뇌 조직의 85%는 물이라고 알려져 있고, 따라서 물은 뇌가 원활히 기능하기 위한 필수 요소이다.

1 effective 효과적인
2 ancestor 조상, 선조 / resistance 저항력; 저항 / infection 감염
3 actual 실제의
Check it Out! brain tissue 뇌 조직 / vital 필수적인 / component (구성) 요소 / function 기능; 기능하다

A

1 How our mothers can get their energy and do so much for us | 어떻게 우리의 어머니들이 힘을 얻고 우리를 위해 그렇게나 많은 일을 하실 수 있는가는 항상 나를 놀라게 한다.

2 what you should be looking for | 다이어트 중일 때, 당신이 찾아야 하는 것은 단백질은 풍부하지만 지방량은 최소인 음식이다.

3 How many people are physically around us | 우리 주변에 물리적으로 얼마나 많은 사람이 있는가는 외로움과 아무 관련이 없다.

4 how our brains have evolved towards keeping us safe from external threats | 이 책에는 우리의 뇌가 어떻게 외부 위협으로부터 우리를 지키는 방향으로 진화했는지가 묘사되어 있다.

5 Why we need to sleep | 우리가 왜 잠을 자야 하는지는 불확실한 채로 남아있지만, 전문가 대부분은 우리가 잠을 자지 않고는 기능할 수 없다는 것에 동의한다.

6 Whether an animal can feel anything similar to human loneliness | 동물이 인간의 외로움과 비슷한 어떤 것이라도 느낄 수 있는가는 말하기 어렵다.

1 amaze ~를 놀라게 하다
2 protein 단백질
3 loneliness 외로움, 고독
4 evolve 진화하다; 발달하다 / external 외부의 / threat 위협
5 unclear 불확실한

B ① 서술형 Q ⓓ don't matter → doesn't matter

해석 당신은 '진정한' 예술이 무언가 특별한 마법의 요소를 갖고 있다고 생각할지도 모른다. 그리고 이는 당신에게 당신의 작품도 동일한 것(특별한 마술적 요소)을 갖고 있다는 것을 증명하라는 압력을 가할 수 있다. 이는 매우 잘못된 일이다. 당신의 작품이 무언가를 증명하도록 요구하는 것은 오직 불행한 결과만 불러올 뿐이다. 또한 마법을 믿는 것은 다른 예술가의 자질이 칭찬받을 때마다 당신으로 하여금 자신의 능력이 부족하다는 느낌을 갖게 만든다. 확실히, 예술 창작에는 아마 무언가 특별한 것이 필요할 테지만, 그 무언가가 무엇일지는 숨겨져 있다. 그것은 모든 예술가에게 보편이라기보다는 각각의 예술가에게 독특한 무엇일 수도 있다. 다른 예술가들의 자질을 당신이 갖고 있는가는 중요하지 않다. 그들이 가진 것은 그것이 무엇이든 그들의 작품을 만드는 데 필요한 것이며, 당신이 그것을 가졌다 하더라도 당신의 작업에서 도움이 되지는 않을 것이다.

해설 예술 창작에 필요한 자질은 모든 작가에게 보편적인 것이 아니라 작가별로 독특한 것이라고 했다. 따라서 정답은 ①.

서술형 해설 ⓓ 문장의 주어는 Whether ~ qualities의 명사절이고, 이때 동사는 단수 취급하므로, doesn't matter로 고쳐야 한다.

어휘 ingredient 재료, 성분 / put pressure on A A에게 압력을 가하다 / invite (좋지 않은 일을) 불러들이다, 자초하다 / capable 유능한; ~을 할 수 있는 / hidden 숨겨진 / universal 보편적인 / matter 중요하다

구문 [4~6행] Surely, art-making probably **does take** something special, but just what that something would be(S) is(V) hidden(C).

동사인 take를 강조하기 위해 조동사 does를 썼으며, that something은 바로 앞의 something special을 가리킨다.

[7행] Whether you have other artists' qualities(S) doesn't matter(V).

[7~9행] Whatever they have(S) is(V) *something* (needed to do their work) — // it **wouldn't help** you in your work // **even if you had** it.

「whatever+주어+동사」는 '~하는 것은 무엇이든지'라는 뜻의 복합관계대명사절이며, 문장의 주어로 쓰였다. it(=Whatever they have) wouldn't 이하는 현재 사실과 반대되는 내용이기 때문에 가정법 과거시제가 쓰였으며, even if는 '~라 하더라도'의 의미.

UNIT 04 가주어 it

p. 16

1 not to feel cheerful and begin laughing too
누군가가 웃고 있는 것을 들을 때, 유쾌한 기분을 느끼고 함께 웃기 시작하지 않는 것은 거의 불가능하다.

2 that the media provide us with diverse and opposing views
언론 매체가 다양하고 상반되는 관점을 제시하는 것은 중요하고, 그리하여 우리가 이용 가능한 가장 좋은 선택을 할 수 있다.

cf. 1 당신은 완벽주의를 포기해야 한다. 그것(완벽주의)은 당신을 꼼짝 못 하게 하는 장애물이 된다.
2 얼마 전만 해도 인터넷이나 휴대전화 같은 것은 없었다.

2 provide A with B A에게 B를 제공하다 / diverse 다양한 / opposing 대립되는
cf. let go of ~을 놓다 / perfectionism 완벽주의 / obstacle 장애물

A

1 to find unbiased news | 이 정보의 홍수 속에서 편파적이지 않은 뉴스를 찾는 것은 점점 더 어려워지고 있다.

2 to take care of people who can't take care of themselves | 스스로를 돌볼 수 없는 사람들을 돌봐주는 것이 정부의 책임이다.

3 thinking about cancer insurance | 암과 관련된 통계를 감안하면, 암보험에 대해 생각해볼 만하다.
해설 v-ing구를 진주어로 쓴 문장.

4 to reach the summit of Mount Everest | 한때 에베레스트 산 정상에 도달하는 것은 놀라운 성취라고 여겨졌다.

5 that a computer can store and handle more information about chess moves than a human brain can | 컴퓨터가 체스 이동에 관해 사람의 뇌가 할 수 있는 것보다 더 많은 정보를 저장하고 처리할 수 있다는 것이 밝혀졌다.

1 increasingly 점점 더 / unbiased 편파적이지 않은
3 considering ~을 감안하면 / statistics 통계 / associated with ~와 관련된 / insurance 보험
4 summit 산의 정상

6 whether the crashed plane was shot down or had a mechanical problem | 추락한 그 비행기가 격추되었는지 아니면 기계적인 문제가 있었는지는 알려지지 않고 있다.

6 shoot down 격추하다 / mechanical 기계와 관련된

B ① 서술형Q it is important to examine

해석 우리가 살고 있는 급변하는 세상에서, 누군가의 호화로운 차나 손질하지 않은 헤어스타일을 보면 "아하, 저 사람이 어떤 사람인 줄 알겠어!"라고 즉시 결론짓고 싶을 것이다. 거의 모든 사람이 첫인상을 형성하는 단서들을 읽어내는 능력을 가지고 있고, 우리 대부분은 거기에서 멈추거나, 일단 우리가 누군가에 대해 마음을 정하고 나서는 최소한 훨씬 더 적은 관심을 기울이는 경향이 있다. 하지만 왜 그럴까? 새로운 스포츠카가 단지 빠르게 '보인다'는 이유만으로 그것을 사기 위한 계약에 서명하려고 우리가 영업사원의 사무실에 성급하게 갈 것인가? 신중한 구매자라면 그렇게 하지 않을 것이다. 신중한 구매자라면 엔진, 트랜스미션, 서스펜션 아니 그보다 더 많은 것들에 관하여 더 많은 세부적인 사항들을 알고 싶을 것이다. 마찬가지로, 고정관념을 형성하거나 섣부른 판단을 하지 않고 완전하고 정확한 인상을 형성하는 충분한 정보를 모으기 위해서는 한 사람의 성격의 중요한 측면들을 가능한 한 많이 점검하는 것이 중요하다.

해설 자동차를 살 때 빠르게 보인다고 해서 계약을 바로 맺지 않는 것처럼 사람의 첫인상만 보고 그 사람에 대한 판단을 내리지 말고 그 사람의 성격의 중요한 측면을 가능한 한 많이 점검해보라고 필자는 주장하고 있다. 따라서 정답은 ①.

서술형 해설 문맥상 '점검하는 것이 중요하다'의 의미가 되어야 하므로, 가주어 it과 to부정사를 이용하여 「it is ~ to-v」의 형태의 it is important to examine의 순서로 배열한다.

어휘 tempting ~하고 싶은, ~할 마음이 드는 / flashy 호화로운; 현란한 / hairdo 헤어스타일 / conclude 결론짓다; 끝내다 / cue 단서, 신호; 신호를 주다 / make up one's mind 마음을 정하다, 결심하다 / rush 서두르다; 돌진하다 / contract 계약(서) / prudent 신중한, 조심성 있는 / aspect (측)면; 양상 / accurate 정확한 / stereotype 고정관념을 형성하다

구문 [1~2행] In *the fast-paced world* [in which we live], it(가주어) is tempting to notice someone's flashy car or wild hairdo and conclude right away, "Aha, I understand him!"(진주어)

[2~5행] Almost everyone has *the ability* (to read *the cues* [that form first impressions]), // and most of us tend to stop there, / or at least pay significantly less attention // **once** we've made up our mind about someone.

to read ~ first impressions는 형용사적 용법의 to부정사구이다. that form first impressions는 주격 관계대명사가 이끄는 관계사절로 the cues를 수식한다. once는 '일단 ~하면'의 뜻이다.

[7~10행] Likewise, it(가주어) is important / to examine as many important aspects of a person's personality as possible(진주어) / in order to gather *enough information* (to form a complete and accurate impression) / without stereotyping or shortcut thinking.

to examine으로 시작되는 진주어 안에 「as ~ as possible」 구문이 사용되었으며, '가능한 한 ~한[하게]'으로 해석한다. to form ~ impression은 형용사적 용법으로 사용된 to부정사구이다.

Make it Yours

p. 18

1 ⑤ 2 ④ 3 ② 4 ③ 5 ③

1 ⑤

해석 작가이자 강연가인 Mary LoVerde는 "우리는 학교 폭력 가해 학생을 건드리지 않으면 그 아이도 우리를 건드리지 않을 것이라고 믿고 싶어 한다."라고 했다. 실생활에서 아이들은 서열 다툼을 한다. 청소년기는 아이들이 자신의 인간관계와 힘의 한계를 시험하는 시기다. 아이들은 누가 더 우월한가를 가리기 위해 끊임없이 서로를 평가한다. 학교 폭력 가해 학생을 무시하려고 하는 것은 (오히려) 괴롭힘을 초래하는데, 그런 행동은 (가해 학생에게) 자신을 회피하는 것으로 인식되기 때문이다. 학교 폭력 가해 학생으로부터 멀리 떨어져 있는 것이 최선의 선택이라는 인상을 아이들에게 심어준다면 우리는 아이

해설 청소년기는 서로의 서열을 가늠하는 시기이며, 학교 폭력 가해 학생을 무시하려고 하는 것은 오히려 폭력을 초래할 수 있다고 했다. 그러한 가해 학생을 피하기보다는 자신을 지킬 수 있도록 가르치는 것이 바람직하다는 내용. 따라서 정답은 ⑤.

어휘 bully 약자를 괴롭히는 사람 / adolescence 청소년기 / figure out 알아내다 / superior 우월한; 상급의 / perceive 인지하다, 감지하다 / avoidance 회피 / stay[keep] away from ~에서 멀리 떨어져 있다 / deal with ~을 상대하다

들을 돕는 것이 아니다. 그것은 학교 폭력 가해 학생들에게 지속적인 힘을 실어주며 당신의 아들이나 딸이 두려움 속에서 살게 한다. 아이들에게 학교 폭력 가해 학생으로부터 숨는 대신 그들을 상대할 수 있도록 자신을 지키는 방법을 가르치는 것이 훨씬 낫다.

구문 [3~4행] Adolescence is *a time* [**when** kids test the limits of their relationships and their own power].
when 이하는 a time을 수식하는 관계부사절.

[4~5행] Trying to ignore a bully (S) invites (V) bullying because **it** is perceived as avoidance.
it은 주절의 주어 Trying to ~ ignore a bully를 대신하는 대명사이다.

[8~9행] It (가주어) is far better to teach children how to take care of themselves (진주어) **so** (***that***) they can deal with bullies ~.
so는 목적을 나타내는 '~하기 위해서'의 의미로 뒤에 that이 생략되었다.

2 ④

해석 대략 7천 명의 거주자가 코펜하겐의 도시 중심에 산다. 겨울철의 평범한 주중 저녁에 시내를 걸어 다니는 사람은 약 7천 개의 창문에서 나오는 불빛을 즐길 수 있다. 주택과 거주자들의 가까움은 안전감에 주요 역할을 한다. 도시 계획 입안자들이 범죄 예방 전략으로서 기능과 주택을 혼합하여 보행자와 자전거를 타는 사람들이 이용하는 가장 주요한 거리들을 따라 안전감을 증대시키는 것은 흔한 관행이다. 그 전략은 코펜하겐에서 주효했는데, 그 도시 중심에는 5층에서 6층 사이 높이의 건물들이 있어서 거주지와 도로 공간 간에 충분한 시각적 접촉이 있다. 그러나 호주 시드니는 중심부에 만 5천 명이 살고 있는데도 그것이(= 전략이) 그만큼 효과가 좋지 않다. 호주의 거주지는 일반적으로 지상 위로 10층에서 50층에 있어서 높은 곳에 사는 사람 누구도 아래쪽 거리에서 무슨 일이 일어나고 있는지 볼 수 없다.

해설 주어진 문장에서 '그 전략은 코펜하겐에서 효과가 좋았다'라고 나와 있으므로 이 문장 앞에는 그 전략이 구체적으로 언급되어야 한다. 그러므로 'a crime prevention strategy'가 포함된 문장의 뒷부분인 ④가 가장 적절하다. 이후로는 역접의 접속사 However를 이용해 그 전략이 효과가 없었던 호주 시드니에 대한 내용이 이어지고 있으므로 흐름이 자연스럽다.

어휘 strategy 전략, 작전 / contact 접촉 / residence 거주지, 주택 *resident 거주자, 주민 / approximately 대략, 대강 / ordinary 흔한, 보통의 / housing 주택 / practice 관행 / planner 계획[입안]자 / prevention 예방 / pedestrian 보행자

구문 [5~6행] ~ *a person* (S) (walking through the city) can enjoy (V) the lights from about 7,000 windows.

[7~9행] It (가주어) is common practice **for city planners** to mix functions and housing as a crime prevention strategy and thus increase the feeling of safety / along *the most important streets* (used by pedestrians and bicyclists) (진주어).
for city planners는 진주어인 to부정사의 의미상 주어이다. to mix와 (to) increase가 접속사 and로 병렬구조를 이룬다. used 이하는 the most important streets를 수식하는 과거분사구다.

[12행] ~, and *no one* (S) [who lives high up] can see (V) what is happening down on the street.

3 ②

해석 노벨상을 수상한 물리학자 Richard Feynman이 어린 학생이었을 때 아버지와 대화하던 중 '관성'이라는 단어를 사용했다. 그의 아버지는 그 단어가 무슨 의미인지 그에게 물었고, Richard는 그 단어가 '움직이려 하지 않음'을 의미한다고 말했다. 그의 아버지는 그를 밖으로 데려가, 수레에 공을 하나 집어넣고는, 잘 지켜보라고 했다. 아버지가 수레를 끌자, 공은 수레 뒤쪽으로 굴러갔다. 그리고 수레를 멈추자 공은 앞으로 굴렀다. 그의 아버지는, 일반적인 원칙은 움직이는 것은 계속해서 움직임을 지속하고자 하고, 멈춰 있는 것은 계속해서 멈춰 있으려 하는 것이라고 설명해 주었다. 아버지는 이 원칙을 '관성'이라고 부른다고 말했다. 단어의 의미를 이해하는 가장 효과적인 방법은 그 개념을 시각화하는 것이다. 무언가의 이름을 아는 것과 그것을 이해하는 것은 차이가 있다.

해설 '관성'의 의미를 실제로 물체가 움직이는 것을 보여주면서 가르쳐주셨다는 Feynman의 아버지의 예를 통해, 단어의 의미를 이해하는 가장 효과적인 방법은 시각화라는 내용의 글이므로, 주제로 가장 적절한 것은 '단어의 의미를 파악하는 가장 좋은 방법'이다. 따라서 정답은 ②.

선택지분석 ① 알 수 없는 단어를 자주 사용하는 문제
③ 말장난으로 새로운 개념을 이해하는 것의 위험성
④ 과학에서 관성 원리의 중요성
⑤ 지식을 다른 이들과 공유하는 것의 장점

어휘 physicist 물리학자 / unwilling to-v v하는 것을 꺼리는 (↔ willing to-v 기꺼이 v하는) / wagon 수레; 마차 / principle 원칙 / still 가만히 있는 / visualize 시각화하다 / concept 개념
[선택지어휘] grasp 파악하다, 이해하다 / take in 이해하다 / wordplay 말장난

구문 [6~8행] His father explained // **that** the general principle is / **that** *things* [that are moving] try to keep moving, / and *things* [that are standing still] tend to stand still.
첫 번째 that부터 문장 끝까지가 explained의 목적어로 쓰인 명사절이고, 두 번째 that부터 문장 끝까지가 is의 보어로 쓰인 명사절이다.

[8~9행] *The most effective way* (to understand the meaning of the word) is to visualize the concept.
S V

4 ③

해석 단지 감정을 가진다는 것이 당신을 다치게 하지 않을 것이며, 감정이 당신의 생각이나 행동을 지배할 필요가 없다는 것을 당신은 경험으로부터 알 수 있다. 우리를 지배하는 것은 우리가 인식하고 있는 감정이라기보다는 우리가 인정하지 않거나 이름 짓지 않은 감정들인 경우가 더 많다. 우리가 인정하지 않는 것이 우리를 가둔다. 단지 '놓아버림으로써' 원치 않는 감정을 없애버릴 수 있다고 말하는 사람들에게 답하기 위해, 당신의 체온을 놓아버린다는 게 무슨 의미인지에 대해 생각해보라. 그것은 무의미한 만큼이나 불가능한 일이다. 당신의 체온은 존재하며, 그것이 체온의 본질이며, 체온의 존재 의의의 전부이다. 당신의 체온은 변할 수 있다. 그것은 내일보다 오늘 더 높을지도 모르고 더 낮을지도 모른다. 감정도 마찬가지이다. 감정은 바로 지금 당신 인생에서 당신에게 정상적인 범위에서 맴돌며, 상황에 따라 바뀐다.

해설 체온을 부정하는 것과 마찬가지로, 인정하고 싶지 않은 감정을 부정한다는 것은 무의미하고 불가능한 일이라는 내용의 글이다. 따라서 정답은 ③.

어휘 unacknowledged 인정받지 못하는 / unnamed 이름 짓지 않은 / imprison 가두다; 투옥하다 / let go of ~에서 손을 놓다

구문 [2~4행] **It's** more often our unacknowledged or unnamed feelings **that** control us **rather than** *the ones* [we're aware of].
A B
「It is ~ that ...」 강조구문으로 '…하는 것은 바로 ~이다'의 뜻이며, 주어를 강조하고 있다. 「A rather than B」는 'B라기보다는 A'의 뜻이며, our unacknowledged or unnamed feelings가 A에 해당하고 the ones we're aware of가 B에 해당한다. we're aware of는 앞에 목적격 관계대명사 which[that]가 생략되어 있으며, the ones(=the feelings)를 수식한다.
[4행] What we don't acknowledge imprisons us.
S V

5 ③

해석 특정 소리는 특정 제품과 연관되어 있는데 때로 우리는 소비자로서 그 사실을 인식조차 하지 못한다. 우리가 세탁기, 믹서기, 에어컨 등에서 나오는 일정한 낮은 수준의 백색 소음에 둘러싸여 있기 때문에 한때 많은 제조업체에서 소리가 전혀 나지 않는 제품을 개발하기로 했다. 그들이 발견한 것은, (제품에서 나는) 소리를 제거함으로써 제품이 소비자와 소통하는 핵심 수단을 잃은 것 같다는 점이었다. 예컨대 1970년대에 IBM은 신형 개량형 모델인 6750 타자기를 선보였다. IBM은 그 제품의 장점이 자신들이 마침내 소리가 하나도 나지 않는 기계를 만들었다는 점에 있다고 믿었다. 그러나 타자기 사용자들은 그 제품을 만족스러워하지 않았다. 그들은 기계가 작동하고 있는지 아닌지를 알 수가 없었던 것이다! 그래서 IBM은 그들이 제거하고자 그토록 노력했던 작동 소음을 다시 만들기 위해 전자음을 추가했다.

해설 제품에서 나는 작동 소음 제거로 소비자는 제품의 작동 여부를 알 수 없어 이에 만족하지 않았으며, 이로 인해 제품이 소비자와 소통하는 핵심 수단을 잃었음을 제조업체들이 깨달았다는 글이다. 따라서 글의 제목으로 가장 적절한 것은 ③.

선택지분석 ① IBM이 많은 전자 제품 문제를 해결하다
② 백색 소음으로 가격이 하락되다
③ 작동 소음: 의사소통 수단
④ 전자제품 회사들이 제품의 가격을 과다하게 책정하다
⑤ 혁신적인 발견: 전자음 제거

어휘 specific 특정한; 구체적인 / be associated with ~와 관련되다 / surround 둘러싸다 / manufacturer 제조업체, 생산자 / crucial 중대한, 결정적인 / means 수단 / release (대중들에게) 공개하다, 발표하다 / typewriter 타자기 *typist 타자기 입력자 / beauty 장점, 멋진 점 / manage to-v 간신히 v하다 / reproduce 재생산하다 / functional 기능상의, 기능적인 / eliminate 제거하다, 없애다 **[선택지어휘]** overprice 가격을 과다하게 책정하다 / innovative 혁신적인

구문 [4~6행] What they found was that by removing the sound, products ~.
S V C
[9~11행] So IBM added an electronic sound / **to reproduce** *the functional noise* [(*that*) **they'd worked** so hard to eliminate].
to reproduce 이하는 '~하기 위하여'라는 뜻의 to부정사의 부사적 용법으로 쓰였다. they'd ~ eliminate는 앞의 the functional noise를 수식하는 관계대명사절이고, they'd worked는 they had worked의 줄임말로 IBM이 전자음을 추가한 것(added)보다 더 먼저 일어난 일이기 때문에 「had p.p.」가 쓰였다.

UNIT 01 to부정사 · 동명사 목적어

p. 22

1 to focus more on building a positive attitude in everything I do
난 내가 하는 모든 일에 긍정적인 태도를 갖는 데 더 많이 집중하기로 결심했다.

2 responding to what is said about you
사람들이 당신에 관해 험담할 때, 당신은 당신에 관해 말하여지는 것에 반응하는 것을 피해야 한다.
+Tip 나는 그 기계가 형편없이 만들어졌다고 생각한다. 그 기계는 처음에 심한 소음을 내더니 나중에는 작동을 완전히 멈추었다.

3 imitating[to imitate] swimming movements and other behavior of fellow dolphins
돌고래들은 동료 돌고래들의 수영 동작과 그 외 행동을 따라 하는 것을 좋아한다.

Check it Out! a. 관객들은 공연 전 휴대전화 끄는 것을 유념해야 한다.
b. 나는 그 소문에 관해 읽었던 것이 기억나는데, 그 소문은 나라 전체에 빠르게 퍼졌다.

Tip entirely 완전히, 전적으로
3 imitate 모방하다 / fellow 친구, 동료

A

1 X, pleading | 그는 혐의를 부인하고 계속 무죄를 주장했다.

2 O | 어렸을 때, 내가 철로 위를 걸어가면서 중심을 잡으려고 했던 것이 기억난다. 해설 과거에 했던 것을 기억하는 것이므로 trying으로 쓰인 것이 자연스럽다.

3 X, reading | 택배 서비스 덕분에, 집 밖으로 나가지 않고서도 새 책을 읽는 즐거움을 누릴 수 있다.

4 O | 60세의 나이에 상당히 좋은 건강 상태에 있는 사람들은 이제 30년 가까이 더 살 것을 기대할 수 있다.

5 O | 간디는 힌두교 신자들과 이슬람교도들 사이의 싸움에 반대하기 위해 1948년 1월 13일에 단식을 시작했다.

6 X, to become | 그는 감독이 되기로 결심했지만 2년 연속 영화 학교 입학시험에서 떨어졌다.

1 charge 혐의 / plead (무죄를) 주장하다; 애원하다 / innocent 무죄인, 결백한
3 door-to-door 집집마다의, 택배의 / step out of ~에서 나오다
4 reasonably 상당히, 꽤; 합리적으로
5 fast 단식하다; 금식하다 / protest 반대[항의]하다
6 entrance exam 입학시험 / in a row 잇따라

B ②

서술형 Q ⓐ to postpone ⓑ starting ⓒ doing

해석 미루는 버릇이라고 알려진, 활동을 연기하는 것은 창의적인 방법으로 활용되고 당신에게 유리하게 작용할 수 있다. 예를 들어, 당신은 즐거운 활동에 참여하기 위해 중요하지 않은 과제를 연기하기로 선택할 수 있다. 당신은 자신의 우선순위 목록에서 밑에 있거나 혹은 신중한 결정을 내릴 시간을 벌고 싶어서 무언가를 연기하기로 결정할 수도 있다. 이와 대조적으로, 당신이 중요한 일에 착수하는 것을 고질적으로 미룬다면 그것이 행복을 가로막을 수 있다. 다시 말해, 우선적으로 해야 할 일을 완수하기를 회피한다면 그것은 성취의 기쁨을 지연시키며, 그 과정에서 스트레스를 일으킬 것이다. 더욱이, 연구들은 과제를 자주 미루는 학생들이 더 낮은 성적과 더 많은 스트레스를 보고한다는 것을 보여주고 있다. 그러므로 행복한 삶을 살기 원하는 사람이라면, 설령 미루는 버릇을 통해 지루한 일을 미루고 싶을지라도 중요한 일들을 미뤄서는 안 된다.

해설 신중한 결정을 내릴 시간을 벌거나 더 중요한 즐거운 활동을 할 수 있다는 미루는 행위의 장점이 언급되고 난 후, 하지만 고질적으로 미룬다면 성취의 기쁨을 누리지 못하고 스트레스를 받게 될 수도 있다는 단점이 이어지고 있으므로, 이 글의 주제로 가장 적절한 것은 ②.

선택지분석 ① 우선순위 목록을 만드는 어려움
② 일을 미루는 것의 장점과 단점
③ 원치 않는 일들을 피하는 효과적인 방법
④ 사람들이 일을 미루게 하는 요인
⑤ 미루는 버릇을 통해 스트레스가 어떻게 관리되는가

서술형 해설 ⓐ 동사 choose는 목적어로 to부정사를 취한다. ⓑ 동사 postpone은 목적어로 동명사를 취한다. ⓒ 동사 delay는 목적어로 동명사를 취한다.

어휘 put off 미루다, 연기하다 / in A's favor A에게 유리한 / postpone 연기하다, 미루다 / engage in ~에 참여하다, 관여하다 / pleasurable 즐거운 / priority 우선 사항 / chronically 만성적으로 / in the meantime 그동안[사이]에 / tempt 유혹하다, 부추기다 **[선택지어휘]** merit 장점 / drawback 단점

구문 [1~2행] *Putting off activities*(S), **which** is known as procrastination, can be used(V_1) in a creative way [and] (*can*) work(V_2) in your favor.

which ~ procrastination은 주어인 Putting off activities를 선행사로 하여 그것을 부연 설명하는 계속적 용법의 관계대명사절이다.

[6~7행] ~, **avoiding completing priorities**(S) will delay(V_1) *the happiness* (of achievement)(O_1) [and] (*will*) create(V_2) stress(O_2) in the meantime.

주어부에서 completing priorities는 avoiding의 목적어이다.

UNIT 02 명사절 목적어

p. 24

1 that "good books" are educational and useful to academic success

나는 '좋은 책들'이 교육적이고 학문적 성공에 유익하다고 생각한다.

+Tip 숙박 시설을 보고 나서, 어머니는 호텔 금고에 귀중품을 맡길 수 있는지 물어보셨다.

2 what you said or did, how you made them feel

사람들은 당신이 말하거나 행동한 것을 기억할 수도 있고 안 할 수도 있다. 하지만 당신이 그들로 하여금 어떻게 느끼도록 했는지는 항상 기억할 것이다.

3 their conscious minds control everything they do

사람들 대부분은 자신들의 의식적인 생각이 자신들이 하는 모든 것을 제어한다고 생각한다.

4 that you not burden your readers with messages that are too long or include unnecessary information

당신이 너무 길거나 불필요한 정보를 포함한 메시지로 독자들에게 부담을 지우지 말 것을 우리는 제안하고 싶다.

1 academic 학문적인
Tip accommodation *pl.* 숙박 시설 / inquire 묻다, 알아보다 / valuables 귀중품 / safe 금고
3 conscious 의식적인; 의식이 있는
4 burden 부담을 지우다

A

1 that employees must receive a minimum of five weeks of vacation a year | 프랑스 법은 피고용인들이 일 년에 최소 5주의 휴가를 받아야 한다고 명시한다.

2 how people hunt and fish, who should do certain jobs | 알래스카에서는 사람들이 어떻게 사냥하고 물고기를 잡는지와 누가 어떤 일을 해야 하는지에 전통적인 믿음과 관습이 영향을 미친다.

3 my sister was right behind me | 나는 휴대전화를 찾는 데 너무 집중하고 있어서, 여동생이 바로 뒤에 있는 것을 알아채지 못했다.

4 whether we are morning people or night owls | 우리의 유전자는 우리가 아침형 인간인지 저녁형 인간인지를 결정하며, 우리의 일과는 생체 시계에 맞출 필요가 있다.

5 how much communication happens through instant messaging and blogging | 얼마나 많은 연락이 인스턴트 메시지와 블로그를 통해 일어나고 있는지 보라.

6 that the time of day that we take medicine makes a difference to how successful the treatment will be | 그 증거는 하루 중 우리가 약을 먹는 시간이 그 치료가 얼마나 성공적일지에 영향을 준다는 것을 보여준다.

1 state (문서에) 명시하다
4 gene 유전자 / morning person 아침형 인간 / night owl 저녁형 인간 / routine 일상의 일, 일과 / adapt 맞추다, 조정하다 / internal 내부의, 체내의
6 make a difference to A A에 영향이 있다

B ⑤ 서술형Q 왜 그토록 많은 영재 아이들이 실패하는지를 이해하다

해석 한 에세이에서 심리학자 Dean Simonton은 왜 그토록 많은 영재 아이들이 이후의 삶에서 재능을 발달시키지 못하는지 이해하고자 노력한다. 그는 그 이유 중 하나가 그 아이들이 '지나치게 많은 심

해설 영재들은 지원을 아끼지 않는 가정환경에서 자라는 반면, 천재들은 덜 유리한 환경에서 역경을 겪으며 자라는 경향이 있다고 했고, 그러한 어린 시절의 환경이 영재들과 천재들에게 영향을 미친다는 내용의 글이다. 따라서 제목으로 가장 적절한 것은 ⑤.

리적 안정을 받았기' 때문이라고 결론짓는다. 그들은 '몇몇 혁신적 아이디어로 커다란 성공을 거두기에는 지나치게 순종적인' 아이들이다. 그는 이어서 "영재 아이들은 일반적으로 지원을 아끼지 않는 가정 환경에서 나온다. 반면, 천재들은 덜 유리한 환경에서 나오는 경향이 있다"고 한다. 그들은 기억 가장 먼 곳으로 밀어 넣을 정도로 너무나 절망적인 아동기를 겪었을 수 있는데, 그럼에도 그로부터 일부 좋은 점이 나타난다. 이들 천재의 존재는 특정 환경에서 역경에 의해 장점이 만들어질 수 있음을 보여준다.

선택지분석 ① 영재: 우리 사회의 큰 자산
② 역경 때문에 천재들이 학습하지 못하다
③ 학습 능력을 보여주는데 기억이 어떻게 작용하는가
④ 심리적 건강: 천재들에게 중요한 조건
⑤ 천재와 영재들에게 아동기가 미치는 영향력

서술형 해설 동사 understand의 목적어로 「의문사(why)+주어+동사」의 명사절이 온 구조로, '왜 ~가 …하는지를'로 해석한다.

어휘 psychologist 심리학자 / gifted 재능이 있는 / conclude 결론을 내리다 / excessive 지나친, 과도한 / obedient 순종적인 / make[hit] the big time 대성공을 거두다 / revolutionary 혁명적인, 획기적인 / typically 보통, 일반적으로 / emerge from ~에서 나오다 / have a tendency to-v v하는 경향이 있다 / favorable 유리한; 호의적인 / existence 존재 / virtue 장점; 미덕 / hardship 역경 **[선택지어휘]** primary 중요한; 주요한

구문 **[8~9행]** *The existence* (of these geniuses)(S) **suggests**(V) **that in certain circumstances a virtue can be made of hardship.**(O)

UNIT 03 가목적어 it

p. 26

1 to talk about their emotions
의사소통이 잘 되는 가정에서 자란 아이들이 커서 자신의 감정에 대해 이야기하는 것을 더 쉽다고 여긴다.

2 that visiting the theater is not just for the purpose of entertainment but for experiencing the lives of others through drama
그 교수는 극장에 가는 것이 오락의 목적뿐만 아니라 연극을 통해 타인의 삶을 경험하기 위한 것임을 분명히 했다.

3 to see where one zebra ends and another begins
얼룩말 무리의 움직이는 줄무늬들은 한 마리의 얼룩말이 어디서 끝나고 다른 한 마리가 어디서 시작하는지 사자가 알기 어렵게 한다.

Check it Out! 나는 오늘 아침 야채 주스를 한 잔 마셨다. 우리 엄마는 내가 일정한 양의 비타민을 섭취하도록 돕기 위해 정기적으로 그것을 만드신다.

1 household 가정 / foster 조성하다; 아이를 맡아 기르다
3 herd (짐승의) 떼; 사람들
Check it Out! on a regular basis 정기적으로 / consume 먹다, 마시다

A

1 to trade with countries that could be reached only by sea | 항해는 바다를 통해서만 닿을 수 있는 나라들과 교역하는 것을 가능하게 했다.

2 to organize their thoughts and filter out irrelevant information | 다중작업을 하는 동안, 많은 학생들은 그들의 생각을 정리하고 관련 없는 정보를 걸러내는 것이 더 어렵다는 것을 알게 되었다.

3 to use the machine | 당신이 복사기 종이를 다 써버린다면, 그것을 다시 채우는 것은 다음 사람이 복사기를 쓰는 것을 더 쉽게 만들 수 있다. **해설** for the next person은 to use the machine의 의미상주어.

4 that our happiness was important to her as well | 그녀는 우리의 행복이 그녀에게도 중요하다는 것을 분명히 했다.

5 that highly superior and imaginative children invent imaginary playmates | 우리의 연구는 매우 우수하고 상상력이 풍부한 아이들이 가상의 놀이 친구를 만든다는 것을 아주 분명히 한다.

2 multitask 여러 가지 일을 한 번에 하다 / filter out ~을 걸러내다 / irrelevant 관련 없는
3 use up ~을 다 써버리다 / refill 다시 채우다
5 highly 크게, 대단히, 매우 / superior 우월한; 상급의 / playmate 놀이 친구

B ④ 서술형Q find it easy to engage in

해석 나이 든 사람들이 젊은 사람들과 차이를 보이는 가장 분명한 영역은 그들이 기억하는 방식에 있다. 평균적으로 젊은 사람은 집중을 방해하는 것들에 둘러싸여 있을 때 학습과 정보 유지에 더 능숙하다. 그들은 수학 시험공부를 하는 동안 TV로 영화를 보는 것처럼, 동시에 몇 가지 기능에 관여하는 것을 일반적으로 수월하게 여긴다. 나이 든 사람은 일반적으로 나중에 이용하기 위한 새로운 정보를 소화하는 데 있어서 (젊은 사람보다) 더 조용한 환경을 필요로 한다. 나이 든 사람들은 음악이나 대화 같은 불필요한 정보를 걸러내는 것을 더 어렵게 여기는 것 같다. 이런 이유로 노인들은 더 조용한 환경에서 글을 읽거나 공부를 하도록 권장되는데, 그러한 환경에서 그들은 쉽게 주의가 산만해지지 않을 것이고 당장 하고 있는 일에 집중할 수 있다.

해설 젊은 사람들은 산만한 환경에서 학습과 정보 유지를 더 잘하는 반면, 나이가 든 사람들은 불필요한 정보를 걸러내는 것이 힘들어 조용한 환경을 필요로 한다는 내용의 글이다. 따라서 글의 주제로 가장 적절한 것은 ④.

선택지분석 ① 사람들이 공부하기 위해 도서관을 가는 이유
② 조용한 환경을 갖는 것의 중요성
③ 여성과 남성 간의 다른 공부 스타일
④ 연령별 학습 환경의 대조적인 특징
⑤ 학문적 성취에 영향을 미치는 다양한 요인

서술형 해설 to부정사구가 목적어로 올 때, 보통 목적어 자리에 가목적어 it을 쓰고, 원래 목적어는 문장 뒤로 보내므로, find it easy to engage in의 어순으로 쓴다.

어휘 skilled at ~에 능숙한 / retain 유지하다 / distraction 집중을 방해하는 것; 기분 전환 *distract 산만하게 하다 / engage in ~에 참여하다, 관여하다 / at hand 당면한 **[선택지어휘]** contrasting 대조적인 / age-specific 연령에 한정된

구문 **[1~2행]** *The most obvious area* [**in which** older people and younger people differ] is in how they remember.
(S: The most obvious area ~ differ / V: is)
in which ~ differ는 선행사 The most obvious area를 수식하는「전치사+관계대명사」절로, in which는 관계부사 where로 바꿔 쓸 수 있다.

[3~4행] They generally find it easy to engage in several functions at once, ~.
(it: 가목적어 / to engage in several functions at once: 진목적어)

[6~7행] It seems that older people find it harder to filter out useless information, such as music or conversation.
(it: 가목적어 / to filter out useless information, such as music or conversation: 진목적어)

UNIT 04 제 위치를 벗어난 목적어

p. 28

1 A lot of changes
우리는 많은 변화를 관찰할 수 있지만, 이들 중 일부는 우리 뇌에 바로 인식되지 않는다.

2 a new way of counting and doing math — using what are now called Arabic numerals
그는 유럽인들에게 오늘날 아라비아 숫자라고 불리는 것을 이용한 새로운 방식의 계산과 수학을 소개했다.

3 an economy in which some individuals are super-rich while others are extremely poor
어떤 사람들은 매우 부유한 반면 다른 사람들은 극도로 궁핍한 경제를 대부분의 사람들은 불공평하다고 여길 것이다.

2 numeral 숫자
3 individual 사람; 개인 / extremely 극도로

A

1 the result of a lie detector test that he took in July | 그는 7월에 받은 거짓말 탐지기 검사 결과를 무죄의 증거로 제시했다.

2 New words | 우리는 거의 매일 새로운 단어들을 접하지만, 그 단어들 전부가 실제로 유용한 것은 아니다.

3 an authority that might influence the opinions of some students | 교사의 지위는 일부 학생들의 의견에 영향을 줄 수도 있는 권위를 갖고 있다. **해설**「carry A with B」에서 목적어 A가 with B 뒤로 이동한 문장.

4 a person who we expect to see again | 우리는 다시 만나기를 기대하는 사람을 더 매력적이라고 여기는 경향이 있다. **해설** 목적어 a person ~ again이 목적격보어인 more attractive 뒤로 이동한 문장.

5 Serious mood disorders | 빈센트 반 고흐는 심각한 감정 장애가 있었는데, 이는 그의 지성과 창의성에 대한 대가였다.

1 proof 증거(물); 입증 / lie detector 거짓말 탐지기
2 encounter 접하다, 마주치다
3 authority 권위; 권한
5 mood disorder 감정 장애 / intelligence 지성; 지능

B ⑤ 서술형Q 목적어: the important message that chronic illness is not an automatic barrier to success in sports

해석: 만성 질환이 스포츠에서의 성공에 필연적 장애물이 아니라는 중요한 메시지를

해석 우리 사회에 유명한 스포츠 명사가 있어서 좋은 점 한 가지는 만성 질환이 있는 삶에 쏠리는 관심이다. Misty Hyman과 Tom Malchow를 포함하여 (두 사람 모두 천식이 있다) 올림픽에 참가했던 운동선수 중 일부가 만성 질환이 있다는 사실을 아는 것은 만성 질환을 겪고 있는 아이들의 용기를 북돋는 일이다. 이들 운동선수는 만성 질환이 스포츠에서의 성공에 필연적 장애물이 아니라는 중요한 메시지를 우리 아이들에게 전해주었다. 물론 대다수의 아이들은, 만성적인 질병이 있든 없든, 이들 운동선수가 다다른 경지에는 이르지 못할 것이다. 그러나 동시에 그 아이들은 친구들이 바깥에서 운동을 하며 노는 동안 창밖을 내다보며 집 안에만 머물러서는 안 된다. 대신, 이 아이들도 다른 아이들과 마찬가지로 똑같이 건강한 스포츠 경험을 해볼 수 있어야 한다.

해설 유명한 운동선수들 중에서도 만성 질환을 가진 사람이 있으며, 이런 선수들을 통해 만성 질환이 운동을 하는 데 있어 장애물이 되지 않는다는 메시지를 아이들에게 전달해준다고 했다. 따라서 이 글의 주제로 가장 적절한 것은 ⑤.

선택지분석 ① 천식이 있어도 운동선수로서의 경력을 쌓는 방법
② 어릴 때 질병을 극복한 올림픽 선수들
③ 운동을 할 줄 모르는 아이들을 사교적으로 만드는 법
④ 만성 질환자가 당면하는 차별을 종식시키기
⑤ 만성 질환을 가진 성공한 운동선수가 미치는 긍정적인 영향

서술형 해설 목적어가 상대적으로 길어 문장의 맨 뒤로 이동하고, 부사구 to our youth가 동사 have delivered와 목적어 사이에 온 구조이다.

어휘 chronic 만성적인 / boost 격려, (신장시키는) 힘 / participate in ~에 참가하다 / automatic 자동적으로 따라오는; 무의식적인 **[선택지어휘]** socialize 사회화시키다; 사귀다, 교제하다 / discrimination 차별

구문 **[2~4행]** It(가주어) is a boost for *the youngster* (with a chronic illness) / to know that some of *the athletes* [who have participated in the Olympics] have chronic illnesses, ~.(진주어)

[5~6행] These athletes **have delivered**(V) ● **to our youth**(M) **the important message**(O) **that chronic illness is not an automatic barrier to success in sports**(=).

●는 the important message ~ in sports가 have delivered의 목적어로서 원래 위치하던 자리이며, the important message와 that절은 동격을 이룬다.

[8~9행] ~, they should not have to stay at home, **staring** out of the window // while their friends play sports outside.
staring out of the window는 동시동작을 나타내는 분사구문으로 '~하면서'의 의미이다. (= as they stare out of the window)

Make it Yours

p. 30

1 ⑤ 2 ① 3 ⑤ 4 ④ 5 ④

1 ⑤

해석 우리는 행복을 미래에 얻게 될 무언가로 생각하는 경향이 있다. 사막 멀리서부터 보이는 오아시스처럼 우리는 행복을 장차 얻게 될 것으로 기대한다. 우리는 행복해지기 위해서 충족해야 하는 몇몇 조건이 있다고 흔히 생각하며, 그 조건들을 충족하지 못하면 행복이 오지 않을 것이라고 착각한다. 예를 들어, 당신은 학위가 당신을 행복하게 만들어 줄 것이라 여긴다고 하자. 당신은 밤낮으로 학위에 대해 생각하며 학위를 따기 위해서라면 무엇이든 한다. 학위를 얻은 뒤 몇 주 동안은 기쁠 수도 있지만, 당신은 그 새로운 조건에 빨리 익숙해질 것이고, 단 몇 주가 지나면 더는 행복하다고 느끼지 않을 것이다. 우리는 처한 환경에 적응하게 되며, 일정 시간이 지나면 더는 행복하다고 느끼지 않는다.

해설 우리는 행복이란 어떤 조건을 충족했을 때 오게 되는 것이라고 착각하지만, 실제로 어떤 목표를 달성했을 때 느끼는 행복은 금세 사라진다는 내용의 글이다. 따라서 정답은 ⑤.

어휘 visible 눈에 보이는; 가시적인 / down the road 미래에 / mistakenly 잘못하여 / satisfy 충족시키다 / degree 학위 / diploma 졸업장 / become accustomed to A A하는 데 익숙해지다

구문 [3~4행] We often think (that) there are some conditions [we need to meet] / to be happy, // and we mistakenly believe (that) happiness will not come / if we do not satisfy them.

2 ①

해석 우유부단함은 시간을 낭비하게 하는 모든 것 중에서도 가장 큰 피해를 주는 것 중 하나이다. 한 농부에 관한 일화를 보자. 농부는 한 남자를 고용하여 감자 수확물을 작은 것, 중간 것, 큰 것 세 더미로 분류하게 했다. 하루가 끝날 무렵, 농부는 일이 고된지를 물었고, 이에 대해 남자가 대답했다. "아닙니다. 그런데 결정하는 게 너무 힘들어요!" 나는 여러분에게 이 점에 대해 확실하게 말할 것이다. 결정을 내리지 않는 것보다 실수를 하는 것이 훨씬 더 낫다. 나는 미루는 버릇 대부분이 결정을 내리는 것에 대한 두려움에서 기인한다고 믿는다. 여러분에게는 두 가지 선택의 길이 있는데, 어떤 것이 더 나은 것인지 확신할 수 없어서, 여러분은 결정을 미루게 된다. 당신이 해야 할 일은 그중 한 가지를 선택하는 것인데, 지금 선택해라. 일단 여러분이 관여하거나 움직이게 되면, 가속도가 붙게 되고, 결국엔 무언가 끝내게 될 것이다. 결정을 내리는 데 오래 걸릴수록, 아무런 결정도 내리지 못하게 될 가능성이 높아진다는 점을 명심해라.

해설 필자의 주장은 I'll assure you of this — ~.에 잘 드러나 있다. 즉, (미루다가) 결정을 하지 않는 것보다는 실수하는 것이 낫다는 것이므로 '즉각적인 실행'의 중요성을 주장하는 것이다. 따라서 정답은 ①.

어휘 indecision 우유부단함; 망설임 / pile 더미, 쌓아놓은 것; 쌓아놓다 / assure 확실히 ~라고 말하다; 보장하다 / be better off v-ing v하는 것이 (마음이나 처지가) 더 좋다[낫다] / due to ~에 기인하는 / momentum 가속도; 운동량

구문 [3~4행] At the end of the day, *the farmer* asked *if the work was difficult*, [to which the man replied, "No. But the decisions are killing me!"]

to which ~ me는 앞의 절 전체(the farmer asked ~ difficult)를 선행사로 하는 계속적 용법의 「전치사+관계대명사」 절.

[9~10행] Remember that the longer you take to make a decision, the closer you get to making no decision at all.

동사 remember의 목적어로 '~하면 할수록 점점 더 …하다'라는 뜻의 「the 비교급+주어+동사, the 비교급+주어+동사」 구문이 사용되었다.

3 ⑤

해석 사람들이 문제에 직면하기를 원치 않는 가장 특이한 이유들이 있는데 그것은 바로 두려움과 공상, 그리고 비현실적인 걱정들이다. 이런 염려들을 (의식의) 표면으로 가져올 수 있다면 그것들은 즉시 사라질 수도 있다. 집단이 문제를 다루기를 거부할 때 그들에게 그 문제를 해결하는 것과 해결하지 못하는 것에 따르는 최선의 결과와 최악의 결과, 그리고 가장 있을 법한 결과를 살펴보도록 제안할 수 있다. 예컨대 이렇게 물을 수 있다. "우리가 해결책을 얻을 수 있다면 일어날 수 있는 최선의 결과 또는 최악의 결과는 무엇인가? 가장 일어날 가능성이 높은 일은 무엇인가?" 그런 다음 문제를 해결하지 못하는 경우에 대해서도 똑같이 질문을 던져보라. 때로 질문을 직접 받으면 사람들은 끔찍한 결과를 하나도 생각해낼 수 없으며 (따라서) 문제를 다루는 데 더 개방적인 태도를 취하게 된다.

해설 두려움, 비현실적인 걱정들을 의식 표면으로 가져와, 해결했을 경우와 해결하지 못했을 경우 일어날 가능성이 있는 결과들에 대해 따져보는 과정은 다루기 꺼려지는 문제에 좀 더 개방적으로 접근하는 데 도움이 된다는 내용의 글이다. 따라서 글의 제목으로 가장 적절한 것은 ⑤.

선택지분석 ① 끔찍한 결과를 피하는 기술
② 왜 사람들은 문제를 직면하는 것을 두려워하는가?
③ 직접적인 질문은 해결책 찾기를 어렵게 한다
④ 문제를 직면했을 때 자주 묻는 질문
⑤ 염려를 표면화하는 것은 문제 해결을 도울 수 있다

어휘 concerns 걱정, 염려 / likely 그럴듯한; ~할 것 같은 **[선택지어휘]** confront 직면하다, 맞서다 / externalize 표면화하다

구문 [3~5행] ~, you can suggest ● to them taking a look at *the best, worst, and most likely consequences* (of solving and not solving the issue).

4 ④

해석 Jody Wagner 선생님께,
저는 Sara Mitchell이라고 합니다. 지난달 학부모 회의의 말미에 잠

해설 Jody Wagner 선생님이 학부모 회의에서 학부모들에게 학생 회관 건립을 위한 모금 아이디어를 요청했고, 그에 대해 Sara Mitchell이란 이름의 학부모가 포스터

깐 이야기를 나눴지요. 저는 새 학생 회관을 위한 모금 아이디어에 대한 선생님의 요청에 대해 많이 생각해보고 있습니다. 포스터 대회를 여는 것을 고려해보셨는지요? 제 아들의 초등학교에서 몇 년 전에 열었는데 꽤 성공적이었습니다. (대회) 참가비는 20달러였고 응모작 수에는 제한을 두지 않았습니다. 그로 인해 제출물이 많아지고, 돈이 가장 많이 들어오게 됩니다. 이 생각이 마음에 드시면, 제가 그것을 홍보할 표지판을 만들 수도 있습니다. 우리는 단지 포스터의 주제를 정하고 우승자를 뽑을 날짜를 정하기만 하면 될 것입니다. 빠른 답장을 바랍니다.
Sara Mitchell 드림

대회를 개최하여 참가비를 받아 모금하자며, 자신의 아이디어를 편지로 써 보낸 것이다. 따라서 정답은 ④.

어휘 **briefly** 간단히 / **fundraising** 모금, 기금 모집 / **student center** 학생회관 / **hold** (시합 등을) 개최하다 / **competition** 대회; 경쟁 / **entry** 출전, 응모(작) / **fee** 요금; 수수료 / **place a[no] limit on** ~에 제한을 두다[두지 않다] / **encourage** 장려하다; 격려하다 / **multiple** 다수의 / **submission** 제출(물) / **bring in** (이익을) 가져오다

구문 **[6~7행]** ***This*** *encourages multiple submissions*, **which** brings in the most money.

This는 앞 문장에 나온 내용(응모작 수에 제한을 두지 않은 것)을 의미한다. 콤마(,) 뒤의 관계대명사 which는 주절 This ~ submissions 전체를 선행사로 받아 and it으로 바꾸어 쓸 수 있으므로 동사는 brings로 단수취급한다.

[8~9행] We'd just **need to decide** on a theme for the posters [and] **(to) set** the date for choosing a winner.

동사 need는 목적어로 to부정사를 취한다. 여기에서는 목적어 to decide와 (to) set이 접속사 and로 병렬 연결되어 있다.

5 ④

해석 어떤 동물이 어떤 유형의 행동을 하도록 선천적으로 프로그램되어 있다면, 생물학적인 단서가 있을 ① 가능성이 있다. 물고기가 지느러미와 강력한 꼬리가 있는, 유선형이고 매끈한 몸을 가지고 있는 것은 우연이 아니다. 물고기의 몸은 물을 빠르게 헤치며 움직이는 데 구조적으로 ② 알맞다. 마찬가지로, 여러분이 죽은 새나 모기를 발견한다면, 그 날개를 보고서 비행이 그것들의 보편적인 ③ 이동 방식이었음을 추측할 수 있을 것이다. 하지만, 우리는 지나치게 낙관적이어서는 안 된다. 생물학적인 단서는 필수적이지는 않다. 생물학적인 단서들이 발견되는 정도는 동물마다 다르고 행동마다 다르다. 예를 들어, 새들이 둥지를 짓는 것을 새들의 몸으로부터 추측하는 것은 불가능하고, 때로 동물들은 신체적 형태에서 예상될 수도 있는 것과 상당히 ④ 유사한(→ 다른) 방식으로 행동하는데, 예를 들어 ghost spider는 굉장히 긴 다리를 가지고 있지만, 그것들은 무척 짧은 실로 거미집을 짓는다. 관찰하는 인간에게는 그것들이 실을 내면서 거미집을 돌아다닐 때 다리가 큰 ⑤ 방해가 되는 것처럼 보인다.

해설 동물의 생물학적 특징이 그 동물의 행동과 관련이 있는 경우가 많지만 연관 관계가 거의 없는 것처럼 보이는 경우도 많은데, 긴 다리로 돌아다니기에 불편한 거미집을 짓는 ghost spider는 후자의 예가 되며, 이러한 동물들은 '그들의 신체적 형태에서 예상될 수 있는 것과 ④ '유사한(similar)' 방식이 아니라 '정반대의(contrary)' 방식으로 행동하는 것이다.

어휘 **innately** 선천적으로, 타고나서 / **biological** 생물학의, 생물체의 / **clue** 단서 / **accident** 우연; 사고 / **streamlined** 유선형의 / **fin** 지느러미 / **structurally** 구조적으로, 구조상 / **adapted for** ~에 알맞은, 적당한 / **mosquito** 모기 / **mode** 방식, 유형 / **transport** 이동, 수송 / **over-optimistic** 지나치게 낙관적인 / **extent** 정도, 규모 / **vary** 다르다, 가지각색이다 / **tremendously** 굉장하게, 엄청나게 / **weave** (직물 등을) 짜다, (거미가 집을) 얽다 / **web** 거미집 / **strand** 한 가닥의 실 / **hindrance** 방해 / **spin** (거미가) 실을 내다, 거미집을 짓다

구문 **[2~3행]** **It** is no accident / that fish have *bodies* [which are streamlined and smooth], ~.
(It: 가주어 / that ~ smooth: 진주어)

It은 가주어이고 that 이하가 진주어이며, which ~ smooth는 bodies를 수식한다.

[4~5행] Similarly, **if** you **found** a dead bird or mosquito, you could guess ● **by looking at its wings** that flying was ~ transport.
(could guess: V / that flying was ~ transport: O)

「if+S+과거동사, S+could+동사원형」 형태의 가정법 과거 표현으로, '~한다면 …할 수 있을 것이다'의 뜻이다. that ~ transport는 could guess의 목적어로, ●이 원래 목적어가 위치했던 자리이다.

[6~7행] *The extent* [to which they are found] varies ~.
(The extent: S / varies: V)

주어는 The extent이고 동사는 varies이며, to which ~ found는 The extent를 수식한다. 여기서 they는 앞 문장에 제시된 biological clues를 대신한다.

[8~10행] For example, **it** is impossible *to guess* ● **from their bodies** **that birds make nests, and, sometimes, animals behave in *a way* (quite similar to what might be expected from their physical form)**: ~.
(to guess: V' / from their bodies: M' / that ~ form: O')

it은 가주어이고, to guess 이하는 진주어이다. 진주어로 쓰인 to부정사 to guess와 목적어인 that ~ their physical form 사이에 부사구가 위치한 형태로, ●이 원래 목적어가 위치했던 자리이다. quite similar ~ their physical form은 a way를 수식하는 형용사구이며 what might be expected는 전치사 to의 목적어로 쓰인 관계대명사절이다.

CHAPTER 03 보어의 이해

UNIT 01 주격보어

p. 34

1 a very important issue, ineffective
약물을 제대로 보관하는 것은 아주 중요한 문제인데, 왜냐하면 많은 약물들은 제대로 보관되지 않으면 효과가 없어지기 때문이다.
+Tip 비상상황이 발생하면, 침착함을 유지하고 승무원의 지시사항을 들으십시오.

2 to be around nineteen years old
그 젊은 엄마는 열아홉 살 정도 되어 보였다.

3 of great importance
새 운동 일정에 들어갈 때는 적당한 휴식이 매우 중요하다.

4 that Friday brings promise
사람들이 일요일보다 금요일을 선호하는 이유는 금요일은 기대를 불러일으키기 때문인데, 그 기대는 곧 다가올 주말과 우리가 계획한 모든 활동에 대한 기대이다.

Check it Out! 내가 가장 하기 싫었던 일은 교통 정체 속에서 몇 시간이고 보내는 것이었다.

1 store 저장하다 / medication 약, 약물 / ineffective 효과 없는
Tip emergency 비상사태 / arise 발생하다, 생기다 / cabin crew 승무원
4 prefer A to B B보다 A를 선호하다
Check it Out! the last thing 가장 하기 싫은 일

A

1 a member of several highly prestigious scientific societies | 30살이 되기 전에 그녀는 자신의 연구를 토대로 매우 권위 있는 몇몇 과학 협회의 회원이 되었다.

2 suggest interesting ideas | 때로 당신이 해야 하는 것은 흥미로운 아이디어를 제안하는 것뿐이다.
해설 suggest 앞에는 to가 생략되었다.

3 that he could always pick the best places to camp | 우리 삼촌의 멋진 점 하나는 언제나 최적의 캠핑 장소를 골라낼 수 있다는 것이다.

4 more creative, mentally fitter | 휴식 중에 당신의 정신은 더 창의적이 될 것이며, 당신은 정신적으로 더 건강해질 것이다.

5 for the companionship it can provide | 애완동물을 기르는 가장 흔한 이유 중 하나는 그것이 줄 수 있는 우정 때문이다.

6 to enable long-term exploration of space and provide benefits to people on Earth | 국제우주정거장의 임무는 우주에 대한 장기 탐사를 가능하게 하고 지구상의 사람들에게 혜택을 제공하는 것이다.

7 very familiar | 비록 히포크라테스는 거의 2,500년 전에 살았지만, 그의 사상 중 많은 부분이 오늘날에도 매우 친숙하게 들린다.

1 highly 매우 / society 협회 / on the basis of ~을 기반으로, 토대로
4 mentally 정신적으로 / fit 건강한
5 companionship 우정
6 exploration 탐사

B ③ 서술형Q Even though praise may appear to work

해석 아이들이 긍정적인 자아상을 갖고 행동을 개선하는 것을 돕는 칭찬이 가진 장점을 홍보하는 대대적인 캠페인이 있어 왔다. 어떤 경우에 칭찬은 정말로 아이들이 자신들의 행동을 개선하도록 고무한다. 문제는 아이들이 인정 중독자가 될 수도 있다는 점이다. 이 아이들은 타인의 의견에 전적으로 의존하는 자아상을 발달시킬지도 모른다. 다른 아이들은 칭찬을 거부할 수도 있는데, 이는 그들이 타인의 기대를 충족하기를 원치 않거나, 아주 쉽게 칭찬을 받는 듯한 아이들

해설 칭찬이 아이들에게 긍정적인 영향을 미칠 수도 있지만, 경우에 따라서 타인에 대한 의존을 불러일으킬 수도 있다고 했다. 따라서 제목으로 가장 적절한 것은 ③.

선택지분석 ① 칭찬: 아이들이 필요로 하는 것
② 타인의 기대를 좇지 말라!
③ 칭찬이 아이들에게 항상 도움이 되는가?
④ 칭찬의 가장 큰 장점은 무엇인가?
⑤ 타인에게 의존하는 것의 문제점

과 상대가 안 될까 봐 두렵기 때문이다. 칭찬이 효과를 발휘하는 것처럼 보일 수도 있지만, 우리는 칭찬은 타인에 대한 의존을 불러일으킨다는 장기적인 영향에 대해 알아야 한다.

서술형 해설 동사 appear는 to부정사를 보어로 취하므로, to work를 appeared 뒤에 쓴다. '비록 ~일지라도'라는 뜻의 접속사 even though는 절의 가장 앞에 온다.

어휘 virtue 장점 / self-image 자아상(= self-concept) / inspire 고무하다, 격려하다 / approval 인정; 찬성 / addict 중독자 / dependent 의존하는, 의존적인 / resist 거부하다; 저항하다 / expectation 기대, 예상 / long-term 장기적인

구문 **[3~4행]** The problem(S) is(V) that they may become approval addicts(C).

[5~7행] ~, **either** because they don't want to satisfy *the expectations* (of others)(A) **or** because they fear (*that*) they can't compete with *those* [who seem to get praise so easily](B).

「either A or B」는 'A 혹은 B 둘 중 하나'의 의미로, 접속사 because가 이끄는 절 두 개를 병렬 연결하고 있다.

UNIT 02 명사 · 형용사 목적격보어

p. 36

1 a stronger runner
역기를 드는 것은 당신을 더 건장한 주자로 만들어 줄 것이며, 힘과 균형을 향상해줄 것이다.
ex. 다음번에는 내가 너에게 더 튼튼한 의자를 만들어줄게.

2 wet, clear
눈 깜박임은 눈을 촉촉하게 만들어 주며, 잘 보이도록 (눈의) 앞부분을 깨끗하게 유지시켜 준다.
+Tip 깃털은 피부 표면에 가까운 신체에서 생기는 열을 가두어 둠으로써 새를 따뜻하게 유지시킨다.

1 weight 역기
2 blink 눈을 깜빡이다 / portion 부분, 일부

A

1 O | 칼슘은 우리의 뼈에 매우 중요하며 뼈들을 건강하게 유지하는 데 도움을 준다.

2 X, nervous | 어떤 사람들은 그들을 불안하게 만들기 때문에 대중 프레젠테이션을 할 수 있는 기회를 피한다.

3 O | 단것에 대한 여러분의 욕망을 충족시키기 위해 이 쿠키를 만들었고, 저희는 여러분이 그것을 쿠키의 걸작이라 부르기를 기대합니다.

4 X, adventurous | 그들은 스스로 모험적이라 여기지 않았기 때문에 해외에서 공부할 기회를 거절했다.

5 O | 관객들이 왜 그 영화들을 재미있다고 생각하는지 사람들은 물어볼지도 모른다.

3 masterpiece 걸작, 명작
4 reject 거절하다, 거부하다

B ④ 서술형Q 여러분이 어떤 상표를 긍정적으로 연상한다는 사실은 여러분의 제품 선택을 더 쉽게 해 준다

해석 일반적으로, 오늘날의 회사들은 제품의 측면에서 경쟁하는 것이 아니라 오히려 상표의 측면에서 경쟁한다. 상표는 단순한 제품 그 이상의 것으로, 제품이 떠올려 주는 느낌이다. 상표는 사람들에게 회사나 제품을 연상시키는 등록 상표가 붙은 시각적이고 정서적인 이미지이다. 여러분이 어떤 상표를 긍정적으로 연상한다는 사실은 여러분의 제품 선택을 더 쉽게 해 주고 여러분이 그 제품으로부터 얻는 가치와 만족감을 증대시킨다. 비록 X 상표의 탄산음료가 Y 상표의 탄산음료보다 맛에 대한 테스트에서 선호된다고 할지라도, 사실은 더 많은 사람이 다른 어떤 탄산음료보다 Y 상표의 탄산음료를 사고, 가장 중요하게는 그들이 Y 상표의 탄산음료를 사서 마시는 것에서 만족을 얻는다는 것이다. 탄산음료와 관련되는 사람, 장소, 그리고 상황에 대한 기억들은 흔히 맛의 작은 차이보다 우선한다. 상표들과의 이런 정서적 관계가 그것들을 그토록 강력하게 만드는 것이다.

해설 사람들이 제품의 질보다 상표와의 정서적인 관계를 더 우선시하여 선택하고, 그렇게 선택한 제품에서 가치를 얻고 만족감을 느낀다는 내용이므로 정답은 ④.

선택지분석 ① 우리는 왜 특정 상표와 자신을 동일시하는가?
② 소비자가 제품에 어떻게 영향을 미치는가
③ 차별화: 제품을 판매하는 비결
④ 정서 유발하기: 성공한 상표의 비결
⑤ 치열해지는 경쟁, 향상되는 품질

서술형 해설 The fact ~ a certain brand는 문장의 주어이고, makes는 동사, your product selection은 목적어, easier는 목적격보어이다.

어휘 in terms of ~ 면에서, ~에 관하여 / evoke (감정·기억 등을) 떠올려 주다, 환기시키다 / associate A with B A를 B와 연관시키다 / enhance (좋은 점을) 높이다, 향상시키다 / occasion (어떤 일이 일어나는) 때, 경우 / take precedence over ~보다 우선하다, 우위에 서다 **[선택지어휘]** identify with ~와 동일시하다 / differentiation 차별(화), 구별 / fierce (경쟁이) 치열한; 사나운, 맹렬한

구문 [4~6행] The fact that you have positive associations with a certain brand **makes** **your product selection** **easier** and enhances *the value and satisfaction* [(***that***) you get from the product].

S = ; V_1 O_1 C_1 ; V_2 O_2

[10행] This emotional relationship with brands is / what **makes** **them** **so powerful**.

S′ V′ O′ C′

what ~ powerful은 관계대명사가 이끄는 명사절로 동사 is의 주격보어이다. 관계대명사 what이 명사절 내에서 주어로 쓰여 「관계대명사(주어)+동사+목적어+목적격보어」의 어순으로 쓰였다.

UNIT 03 부정사 목적격보어

p. 38

1 to talk about their fears and unhappiness
좋은 부모는 자녀의 말을 귀 기울여 듣고, 자녀가 자신들의 두려움과 불행에 대해 이야기하도록 허용한다.

2 enjoy the pleasure of reading, gain information, literacy skills, vocabulary, and more
만화와 잡지는 학생들에게 읽는 즐거움을 누리고 정보, 글을 읽고 쓰는 기술, 어휘, 그리고 그 이상을 습득하게 한다.
+Tip 대부분의 시간 동안 그 거대한 바위는 물에 덮여 있다. 그것이 많은 배들이 그 바위에 충돌하도록 야기한다.

Check it Out! 그 문제에 대한 명확한 진술은 당신이 어떻게 그것을 해결해야 하는지에 대한 분명한 선택지를 내놓는 데 도움을 줄 것이다.

2 literacy 글을 읽고 쓰는 능력
Tip crash 충돌하다; 박살나다
Check it Out! statement 진술 / come up with ~을 내놓다, 생각해내다

A

1 O | 58세의 나이에, 좋지 않은 건강 상태는 그로 하여금 자신의 사업체를 매각하도록 만들었다.

2 X, shrink | 당신은 결코 목이 마르지 않도록 해야 하는데, 왜냐하면 (그렇게 할 때) 뇌를 수축하게 만들어 초조해지고 건망증이 생기기 때문이다.

3 O | 바람은 풍력 발전기에 연결된 거대한 날개를 회전시켜 전기 발전기가 작동할 수 있게 한다.

4 O | 망원경은 우리가 육안의 한계를 훨씬 넘어서 볼 수 있도록 돕는다.

5 O | 문제를 직면할 때, 우리는 절대 우리의 편견과 감정이 우리의 대부분 차지하게 해서는 안 된다.

6 X, to look | 윤리적 의사결정은 우리에게 개인의 필요와 욕구를 넘어서 생각할 것을 요구한다.

2 shrink 수축하다, 줄어들다 / restless 초조해하는, 가만히 못 있는 / forgetful 건망증이 있는, 잘 잊어버리는
3 blade (칼 등의) 날 / wind tower 풍력 발전기 / enable 할 수 있게 하다, 가능하게 하다 / electrical 전기의 / generator 발전기
4 telescope 망원경 / naked 맨눈의, 육안의
5 definitely 절대; 분명히 / prejudice 편견 / the better part of ~의 대부분
6 ethical 윤리적인

B ① 서술형 Q ⓐ to find ⓑ to conclude

해석 나는 서류 관리를 결코 잘하지 못했다. 내가 직장에서 전문가로 있는 동안, 내 책상은 항상 무질서하게 보였다. 나는 내가 좀 전에 내 책상 위에 놔뒀던 서류철을 찾는 데 항상 어려움을 겪었다. 나는 깨끗하고 단정한 책상이 당신의 생각과 당신의 우선순위를 더 잘 관리하는 능력을 상징한다고 믿는다. 나는 또한 그것이 당신이 당신의 일에 자신감을 가지고 있고 당신이 프로젝트를 끝마치고 수반되는 서류를 버리는 방법을 알고 있음을 상징한다고 믿는다. 당신이 없어진 서류작업물을 찾고 없어진 보고서를 다시 만들어야 하기 때문에 잃어버리게 되는 시간을 없애면서 중요한 서류를 찾을 수 있도록 당신의 업무 책상, 서류철과 온라인상의 서류철을 잘 정리해두어라. 이것은 또한 당신의 상사, 동료, 그리고 부하직원이 당신이 정리가 잘 된 전문가라고 결론 내리게 할 것이다.

해설 업무 책상을 깔끔하게 하고 서류철을 잘 정리해둠으로써 가져올 수 있는 여러 긍정적인 효과를 설명하는 글이다. 따라서 정답은 ①.

서술형 해설 ⓐ 동사 enable의 목적격보어로 to부정사가 와야 한다. ⓑ 동사 lead의 목적격보어로 to부정사가 와야 한다.

어휘 paperwork 서류작업 / disorganized 무질서한 / tidy 단정한 / symbolize 상징하다 / priority 우선순위 / accompanying 수반하는 / eliminate 제거하다 / superior 윗사람, 상관 / peer 동등한 사람, 동료 / subordinate 부하, 하급자 / conclude 결론을 내리다

구문 **[5~6행]** I also believe // that **it** symbolizes / that you are confident in your work [and] that you know how **to finish** projects [and] (**to**) **throw** away accompanying paperwork.
(V′: symbolizes / O_1′: that you are confident in your work / O_2′: that you know how to finish projects and (to) throw away accompanying paperwork)

believe의 목적어로 하나의 that절이 오고, 그 안에 symbolizes의 목적어로 두 개의 that절이 온 구조이다. it은 앞 문장의 'a clean and tidy desk'를 가리킨다. symbolizes의 두 번째 목적어로 온 that절에서 how to 다음의 동사원형 finish와 throw가 병렬구조를 이루고 있다.

[7~9행] Keep your work desk, ~ and online files well organized / to **enable** **you** **to find** important documents, / **eliminating** lost time / due to **searching** for missing paperwork [and] **recreating** *reports* [that are missing].
(V: Keep / O: your work desk, ~ and online files / C: well organized / V′: enable / O′: you / C′: to find important documents)

to enable ~ documents는 to부정사의 부사적 용법으로 '~하기 위하여'라는 뜻으로 쓰였다. eliminating 이하는 '~하면서'라는 뜻의 동시동작을 나타내는 분사구문이고, searching과 recreating은 due to의 목적어로 쓰인 동명사로 접속사 and에 의해 병렬구조를 이루고 있다.

UNIT 04 분사 목적격보어

p. 40

1 slowly beginning to fade
그녀가 창밖을 내다보았고, 비가 서서히 그치기 시작하는 것을 보았다.
cf. 성공은 높은 수준의 능력과 함께 작용하는 높은 수준의 동기를 필요로 한다.

2 removed
오늘날, 대부분의 사람들은 사랑니가 다른 치아를 제자리에서 밀어내거나 감염되기 전에, 사랑니를 뽑는다.

Check it Out!
- 종종 수족관의 훈련 받지 않은 돌고래는 다른 돌고래가 (어떤) 동작을 해내는 것을 지켜보고 나서 훈련도 없이 그 동작을 완벽하게 해낸다.
- 어느 날 오후, 나는 가난한 집시 여인이 지하철역 밖 인도에 앉아 있는 것을 보았다.

1 fade 서서히 사라지다, 희미해지다
cf. motivation 동기부여, 자극
2 wisdom teeth 사랑니 / infected 감염된
Check it Out! untrained 훈련되지 않은 / go through ~을 행하다

A

1 O | 그 팀의 탈의실은 밝은 붉은색으로 칠해져 있었는데, 이것이 팀원들을 흥분된 상태로 만들어 주었다.

2 O | '탄수화물은 나쁘다'라는 생각은 많은 사람들을 우리의 건강에 미치는 탄수화물의 중요성에 대해 혼란스럽게 만들었다.

3 O | 오래된 부엌칼을 버리기 전에, 칼날만 갈 필요가 있을 수도 있다는 것을 생각해보라.

4 X, relaxed | 우리는 여유 있고 편안하게 물고기를 보관하기에 충분한 물을 넣은 산소 주입 비닐봉지에 각 물고기를 포장한다.

5 O | 일부 유행하는 식이요법은 칼로리 결핍증을 일으킬 수도 있고, 실제로 근육량을 감소시킬 수도 있다.

6 X, laughing | 요즈음 나는 과거에 너무 심각하게 받아들였던 일들에 대해 웃고 있는 나 자신을 발견한다.

1 locker room 탈의실
3 sharpen 갈다, 날카롭게 하다
4 inflate 부풀리다
5 caloric 칼로리의 / deficit 결핍, 부족 / mass 질량; 큰 덩어리
6 take A seriously A를 심각하게 받아들이다

B ① 서술형Q ⓒ shaken → shaking ⓓ to approach → approaching 또는 approach

해석 내가 우리 거실 벽에 휙 하고 스쳐 지나가는 작은 환한 조명의 존재에 갑작스레 깜짝 놀란 것은 새벽 3시경이었다. 달빛 속에서 나는 어느 젊은 사람이 손전등을 들고 우리 집 안을 살피는 것을 알 수 있었다. 그의 다른 손은 금속성의 무언가를 쥐고 있었는데, 그 물건은 은색 빛 속에서 빛나고 있었다. 나의 졸린 뇌가 즉각 깨어나면서 나보다 젊고 총을 가진 누군가에게 우리 집이 강도를 당하려 한다는 생각이 불현듯 들었다. 나는 심장이 뛰고 무릎이 떨리는 것을 느꼈지만 전화기 쪽으로 기어가 재빨리 경찰에 전화했다. 전화를 건 지 몇 분 안에 경찰차가 라이트를 켠 채 다가오고 있는 것을 나는 보았다. 이 모

해설 새벽에 무기를 든 채 자신의 집에 들어온 강도를 보고 두려워했으나, 이내 경찰에 신고했고 그가 체포되었으므로 마지막에는 마음이 놓이고 안도했을 것이다. 따라서 정답은 ①.

선택지분석 ① 무서운 → 안도한 ② 지루한 → 놀란 ③ 부러운 → 만족한 ④ 걱정이 되는 → 부끄러운 ⑤ 당황한 → 후회되는

서술형 해설 ⓒ 동사 felt의 목적격보어로, 무릎은 '떨리는' 것이므로 현재분사 shaking이 와야 한다. ⓓ 동사 saw의 목적격보어로, 경찰차가 '다가오는' 것이므로 approaching 또는 approach로 고쳐야 한다.

든 일은 너무나 순식간에 일어나 그 범죄 미수자는 우리 집 진입로에 자신의 차를 엔진을 계속 켜둔 채 그대로 두고 가버렸다. 그는 곧 체포되었다.

어휘 startled 깜짝 놀란 / presence 존재 / spotlight 환한 조명, 스포트라이트 / sweep 스치다; 휩쓸다 / content *pl.* 내용물, 안에 든 것 / silvery 은빛의 / awaken (잠에서) 깨다, 깨우다 / rob (장소를) 털다, 강도질을 하다 / in possession of ~을 소유하여 / pound 쿵쿵 뛰다 / approach 다가오다 / would-be 장차 ~이 되려고 하는 / driveway (도로에서 집·차고까지의) 진입로

구문 **[2~3행]** In the moonlight, / I noticed(V) a young man(O) using a flashlight / **to examine** the contents of our house.(C)

to examine 이하는 '~하기 위하여'라는 뜻으로 목적을 나타내는 to부정사구

[6~7행] I felt(V) my heart(O_1) pounding(C_1) and knees(O_2) shaking(C_2), ~.

[8행] ~, I saw(V) a police car(O) approaching **with its lights flashing**.(C)

「with+O+v-ing[p.p.]」는 '~가 …한[된] 채로'의 의미로, 목적어(its lights)와 분사가 능동관계로 현재분사(flashing)가 쓰였다.

[8~10행] This all happened **so** quickly / **that** my would-be attacker left his car in our driveway, / **with its engine still running.**

「so ~ that …」은 '매우 ~해서 …하다'의 의미이다. with its engine still running은 「with+O+v-ing」 구문으로, 엔진은 '작동하는' 것이므로 현재분사 running이 쓰였다.

Make it Yours

p. 42

1 ⑤ 2 ① 3 ⑤ 4 ④ 5 ②

1 ⑤

해석 우리는 그 순간 가장 강렬히 하고 싶은 것에 근거하여 결정을 내린다. 여러분이 가장 강렬히 하고 싶어 했던 것과 일치하지 않았던, 여러분이 내렸던 선택이 있었는지 생각해 보면, 이것은 간단한 사실이다. 하지만 이것(강렬히 하고 싶어 했던 것과 일치하지 않았던 선택이 없었을 거라는 것)이 때때로 헷갈리기도 하는데, 그 이유는 우리가 아주 다양한 기호에 공격을 받고 그것들이 때에 따라 그 강도가 달라지기 때문이다. 예를 들어, 푸짐한 한 끼 식사를 끝마친 후에는, 다이어트를 하기로 마음먹기가 쉽다. 그렇지만, 몇 시간이 지난 후에는 다시 배가 고파지며 음식에 대한 욕구가 커진다. 파이를 먹고자 하는 욕구가 체중을 줄이고자 하는 욕구를 능가하면, 우리는 다이어트보다 파이를 택하게 된다. 모든 조건이 같다면, 우리는 과도한 체중을 줄이고 싶어 할지도 모른다. 우리는 정말로 날씬해지기를 원하지만 그 목표는 음식을 먹는 즐거움과 충돌한다. 문제는 모든 것들이 동일하게 유지되지 않는다는 것이다.

해설 빈칸 바로 앞의 they는 inclinations를 가리키고, 빈칸 문장 뒤에서 예시를 통해 inclinations가 어떠하다는 것인지 제시되고 있으므로 이를 바탕으로 빈칸에 들어갈 말을 추론한다. 예시에서는 다이어트에 대한 욕구와 먹고 싶은 욕구의 강도가 때에 따라 달라짐을 기술하고 있다. 따라서 빈칸에 들어갈 말은 ⑤.

선택지분석 ① 우리가 세운 목표로 구성되기
② 시간이 흐름에 따라 힘이 강해지기
③ 우리의 진정한 목표와 충돌하기 → 다이어트에 대한 욕구와 음식에 대한 욕구의 강도가 때에 따라 달라질 뿐, 어느 하나를 진정한 목표라고 보기는 어렵다.
④ 우리가 결정을 내리는 것을 방해하기

어휘 inclination 좋아하는 것; 성향 / in accord with ~와 일치하는, 조화되는 / assault ~을 공격하다 / surpass ~을 능가하다, 뛰어넘다 / all things being equal 모든 조건이 같다면 / shed (원하지 않는 것을) 없애다[버리다] / excess 초과[량], 과잉 / be in conflict with ~와 충돌하다, 싸우다 / culinary 음식[요리]의 **[선택지어휘]** hinder A from v-ing A가 ~하는 것을 방해하다 / intensity 강도; 강렬(함)

구문 **[1~3행]** This is ~ try to think of *a choice* [(*that*) you have made] [that was not in accord with your strongest inclination].
두 개의 절이 모두 a choice를 수식하고 있다.

2 ①

해석 오늘은 Jeff의 수영 수업에서 중요한 날이었다. 모든 학생들은 높은 다이빙대에서 수영장의 수심 깊은 곳으로 뛸 예정이었다. Jeff가 다이빙대로 걸어갔을 때, 그는 이상한 느낌이 들기 시작했다. 그것은 그가 생각했던 것보다 훨씬 더 높았고, 그의 손은 땀이 나기 시작

해설 Jeff는 다이빙대가 자신이 생각했던 것보다 훨씬 높아 손에 땀이 나고 속이 메스꺼웠지만, 뛰어내리고 나선 활짝 웃는 얼굴로 힘차게 수영을 하며 물 위로 돌아오는 상황이다. 따라서 정답은 ①.

했다. 다이빙대에 올라선 후, 그는 주변을 둘러보았고 포기하는 것에 대해 생각했다. 그 높이는 그의 속을 메스껍게 만들었다. 그때 그는 자신의 형이 수영장 가에 앉아 그를 보고 미소를 짓고 있는 것을 보았다. 이것은 Jeff가 필요로 한 동기였다. 마음이 바뀌기 전에, 그는 침을 삼키고 뛰기로 결심했다. 그것은 순식간에 끝났다. 곧, Jeff는 활짝 웃는 얼굴로 수영장 가장자리 쪽으로 힘차게 수영을 하며 물 위로 돌아왔다. 그는 세상에서 어떤 것도 할 수 있을 것 같은 느낌이 들었다.

선택지분석 ① 초조한 → 자신감 있는 ② 창피한 → 놀란 ③ 질투하는 → 평화로운 ④ 짜증 난 → 안도한 ⑤ 불안해하는 → 무서운

어휘 **deep end** (수영장 등의) 수심이 깊은 곳[쪽] / **sweaty** 땀에 젖은, 땀이 나서 축축한 / **back down** 포기하다; 후퇴하다 / **make A's stomach turn** A의 속을 메스껍게 만들다; A의 기분을 나쁘게 하다 / **swallow hard** 침을 삼키다 / **in an instant** 순식간에; 곧, 당장 / **edge** 가장자리; 모서리 / **grin** (소리 없이) 활짝[크게] 웃음

구문 **[5행]** The height made(V) his stomach(O) turn(C).

[5~6행] Then he saw(V) his older brother(O) sitting by the pool(C_1) and smiling at him(C_2).

동사 saw의 목적격보어로 쓰인 v-ing 2개가 접속사 and로 병렬 연결되어 있다.

3 ⑤

해석 당신이 성공하기 위해 배워야 하는 중요하고도 가치 있는 시간 관리 기술이 한 가지 있다. 무언가를 꼭 해야 하는데 시간이 없다면 당신을 도와줄 수 있는 누군가를 찾아보라. 예를 들어, 수업에 출석할 수 없을 때 당신은 친구가 대신 필기를 해주도록 할 수 있다. 그리고 그 혹은 그녀가 앞으로 같은 상황에 처한다면 당신은 그 호의를 갚을 수 있다. 그것은 당신이 자신의 책임을 회피하기 위해 하는 무언가가 아니라는 것을 명심하라. 그것은 당신이 책임을 다하기 위해 사용하는 기술이다. 일을 처리하는 데 있어 누군가가 당신보다 아는 것이 더 많다면 당신은 그들에게 당신을 도와주도록 부탁하고 그들로부터 배워야 한다. 그러면 다음번에 당신은 자신의 기량을 더 향상시킬 수 있다.

해설 성공하기 위한 시간 관리 기술 중 한 가지로, 주변의 사람들에게 도움을 청하라는 내용의 글이다. 따라서 글의 요지로 가장 적절한 것은 ⑤.

어휘 **management** 관리; 운영 / **fulfill** 책임을 다하다, 이행하다 / **knowledgeable** 아는 것이 많은

구문 **[3~4행]** For example, you can have(V) your friend(O) take notes for you(C) // when you can't attend a class.

사역동사 have가 목적격보어로 원형부정사(take)를 취하고 있다.

[5~6행] Keep in mind / that it is not *something* [(***that***) you do ● / to avoid your responsibilities]; it's *a technique* [(***that***) you use ● / to fulfill them].

something과 a technique 뒤에 각각 목적격 관계대명사 that이 생략되었으며, ●는 something과 a technique가 관계사절 내에서 각각 do와 use의 목적어로서 원래 위치하던 자리이다.

4 ④

해석 예술은 사람들을 이어주는 수단이다. 모든 예술 작품은 그것을 수용하는 사람이 그 작품을 만든 사람과의 특별한 유형의 이해에 들어가도록 야기한다. 사람의 생각과 경험을 전달하는 말이 인간관계 형성에 도움을 주는 것과 마찬가지로, 예술도 정확히 똑같은 방식으로 도움을 준다. 말을 통해 사람이 자신의 생각을 상대에게 전달하는 한편, 예술을 통해 사람들은 서로에게 자신의 느낌을 전달한다. 예술은 우리가 다른 사람들의 감정을 그들의 말, 표현, 그리고 창작품을 통해 경험할 수 있다는 사실에 의존한다. 예술 활동은 다른 사람의 감정에 영향을 받는 이러한 인간의 능력에 토대를 두고 있다.

해설 예술은 사람들이 다른 사람들의 감정을 경험할 수 있게 해준다고 했고, 그러한 이유로 말이 인간관계 형성에 도움을 주는 것처럼, 예술도 사람들을 이어주는 수단으로써 역할을 할 수 있다는 내용의 글이므로, 글의 주제로 가장 적절한 것은 ④.

선택지분석 ① 인간관계가 예술에 미치는 영향
② 사람들에게 예술에 대해 교육하는 이유
③ 예술적 활동을 촉진하기 위한 효과적인 방법들
④ 관계를 맺는 데 예술이 어떻게 역할을 하는가
⑤ 예술을 통해 감정을 분석하는 것의 중요성

어휘 **means** 수단 / **work of art** 미술품, 예술품 / **result in** (결과적으로) ~을 야기하다, 낳다 / **convey** 전달하다 / **serve** 도움이 되다, 기여하다 / **capable of** ~을 할 수 있는 **[선택지어휘]** **analyze** 분석하다

구문 **[5~7행]** Art relies on **the fact** / **that** we are capable of experiencing *the feelings* (of others) / through their words, expressions, and creations.

the fact와 that절은 동격을 이룬다.

5 ②

해석 부모는 단호해야 하지만 제안을 잘 받아들여야 한다. 즉 권위가 있어야 하지만 독재자가 되어서는 안 된다. 그들은 또한 자녀들에게 너무 많은 자유와 독립을 주는 것도 경계해야 하는데, 왜냐하면 아이들은 자신의 결정에 대한 가능한 모든 영향을 알지 못하기 때문이다. 따라서 아이들이 자신의 결정에 대한 가능한 결과를 이해하도록 돕는 것은 부모에게 달려있다. 부모의 의무는 자신의 자녀에게 사고의 독립을 주는 것, 즉 아이가 상황에 대해서, 무슨 일이 발생할 수 있는지, 무슨 일이 발생하지 않을지, 선택지가 있다면 무엇이 가장 효과가 좋을지 등에 대하여 생각하게 하는 것이다. 당신의 자녀가 불가능한 것을 생각하게 하고, 그들이 꿈꾸고 희망하고 열망하게 하라! 그들이 당신의 신념에 도전하게 하라. 왜냐하면 그로부터 새로운 답과 새로운 신념이 생겨날 것이기 때문이다!

해설 이 글은 부모의 책무에 대한 글로서, 부모는 자녀가 결정한 것에 대해 가능한 모든 영향을 알게 하고 자녀가 그에 대해 독립적으로 사고할 수 있도록 지도하여, 결과적으로 자녀가 꿈을 키워나갈 수 있게 해주어야 한다는 내용이다. 그러므로 정답은 ②.

어휘 **i.e.** 즉 / **authoritative** 권위 있는 / **dictator** 독재자 / **wary** 경계하는, 조심하는 / **be up to** ~에게 달려있다 / **work out** (일이) 잘 풀리다 / **aspire** 열망하다

구문 **[8~9행]** Let(V) them(O) challenge(C) your beliefs — because **from those** will arise(V) new answers and new beliefs(S)!

장소의 부사구 from those가 절의 가장 앞에 나와, 주어(new answers and new beliefs)와 동사(will arise)가 도치되었다.

UNIT 01 완료시제

p. 46

1 장학금을 받고 대학을 다니는 것은 어릴 때부터 나의 꿈이었다.
1. 전국의 많은 학교가 학생 수 감소 때문에 이미 문을 닫았다.
2. 좋은 책에 아주 몰입해서 2시간이 마치 몇 분처럼 지나가 버린 적이 있습니까?
3. 남아프리카 공화국에서 보존은 중요한 문제다. 그 나라는 삼림 벌채와 인구 과잉으로 인해 많은 자연 서식지를 잃었다.

2 이슬람교의 설립자가 돼지고기는 불결하다고 선언했기 때문에 이슬람교도들은 돼지고기 판매를 금지하는 법을 통과시켰다.

3 그 연구자들이 집으로 돌아올 수 있을 때쯤이면, 그들은 남극의 펭귄을 7개월 동안 연구한 것이 될 것이다.

Check it Out! 여러 해 전에 나는 알제리에 있는 사하라 사막의 심장부를 지났다.

1 scholarship 장학금 / absorbed 몰두한 / conservation 보호, 보존 / natural habitat 자연 서식지 / deforestation 삼림 벌채 / overpopulation 인구 과잉
2 forbid 금지하다 / founder 설립자 / declare 선언하다
3 Antarctica 남극 대륙
Check it Out! Algeria 알제리

A

1 O | 많은 의사들이 희귀한 뇌 질환의 원인을 찾아왔다.

2 O | 최근, 혈액 기증자의 수가 급격히 증가했다.

3 O | 몇 해 전 일요일 저녁, 우리는 오랫동안 매주 해오던 것처럼 뉴욕시에서 프린스턴으로 차를 몰고 가고 있었다. **해설** 주절의 시점인 과거보다 더 이전부터 계속적으로 해오던 일을 묘사한 것이므로 과거완료 형태는 적절하다.

4 O | 우리의 부주의함 때문에, 한때 푸르고 비옥한 땅이 있었던 지역에 사막이 확장되고 있었다.

5 X, had just finished | 내가 TV 대본 작성을 막 완성하고 그것을 서둘러 인쇄하려고 하던 차에 컴퓨터가 먹통이 되었다. **해설** 컴퓨터가 먹통이 된 것이 과거의 시점이고 그 바로 직전에 대본 작성을 완료한 것이므로 과거완료 형태가 되어야 한다.

6 O | 올겨울 동계 올림픽이 열릴 때쯤이면, 선수들은 2년 동안 한 팀으로 훈련을 받은 것이 된다.

1 rare 희귀한
2 donor 기증자
4 carelessness 부주의함 / spread over 퍼지다 / fertile 비옥한, 기름진
5 freeze (시스템이) 정지하다, 멈추다

B ⑤

해석 1908년에 George McJunkin이라는 이름의 한 카우보이가 New Mexico주 Folsom이라는 작은 마을 근처에서 말을 타고, 잃어버린 소 한 마리를 찾고 있었다. 소를 찾는 대신에, 그는 뼈들과 그 곁에 있던 돌로 된 창끝을 우연히 발견하게 되었다. 그 뼈들은 너무나 커서 소뼈라고 볼 수 없었다. 흥미를 느끼고 McJunkin은 그것들을 그의 목장 저택으로 가지고 돌아왔다. 그곳에서 그것들은 1925년까지 있었는데, 그해에 콜로라도 자연사 박물관의 Jesse Figgins의 책상 위에 놓이게 되었다. Figgins는 그 뼈들이 빙하기 말기에 평원을 거닐었던 멸종한 지 오래된 종류의 들소의 뼈라는 것을 재빨리 식별해냈다. 그러나 훨씬 더 지대한 영향을 가진 것은 McJunkin이 뼈 옆에서 발견했던 돌로 된 창끝이었다. 이 창끝이 들소를 죽이기 위해 사용된 인공 무기라면, 인간이 빙하기 동안 아메리카 대륙에서 사냥하고 살고 있었음에 틀림없다는 것을 의미했다.

해설 미국에서 오래전에 멸종된 것으로 알려진 들소 뼈와 함께 발견된 창끝을 통해 인류가 빙하기에 아메리카 대륙에서 활동했음이 틀림없다고 기술하는 내용의 글이다. 따라서 제목으로 가장 적절한 것은 ⑤.

선택지분석 ① 한 카우보이의 열정과 끈기
② 아메리카 대륙에서 거대 포유류가 멸종한 이유
③ 소와 들소의 유전적 관련
④ 초기 인류의 뛰어난 사냥 기술
⑤ 창끝: 빙하기 인류 존재의 증거

어휘 happen upon ~을 우연히 발견하다 / spearpoint 창끝 / intrigued 흥미로워하는 / ranch 목장 / extinct 멸종된 / roam ~을 돌아다니다, 배회하다 / plain 평원 / far-reaching 지대한 영향을 가져올 / implication 영향, 결과 / manmade 인공의 **[선택지어휘]** persistence 끈기, 고집; 지속됨 / genetic 유전적인 / extraordinary 기이한, 놀라운 / existence 존재

구문 **[7~9행]** But **it was** *the stone spearpoints* [McJunkin **had discovered** beside the bones] **that** had the more far-reaching implications.
「It is ~ that ...」 강조구문으로, the stone spearpoints가 강조되고 있으며, McJunkin had discovered beside the bones는 앞의 the stone spearpoints를 수식하는 관계사절이다. 돌로 된 창끝이 지대한 영향력을 가지고 있다는 것을 알게 된 것은 과거의 일이고 MuJunkin이 그 창끝을 발견한 것은 이미 과거 이전에 완료된 것이므로 과거완료 시제(had discovered)가 사용되었다.

1 can be, eaten
콩은 비타민A와 비타민C의 훌륭한 원천이어서 매일 안전하게 섭취될 수 있다.

2 have been eradicated
천연두, 홍역 등 주요 질병이 집단 예방접종으로 근절됐다.

3 are being observed
사람들은 자기가 관찰되고 있다고 느낄 때 더 정직해지는 경향이 있다.

4 are thought of
보통 신원 도용의 피해자는 개인들이라고 생각되지만, 기업들도 그것의 피해자가 될 수 있다.

Check it Out! 사람들은 과일과 채소가 암 예방에 도움이 된다고 믿는다.

2 measles 홍역 / mass 대규모의 / vaccination 예방 접종
4 identity theft 신원 도용 / think of A as B A를 B라고 생각하다 / fall prey to ~의 피해자가 되다

A

1 been made | 인간 유전학 분야에서 유망한 발전이 이루어졌다.

2 evolved | 우리는 다른 사람들을 돌보는 능력을 발전시켜 왔다.

3 being installed | 예측 불가능한 뇌우의 위치를 감지하기 위해 주요 공항에 특별 레이더 시스템이 설치되고 있다.

4 leave | 서아프리카 사람들은 귀신이 집 안으로 들어오는 것을 막기 위해 신발 한 켤레를 문에 두어야 한다고 믿는다.

5 broken into | 문에 잠금장치를 달았는데도 불구하고 그의 방은 침입당했다.

6 is believed | 런던에 있는 그 기관은 교복을 처음 사용한 학교라고 여겨진다.

1 promising 유망한 / advance 발전, 진전 / genetics 유전학
2 evolve 발달하다 / capacity 능력; 용량 / care for 돌보다
3 install (장비 등을) 설치하다 / detect 감지하다, 알아내다 / unpredictable 예측 불가능한 / thunderstorm 뇌우
5 break into (건물에) 침입하다
6 institution 기관

B ② 서술형 Q may be introduced

해석 우울증이나 불안증 같은 정신질환이 있는 사람들은 자신들의 잠재적 고용주를 신뢰할 필요가 있다. 구직 면접 시에 정신질환을 밝히겠다는 결정은 정신질환을 가진 사람들이 실업의 긴 공백기를 설명해야 하거나 장기간의 시간제 고용에서 정규직으로 이동할 때 더 바람직하며 심지어 필수적일 수도 있다. 정신질환을 가진 다른 사람들이 이미 근무처에서 일하고 있다면, 그리고 고용주들과 동료들이 그러한 직원들을 존중하는 자세로 대해왔다면, 고용주의 신뢰와 존중은 강화될 수 있다. 어떠한 경우든, 정신 질환이 있는 사람들이 배려하고 이해하는 근무처를 찾는 것이 필수적이다. 그러한 고용주들은 입소문을 통하여 비공식적으로 찾을 수 있을 것이다. 아니면 정신질환을 가진 사람들은, 그러한 고용주들이 정신질환이 있는 사람들을 존중하며 대해왔다는 직접적인 지식과 경험을 갖고 있는 정신건강 전문가 혹은 직업 전문가들에 의해 그러한 고용주들에게 소개될 수 있다.

해설 정신질환이 있는 구직자가 그 사실을 밝히되, 지원하고자 하는 회사가 자신과 비슷한 문제를 가진 사람들을 잘 대우하는지에 대해 확인하여 잠재적 고용주를 신뢰할 수 있어야 한다는 글이다. 그러므로, 글의 주장으로 가장 적절한 것은 ②.

서술형 해설 정신질환을 겪고 있는 사람들이 고용주에게 '소개될 수 있다'라는 문맥이 되어야 하므로, 수동태로 써야 한다. 조동사가 결합된 수동태는 「조동사+have p.p.」의 형태로 쓴다.

어휘 depression 우울증 / anxiety 불안증 / potential 잠재적인 / preferable 보다 바람직한, 더 좋은 / transition (서서히) 이행하다, 옮겨가다 / duration 지속, 기간 / strengthen 강화하다 / word-of-mouth 구전의 / alternatively 그 대신에, 그렇지 않으면 / vocational 직업의 / first-hand 직접 얻은 / respectfully 공손하게

구문 [11~13행] ~ by *mental health or vocational professionals* [**who** have first-hand knowledge and experience = that those employers have dealt respectfully with people with mental illness].
who ~ mental illness는 앞의 mental ~ professionals를 수식하는 관계대명사절이다. 이 절 속에서 first-hand knowledge and experience와 이어지는 that 이하는 서로 동격관계이다.

UNIT 03 주요 조동사 표현

p. 50

1 어떤 신체 부위는 불필요한 것처럼 보이지만, 사실은 특정한 목적을 갖고 있거나 한때 가지고 있었다.
cf. 인도에서는 토론이 종교적 논쟁을 해결하고 오락거리를 제공하는 데 사용되었다.
신입 사원은 상품을 정리하는 데 익숙해 보인다.

2 우리는 당신의 여권을 발급할 수 없다. 당신의 여권 사진은 지난 6개월 이내에 찍었어야 했다.

3 낙관하는 것의 자기실현 효과는 우리가 직면한 문제에 대해 긍정적으로 접근해야 한다는 것을 강력하게 암시한다.
cf. 새로운 연구에 의하면 사회적으로 고립되면 사람들이 위험한 금전적 결정을 하게 된다고 한다.

cf. put in order ~을 정리하다 / merchandise 상품
2 issue 발급하다
3 self-fulfilling 자기실현적인 / optimistic 낙관적인 / face 직면하다
cf. isolation 고립 / risky 위험한 / financial 재정의, 금융의

A

1 used | 편지는 한때 사람들이 소식을 전하는 일반적인 방법이었다.

2 be | 밤에 굉음을 내며 달리는 자동차들을 경찰에 신고해야 한다고 내 이웃 중 한 명은 주장한다.

3 would | 초기의 인간은 목마름으로 죽지 않고 사막을 건너는 법을 알아야 했기 때문에 그들이 사는 땅의 지도를 머릿속에 가지고 다녔을 것이다.

4 must | 관리자가 바로 다음 날 나를 고용한다고 전화한 것을 보니 내 첫인상이 좋았음에 틀림없다.

5 may | 당신은 구강 청결제가 입 냄새를 없애준다는 말을 들었을지 모르나 이는 사실이 아니다.

6 should | 이 음악 플레이어가 또 고장 났다. 구매하기 전에 상품 후기를 확인했어야 했는데 나는 그러지 않았다.

2 explosive 굉음의, 폭탄이 터지는 것 같은 / roar (자동차의) 굉음
3 thirst 목마름, 갈증
5 mouthwash 구강 청결제 / bad breath 입 냄새
6 make a purchase 물건을 사다

B ④ 서술형Q we may have missed an opportunity to solve a problem

해석 과거에, 우리는 이전에 효과가 있었던 해결책을 고수하려 했기 때문에, 신속하고 효과적인 방식으로 문제를 해결할 기회를 놓쳤는지도 모른다. 이러한 '고정 효과'는, 우리에게 친숙한 특징에 의해 일어나는, 마음에 떠오른 최초의 생각이 더 좋은 해결책이 발견되는 것을 방해할 때 일어난다. 당신이 체스 대가라면 익숙해 보이는 게임 전개 방식을 찾아낼 것이다. 그 시합들에 따라 당신의 전략을 세우는 것은 그와 완전히 똑같은 시합들에서는 효과가 있을 것이지만, 그와 다른 상황에서라면 당신은 패할 수도 있다. 그러므로 고정 효과를 인식하는 것은 익숙한 패턴에서 벗어나 새로운 해결책을 찾으려 노력해야 한다고 제안한다. 각각의 문제를 그 자체의 조건에서 평가하기보다 우리가 잘 아는 길만 고수한다면 우리는 실패할 가능성이 있다.

해설 문제를 해결할 때, 이전에 효과가 있었던 방법을 쓰려고 하면 실패할 수 있으며, 각 상황에 맞게 새로운 해결책을 찾아야 한다는 내용의 글이다. 따라서 정답은 ④.

선택지분석 ① 체스를 숙달하는 지름길
② 우리는 어떻게 익숙함에서 벗어날 수 있을까?
③ 익숙하지 않은 상황에 직면하는 것을 배우기
④ 익숙한 해결책이 최선이 아닐 수도 있다!
⑤ 고정 효과: 더 나은 해결책을 위한 원천

서술형 해설 '~했을지도 모른다'는 「may+have p.p.」의 형태로 쓴다. '문제를 해결할 기회'는 형용사적 용법의 to부정사를 이용하여 표현한다.

어휘 pursue ~을 계속하다; 추구하다 / bring up 일어나다, 불러일으키다 / spot 발견하다, 알아채다 / awareness 의식; 관심 / stick to A A를 고수하다 / evaluate 평가하다 **[선택지어휘]** shortcut 지름길

구문 **[2~4행]** This "set effect" occurs // when *the first idea* [that comes to mind] (S′), **brought up by familiar features**, **prevents** (V′) a better solution **from being found**.

brought up ~ features는 the first ~ mind를 부연 설명하는 과거분사구이다. 「prevent A from v-ing」는 'A가 ~하지 못하게 하다'의 뜻으로, '더 나은 해결책이 발견되지' 못 하게 하는 것이어야 하므로 from 뒤에는 동명사의 수동태가 왔다.

[6~8행] *An awareness* (of the set effect) therefore **suggests** / that we should try (V_1') to escape from the familiar patterns and (*should*) seek (V_2') new solutions.

'제안'을 나타내는 동사 suggest 뒤에 이어지는 that절이 당위성을 나타내어 that절에 「should+동사원형」의 형태가 왔다. 이때 should는 종종 생략된다.

UNIT 04 부정사 · 동명사의 완료형

1 ② to have been
우리 직계 조상의 기초를 세운 인구는 2000명보다 훨씬 더 많았을 것이라고는 생각되어지지 않는다.

2 ② having opened
노벨 위원회는 한 분야를 개척했거나, 한 분야를 완전히 바꿔놓았거나, 새롭고 예상치 못한 방향으로 한 분야를 이끌어온 발견에 영광을 준다.

1 direct ancestor 직계 조상
2 committee 위원회 / honor ~에게 영광을 주다 / field 분야 / transform 완전히 바꿔놓다 / unexpected 예상치 못한 / direction 방향

Check it Out! 이 교회는 15세기 말에 지어졌다고 일부 사람들에 의해 믿어진다.

A

1 X, to have been destroyed | 한때 고대 세계에서 가장 큰 도서관이었던 알렉산드리아 도서관은 약 2000년 전 큰 화재로 소실된 것으로 널리 알려져 있다.

2 O | 우리는 다양한 에너지 원천들은 태양으로부터 나왔다고 여겨진다는 점에 동의한다.

3 O | 나는 작년에 필리핀의 아름답고 평화로운 해변에서 시간을 보낸 즐거운 기억이 있다.

4 X, to have been made | 최초의 지도는 현재 오늘날의 터키인 곳에 있었던 고대 도시에서 기원전 7천 년에 만들어졌다고 생각된다.

5 O | 표를 온라인에서 예매한 증거가 있으면, 공연 당일에 그릴피쉬에서 식사를 20% 할인받으실 수 있습니다.

2 derive from ~에서 얻다, 끌어내다
3 fond 즐거운; 애정을 느끼는
5 proof 증거 / in advance 미리, 사전에

B ③ 서술형Q to have developed

해석 Leibniz는 Newton과 동시대의 수학자이자 철학자였다. 두 사람 모두 각각 미적분을 발전시켰지만, Leibniz가 많은 유용한 수학 기호들을 도입하여 우리가 오늘날 알고 있는 미적분학을 탄생시켰다. 또한, Leibniz는 1은 신을 나타내고 0은 신의 부재를 나타낸다는 종교에 관한 철학적 논쟁에서 사용할 용도로 2진법 체계를 발전시켰다고 믿어진다. 이 체계는 실용적으로 응용할 수 없었기 때문에 그 당시 사람들에게 무시되었다. 그러나 1940년대에 최초의 디지털 컴퓨터가 발명되면서 이는 폭넓게 사용되게 되었다. 2진수는 0과 1이 다양한 방식으로 표현될 수 있기 때문에 컴퓨터에서 유용하다. 예를 들어 켜지거나 꺼진 등이나, 열리거나 닫힌 스위치나, 혹은 화면상의 검은 점이나 흰색 점처럼 말이다.

해설 Leibniz가 2진법을 발전시킨 것은 종교에 관한 철학적 논쟁을 위한 것이었다고 했으므로, 글의 내용과 일치하지 않는 것은 ③.

서술형 해설 Leibniz가 2진법 체계를 발전시킨 것은 주절의 동사(is believed)보다 이전의 일이므로, to부정사의 완료형(to have developed)을 써야 한다.

어휘 mathematician 수학자 *mathematical 수학의 / philosopher 철학자 *philosophical 철학의, 철학과 관련된 / contemporary 동시대의; 동년배, 동시대인 / independently 독립적으로 / represent ~을 표현하다, 나타내다 / absence 부재; 결석 / practical 실용적인 / application 응용, 적용; 지원(서) / widespread 광범위한, 널리 퍼진

구문 [2~3행] ~, **Leibniz's** having introduced many useful mathematical symbols(S) resulted(V) in *the version of calculus* [(*that*) we know today].
Leibniz가 수학 기호들을 도입한 것은 술어동사(resulted)보다 이전에 일어났던 일이므로, 동명사의 완료형(having introduced)이 사용되었다. Leibniz's는 동명사의 의미상 주어이다.

[3~5행] Leibniz is also believed / **to have developed** the binary system / for *use* (in *philosophical arguments on religion* [**where** 1 represented God and 0 (*represented*) an absence of God)].
where 이하는 philosophical ~ religion을 선행사로 하는 관계부사이다.

Make it Yours

p. 54

1 ③ 2 ⑤ 3 ④ 4 ③ 5 ②

1 ③

해석 몇 년 전 남편과 나는 비탈진 지대에 집을 한 채 지었다. 토대 세우기 작업을 위해 우리가 고용한 건축업자는 매우 바빴다. 그는 비가 내리기 전에 작업을 마무리하려고 서두른 나머지, 바닥을 평평하게 만들지 않았고, 건물 토대가 있었어야 할 곳에 토대를 놓지도 않았다. 또 우리도 비가 내리기 전에 이사를 오려고 서두르는 바람에 그 사실을 확인하지 못했다. 지금 그 집을 가보면 한쪽 벽이 곧지 않다는 것을 발견할 것이다. 토대가 평평하지 않았기 때문에 그 벽은 커다란 계단의 두 단(段)처럼 두 부분으로 지어져야 했다. 그 결과 우리는 시간과 돈, 에너지를 소모하는, 몇 년에 걸친 분쟁에 휘말리게 되었다. 나는 이제야 그것이 모두 끈기의 부족으로 일어난 일임을 깨닫는다.

해설 건축업자는 일을 지나치게 서두르던 탓에 작업을 완벽하게 하지 않았고, 글쓴이 역시 이사를 서두르느라 이를 확인하지 못했다며, 이는 모두 끈기가 부족했기 때문이라고 이야기하고 있다. 따라서 글의 요지로 가장 적절한 것은 ③.

어휘 steep 비탈진, 가파른 / foundation 토대, 기초 / in a rush 아주 바쁘게 / staircase 계단 / level 평평한 / bring about ~을 유발하다, 초래하다 / patience 끈기; 인내심

구문 **[1~2행]** *The builder* [(*whom*) we hired / **to do the foundation work**] was very busy.
(S: The builder ~ work, V: was)
to do the foundation work는 목적을 나타내는 to부정사구이다.

[3행] ~, he didn't make the ground flat or (*didn't*) put *the foundation* [where it **should have been**].
(V₁: didn't make, O₁: the ground, C₁: flat, V₂: (didn't) put, O₂: the foundation)
「should have p.p.」는 '~했어야 했는데 (하지 않았다)'의 의미이다.

[4~5행] **If** you **were to visit** that house now, // you**'d find** that one wall is not straight.
you'd는 you would의 줄임말이며, 「If S+were to-v ~, S+조동사 과거형+동사원형」은 미래에 실현 가능성이 희박한 사실을 가정할 때 쓰인다.

2 ⑤

해석 Blaise Pascal은 육체적으로 강하지 않았지만 짧은 기간에 많은 일을 성취했다. 1642년에 그는 'Pascaline'이라는 계산기를 발명했는데, 그것의 유일한 문제점은 제작비가 높다는 것이었다. 또한 그는 수학자로서 확률에 커다란 기여를 했지만 그의 노력은 18세기가 되어서야 인정받았다. 그러나 그는 종교 철학자이자 작가로서 사람들에게 주로 기억된다. 그런데 그는 철학자로 불렸던 것을 좋아하지 않았을 것이다. 그의 글에는 철학자들이 얼마나 무식한가에 관한 여러 논평이 있다. 흥미롭게도 Pascal은 1654년 신의 존재를 체험하게 되었다. 그가 그 체험을 누군가에게 언급했다는 증거는 없지만, 그는 양피지 조각에 그 체험을 기록했으며 그것은 오늘날까지 남아 있다.

해설 신에 대한 체험을 누군가에게 언급했다는 증거는 없지만 양피지에 기록되어 있다고 했으므로 ⑤가 일치하는 내용.

선택지분석 ① 건강이 좋지 않았지만 많은 일을 성취했다고 했다.
② 파스칼린이라는 계산기는 제작비가 높다고 했다.
③ 당시에는 인정받지 못하다가 18세기가 되어 인정받았다고 했다.
④ 철학자로 불렸던 것을 좋아하지 않았을 것이라고 했다.

어휘 a great deal 많이, 상당히 / calculate 계산하다 / contribute 기여하다 / to this day 지금까지도

구문 **[2~3행]** In 1642, he invented *a calculating machine* (named *Pascaline*), / **of which** the only problem was its high cost of production.
of which가 이끄는 관계사절은 a calculating machine named Pascaline을 부연 설명하고 있다.

[5행] However, **it is** mostly as a religious philosopher and writer **that** he is remembered.
「it is ~ that ...」 강조구문으로 전명구가 강조되고 있다.

[6행] He **would** not **have liked to have been called** a philosopher, though.
「would have p.p.」는 '~했을 것이다'라는 의미로 과거의 일에 대한 추측을 나타낸다. 과거의 일에 대해 언급하는 술어동사보다 앞선 시점을 나타내기 위해 to부정사의 완료형 to have been called가 사용되었다.

[8~10행] There is no evidence of **his having mentioned** the experience to anyone, // but he recorded the experience on *a piece of parchment*, / **which** survives to this day.
(no evidence = his having mentioned ~)
술어동사(is)보다 앞선 시점을 나타내기 위해 동명사의 완료형(having mentioned)이 쓰였다. his는 동명사의 의미상 주어이다.
which는 a piece of parchment를 선행사로 하여 그것을 부연 설명하는 계속적 용법의 관계대명사이다.

3 ④

해석 심리학은 거대한 주제이며, 심리학의 결과물들은 우리들 모두와 관계가 있다. 심리학자들이 행동과 심리 과정에 관하여 알아낸 것 중 많은 것이 이제는 그저 '상식'으로 간주될 정도로 심리학자들의 사상과 이론은 우리의 일상적 문화의 일부가 되었다. 심리학은 그 짧은 역사 속에서 우리의 사고방식을 변화시키고, 또한 우리가 자신과 타인, 그리고 우리가 사는 세계를 이해하는 데 도움을 주는 많은 아이디어를 우리에게 제공했다. 심리학은 뿌리 깊은 신념에 의문을 제기하고, 불편한 진실을 발견하였으며, 복잡한 문제들에 대한 놀라운 통찰과 해결책을 제공하였다. (또한, 심리학 실험은 마음 그 자체를 무시한 채 오직 통계에만 의존하는 것의 한계를 드러내기도 했다.) 대학 강좌로서 심리학의 치솟는 인기는 현대 세계에서 심리학이 적절성을 지니고 있을 뿐 아니라 마음 자체를 살피는 일이 고유한 가치를 지닌다는 점을 보여주고 있다.

해설 심리학이 우리 생활과 밀접한 관련을 맺고 있으며, 행동과 사고방식에도 많은 영향을 미치고 있다는 내용의 글이다. 심리학 실험이 오직 통계에만 의존하는 한계가 있다는 ④는 이 글의 흐름과 무관하다.

어휘 psychology 심리학 *psychologist 심리학자 *psychological 심리(학)의 / findings (조사 · 연구 등의) 결과 / concern ~에 관한[관련된] 것이다 / to the extent that ~할 정도[범위]까지 / common sense 상식 / unsettling 불편한, 불안하게 하는 / startling 놀라운 / insight 통찰(력) / statistics 통계학; 통계 / relevance 적절성; 관련성 / inherent 내재하는; 타고난

구문 **[4~6행]** ~, psychology(S) has given(V) us(IO) *many ideas*(DO) [that have changed our ways of thinking], and [that have also helped us / to understand ourselves, other people, and *the world* [we live in]].

that이 이끄는 관계대명사절 두 개가 many ideas를 수식하고 있다.

[6~8행] It **has questioned** deeply held beliefs, (*has*) **discovered** unsettling truths, and (*has*) **provided** startling insights and solutions to complex questions.

[9~11행] *Its increasing popularity* (as a university course) is **a sign** **not only** of *psychology's relevance* (in the modern world)(A), **but also** of *the inherent value* (of examining the mind itself)(B).

a sign과 psychology's relevance, the inherent value는 동격이다. 「not only A but also B」는 'A뿐만 아니라 B도'의 의미이다.

4 ③

해석 한때 프루트케이크(말린 과일이 들어간 케이크)는 단순한 음식을 넘어선 것이었는데, 의례에서 중요한 역할을 하곤 했다. 예를 들어 로마인들은 이동하는 군대에 에너지를 공급하는 일종의 프루트케이크를 만들었다. 한편 북유럽식 형태는 밀가루와 헤이즐넛, 호두를 넣어 더 가볍게 만들어졌다. 이 경우에 견과류를 넣는 것은, 맛보다는 격식을 위한 것이었다. 매년 견과류 수확이 끝날 때, 풍성한 수확을 확실히 해줄 것을 기원하며 견과류가 들어간 프루트케이크를 구워서 저장하곤 했다. 한참 후에, 성탄절날 가난한 사람들에게 프루트케이크 조각을 나눠주는 영국의 전통은 아마도 궁극적으로 명절에 인기가 있었던 것과 관련이 있었을지도 모른다. 일 년 중 신선한 과일을 얻기 어려운 시기에 프루트케이크는 사람들이 반기는 특별한 음식이었을 것이다.

해설 로마와 북유럽에서 의례와 격식을 위한 음식으로 쓰였던 프루트케이크가 영국에서 성탄절에서 먹는 특별한 음식이 되기까지 역사 속에서 프루트케이크의 다양한 역할을 설명하는 내용의 글이다. 따라서 제목으로 가장 적절한 것은 ③.

선택지분석 ① 로마의 의례에서 프루트케이크의 역할
② 프루트케이크는 어떻게 성탄절 디저트가 되었나
③ 프루트케이크: 의례 음식에서 명절의 특별한 음식으로
④ 맛을 넘어: 겨울철 영양 보충을 위한 전통
⑤ 프루트케이크 조리법의 지역별 차이는 어디서 유래하나

어휘 ritual 의례; 의식 절차 / troop 군대; 병력 / wheat flour 밀가루 / inclusion 포함 / harvest 수확 / ensure 보장하다 / hand out 나눠주다 / have something to do with ~와 관련이 있다 / eventual 궁극적인 / come by ~을 얻다, 구하다 / treat 특별한 것 **[선택지어휘]** regional 지역적인

구문 **[6~8행]** Much later, the English tradition(S) of handing out slices to the poor on Christmas / may have had(V) something to do with its eventual holiday popularity.

5 ②

해석 숫자는 삶을 운영하고 이해하는 데 있어서 필수적이라고 간주되어 왔다. 숫자는 과학의 자연 언어로서 천 개의 학문 분야에 필요하다. 통계학, 회계학, 경제학, 공학 등 그 목록은 끝이 없다. 마찬가지로, 숫자는 예술, 미학과 디자인, 그리고 우리의 균형 감각과 미적 감각에

해설 숫자는 다양한 학문 분야를 비롯해 다양한 영역에서 중요한 역할을 한다는 내용 다음에, 숫자가 위험한 권위를 획득해 사람들로 하여금 물질적인 것들을 표현할 때 숫자에 과중한 비중을 두게 한다는 등 숫자의 문제점에 대해 언급하는 글이 이어지고 있으므로, 글의 주제로 가장 적절한 것은 ②.

있어서도 매우 중요하다. 그러나 현대 세계에서 숫자는 위험한 권위를 획득했으며 우리는 세율, 백분율, 평균, 주가, 여론 조사, 통계 등에서 숫자에 (의해) 쉽게 압도되는 수가 있다. 우리는 모든 물질적인 것들을 표현하는 데 있어서 숫자에 과도한 비중을 둔다. 숫자는 우리 삶의 모든 측면에서 정말 광범위한 영향력을 갖지만 반드시 측정 가능한 세계에 한정된다.

선택지분석 ① 학문 분야에 익숙해지는 방법
② 우리 생활에서 수의 다양한 역할과 문제점
③ 수의 법칙 적용에 따른 부정적 결과
④ 어린 나이에 사람들에게 숫자에 대해 교육해야 할 필요성
⑤ 숫자와 예술을 함께 가르치는 것의 중요성

어휘 accounting 회계 / engineering 공학 / crucial 중대한; 결정적인 / aesthetics 미학 / overwhelm 압도하다, 휩싸다 / stock-market 주식 시장의 / poll 여론 조사 / far-reaching 커다란, 광범위한 / aspect 측면, 양상 / measurable 측정할 수 있는

구문 **[7~8행]** We have made(V) numbers(O) responsible for expressing *all things* (material)(C).

[8~10행] While numbers **do** have(V) far-reaching implications for every aspect of our lives, // they are necessarily limited to the measurable world.

동사인 have를 강조하기 위해 앞에 조동사 do를 썼으며, '정말로, 바로'의 의미이다.

CHAPTER 05 가정법 구문

UNIT 01 가정법 과거 · 과거완료

p. 58

1 만약 당신이 나비라면 당신은 색깔이 더 화려한 꽃에 끌리겠습니까, 아니면 색깔이 덜 화려한 꽃에 끌리겠습니까?

2 그 건물 밖으로 나오는 결정이 내려지지 않았다면 팀 전체가 죽고 말았을 것이다.

3 물리학자들이 같은 전문화된 주제 분야에서 연구하는 전 세계의 다른 물리학자들과만 이메일을 교환하는 것에 집중한다면, 그들은 세상을 바라보는 새로운 방식에 덜 수용적일 것이다.

Check it Out! 나 자신의 여행에서, 만약 내가 패키지여행을 떠났더라면 내 삶을 풍요롭게 해준 놀라운 경험을 결코 하지 못했을 것이다.

3 physicist 물리학자 / specialized 전문화된 / receptive 수용적인
Check it Out! eye-opening 놀랄만한, 괄목할 만한 / enrich 풍요롭게 하다, 질을 높이다

A

1 if your children wanted to imitate a celebrity

2 If birds' young developed in the womb

3 If you had planned your schedule effectively

4 If I were to have a chance to visit that island

1 celebrity 유명 인사
2 womb 자궁 / pregnant 임신한 / predator 포식자, 포식 동물
3 appropriate 적절한

B ④

해석 만약 당신이 요술 램프를 가지고 있는데 거기서 요정이 나와 당신의 새 프로젝트에 대해 세 가지 소원을 들어준다고 한다면, 당신은 무엇을 바라겠는가? 이것은 "나는 그것이 십억 달러 사업이 되기를 바란다"거나 "나의 모든 경쟁자들이 사라져 버렸으면 좋겠다" 같은 바람이 아니다. 여기서 질문은 "프로젝트가 완료될 시점에 가능한 대로 어떤 것이든 세 가지를 성취할 수 있다면 그것은 무엇이겠는가?" 하는 것이다. 이 질문을 함으로써 당신은 프로젝트가 시작하는 바로 그 시점에 프로젝트의 완결에 대한 기대를 이해할 수 있다. 이는 당신의 사고와 가능한 해결책을 찾는 접근법을 체계화하는 데 도움을 준다. 열쇠는, 당신이 무엇을 찾고 있는지 깨닫는 것이다. 그렇게 한다면 당신은 모든 가능성에 압도당하지 않을 것이며, 훨씬 더 당신의 목표에 이를 가능성이 생길 것이다.

해설 프로젝트에 대해 기대하는 바에 관한 질문을 던짐으로써 프로젝트의 목표와 방향을 분명히 하라는 내용이다. 따라서 정답은 ④.

선택지분석 ① 성공하고 싶은가? 사고를 바꾸라!
② 세 가지 마법의 소원: 그것은 단지 환상
③ 성공적인 프로젝트 관리자가 되는 법
④ 프로젝트의 가장 중요한 목표를 확인하라
⑤ 자신에 대한 분명한 이해에 이르게 하는 질문

어휘 grant (탄원·간청 등을) 들어주다, 승인하다 / competition 경쟁자; 경쟁 / accomplish 성취하다, 해내다 / expectation 기대, 예상 / approach 접근(법); 다가가다 / potential 가능성 있는, 잠재적인; 가능성, 잠재력 / overwhelmed 압도된 / possibility 가능성 **[선택지어휘]** identify 확인하다

구문 **[1~2행]** If you(S₁′) had(V₁′) a magic lamp [and] a genie(S′₂) came out of it and granted(V₂′) you three wishes for your new project, // what would you(S) wish for(V)?

「If+S′+동사의 과거형 ~, S+조동사 과거형+동사원형 ...」의 구조로 가정법 과거가 쓰였다. If가 이끄는 종속절 안에 두 개의 절이 병렬로 연결되었고, 주절이 의문문으로 쓰였다.

[3~4행] ~, "If you(S′) could possibly accomplish(V′) any three things / by the end of your project, // what would they(S) be(V)?"

UNIT 02 S + wish / as if 가정법

p. 60

1 나는 모험을 감수하면서 살아왔으며, 그것들이 모두 성공적이었다고 말할 수 있기를 바라고 있다.

2 나는 나보다 더 많은 인생 경험이 있는 사람들에게 현명한 조언을 받았더라면 하고 바란다.

3 모든 사람들이 마치 그가 슈퍼 영웅인 듯 놀라서 쳐다보고 있었다.
cf. 최고의 연사는 언제나 자신의 말이 정말로 중요한 것처럼 들리게 한다.

4 의사의 설명 후에 그 남자의 통증은 사라졌으며, 그는 아무 일 없었다는 듯이 집으로 돌아갔다.

1 take a risk 위험을 감수하다
3 stare at ~을 응시하다
cf. matter 중요하다

A

1 had | 사람들은 자신이 가지고 있지 않은 지식을 가진 듯이 행동할 때 실제로 결국 더 어리석게 보일 수 있다.

2 had started | 더 어린 나이에 수영 강습을 받기 시작했더라면 좋을 텐데.

3 had left | 지갑을 날치기 당하자마자 그녀는 여권을 호텔에 두고 왔었더라면 하고 바랐다. **해설** 날치기를 당한 시점이 '전에 여권을 호텔에 두고 왔었더라면'하고 날치기 당한 후 소망하는 것이므로 had p.p.가 적절.

4 had happened | 연설 도중 그는 한 문장을 빼먹었다는 사실을 별안간 깨달았지만, 아무 일도 없었던 것처럼 계속 (연설을) 했다.

5 had added | 아침에 우리가 딴 토마토는 마치 누군가가 설탕을 쳐놨던 것처럼 놀랍도록 달다.

1 end up v-ing 결국 v하게 되다
3 snatch 날치기하다, 잡아채다

B ③ 서술형Q ⓐ were ⓑ were

해석 사람들이 인맥을 형성하기 위해 여러 행사에 참석했지만 '아무 일도 일어나지 않았다'고 불평하는 소리를 듣는 것은 드문 일이 아니다. 그들은 어떤 사람도 만나지 않았다. 좀 더 조사해보면, 우리는 이런 사람들이 자기가 손님인 것처럼 인적 네트워크를 형성하는 모임에 나가서, 자신을 소개해줄 누군가를 기다리고 있는 것을 발견한다. 성공적으로 인맥을 형성하기 위해서는 일이 잘 풀리지 않는다고 불평하는 대신에, 당신이 주인인 것처럼 행사에 임하고, 스스로 다른 이들을 환영해라. 대화를 시작하라. 당신이 미소를 짓고 손을 내밀면, 당신이 만나는 거의 모든 이들이 답례로 미소를 지어주고 자신을 소개할 것이다. 그렇지 않다면, 간단히 "우리는 초면인 것 같네요."라고 덧붙일 수 있다. 소개를 받거나 대화에 끼워주기를 기다리지 마라. 누군가가 당신을 (대화에) 끌어들여 주기를 바라며 서성거리는 대신, "무슨 일을 하십니까?", "이 행사에 대해 어떻게 알게 되셨나요?" 혹은 "오늘 밤 연사의 강연을 전에 들어본 적이 있으신가요?"와 같은 간단한 질문을 함으로써 대화를 시작하라.

해설 인맥을 형성하고자 나간 모임에서 누군가 다가오기를 기다리지 말고 먼저 사람들에게 다가가라는 내용이므로 정답은 ③.

선택지분석 ① 대화 시작용으로 좋은 표현의 예
② 손님을 편안하게 하기: 주인의 주된 역할
③ 인적 네트워크 형성 시의 조언: 다른 이들에게 다가가는 첫 번째 사람이 되어라
④ 시간 낭비인 파티: 헛된 찰나의 기쁨
⑤ 미소의 힘은 친근한 분위기를 향상시킨다

서술형 해설 ⓐ와 ⓑ 모두 주절과 동일한 때의 일(현재)을 가정하는 것이므로, as if 가정법 과거를 써야 한다. 따라서 were가 알맞다.

어휘 function 행사, 의식; 기능 / probe (~을) 조사하다 / networking 인적 네트워크[정보망] 형성 / strike up (대화·관계 등을) 시작하다 / engage (대화 등에) 끌어들이다 / initiate ~을 개시하다, 착수시키다 **[선택지어휘]** momentary 찰나의, 순간적인 / in vain 허사가 되어, 헛되이

구문 **[1~2행]** **It**(가주어)'s not uncommon to **hear people complain** / **that** they have attended various functions in an attempt to make connections / **but** "nothing happened."(진주어)
hear people complain은 「지각동사+O+C」 구문이고, that 이하는 complain의 목적어로 쓰인 명사절이다. 명사절 내에서 they have attended ~ make connections와 "nothing happened"가 접속사 but으로 병렬 연결되어있다.

[3~4행] ~, we discover that these people **are approaching** the networking event // ***as if*** they **were** guests and waiting for *someone* (to introduce them).
as if로 이어지는 절에 과거동사 were가 쓰였으므로, 가정법 과거 문장이다. to introduce them은 someone을 수식하는 형용사적 용법의 to부정사구이다.

1 Without donations like yours
당신이 해주신 것과 같은 기부가 없다면, 우리 센터는 운영을 유지하기 위한 충분한 자금을 마련하지 못할 것입니다.

2 Otherwise
그날 밤 그의 콘서트가 너무나 성공한 덕분에 그는 유명해졌다. 그렇지 않았더라면, 그는 자신의 남은 생을 무명의 피아노 연주자로 살았을 것이다.

3 At the same depth underwater
육지에서는 5백 피트 등산도 단지 미세한 기압 차이를 일으킬 뿐이다. 동일한 깊이의 수중에서라면, 폐는 탄산음료 캔 크기로 쪼그라들 것이다.

4 Even a small decrease in subsidies from industrial agriculture
산업형 농업으로부터 보조금을 조금이라도 줄인다면 재생 에너지 분야의 기술 발전 속도는 가속화될 것이다.

1 donation 기부 / fund 자금; 자금을 제공하다
3 slight 미세한, 약간의 / pressure 기압; 압박, 압력 / depth 깊이 / lung 폐 / shrink 줄어들다
4 subsidy 보조금 / industrial agriculture 산업형 농업 / accelerate 가속화하다 / renewable 재생 가능한

A

1 If it had not been for the invention of the paint tube in the 19th century | 19세기에 물감 튜브의 발명이 없었더라면, Claude Monet과 같은 인상파 화가들은 그들의 천재적인 작품을 창조할 수 없었을 것이다.

2 If I had not (run out of time) | 나는 시간이 부족했다. 그렇지 않았더라면, 수업 전에 과학 보고서를 끝냈을 것이다.

3 If I had been in the audience | 관중 틈에 있었더라면 나는 그 연극을 즐기며 마음껏 웃었을 테지만, 나는 무대에서 연기하고 있었고 실수할까 두려웠다.

1 impressionist 인상파 화가
2 run out of ~을 다 써버리다, ~이 없어지다

B ② 서술형Q 좌측 반구가 손상된 사람이라면 그가 화가 났다는 것은 이해할 것이다

해석 당신과 남편이 저녁 식사를 준비하고 있다고 하자. 식사를 준비하다가 남편은 당신이 가장 중요한 재료를 사 오는 것을 잊었다는 것을 알게 된다. 그러자 남편은 자동차 열쇠를 손에 쥐고는 당신을 노려보며 화난 듯이 "가게에 갔다 올게"라고 말한다. (A) 정상적인 뇌를 가진 사람이라면 거의 누구나 남편이 슈퍼마켓에 간다는 것과 그가 속상하다는 것, 두 가지를 이해할 것이다. 좌측 뇌는 남편의 말 자체를 분석하여 정확한 의미를 파악한다. 그러나 우측 뇌는 화난 눈과 남편의 짜증을 알리는 목소리를 이해한다. 뇌의 한쪽 반구에 손상을 입은 사람은 이처럼 (B) 짝을 이룬 결론에 도달하지 못한다. 우측 반구가 손상된 사람이라면 그런 말을 듣고는 남편이 가게에 운전해 갈 것이라고 이해할 테지만 남편이 짜증 내는 것은 (C) 알지 못한 채로 있을 것이다. 좌측 반구가 손상된 사람이라면 남편이 화가 났다는 것은 이해하겠지만 그가 방금 어디로 갔는지는 알지 못할 것이다.

해설 (A) 뇌의 어느 쪽도 손상되지 않은 '정상적인' 뇌를 가진 사람이라면 각각의 역할에 따른 두 가지 사항을 이해할 것이다. (B) 뇌의 어느 한쪽이 손상을 입었다면 이와 같은 두 가지 사항에 따른 결론에 도달하지 못할 것이므로 '짝을 이룬'이 적절하다. (C) 앞에서 우측 뇌는 화남과 짜증을 이해한다고 했으므로, 우측 뇌가 손상된 사람이라면 그 짜증을 '알지 못한' 채로 있을 것이다.

서술형 해설 문장의 주어에 조건의 뜻이 함축된 가정법 문장이다. 동사가 would understand이므로 현재 사실을 반대로 가정하는 가정법 과거로 해석한다.

어휘 preparation 준비 / ingredient 재료, 성분 / injured 부상을 입은, 다친 / hemisphere 반구 / analyze 분석하다; 검토하다 / irritation 짜증 *irritated 짜증이 난 / individual 사람; 개인 / blind 알아보지 못하는; 맹목적인 / sensitive 세심한; 민감한 / annoyance 짜증

구문 [3~4행] *Nearly everyone (with a normal brain)* (S) **would understand** (V) two things: ~.
주어에 if절의 의미가 내포되어 있다. (= If a person had a normal brain, he or she would understand ~.)

[8~10행] *A person (with an injured right hemisphere)* (S) **would hear** (V_1) such comments and **(would) understand** (V_2) that the husband is driving to the store – ~.
(= If a person had an injured right hemisphere, he or she would hear ~.)

[10~12행] *A person (with an injured left hemisphere)* (S) **would understand** (V) that he is irritated – ~.
(= If a person had an injured left hemisphere, he or she would understand that ~.)

Make it Yours

p. 64

1 ② 2 ③ 3 ⑤ 4 ④ 5 ⑤

1 ②

해석 햇살이 비추면서, Jim은 얼굴에 미소를 띠고 일어났다. 몇 달간 일자리에 지원한 후, 그가 열심히 한 노력이 마침내 결실을 보았다. 오늘은 그가 Limitless Design에 첫 출근을 하는 날이고 새로운 경력의 시작이 될 것이다. 모든 것이 이미 더 좋아 보였다. 아침 식사는 더 달콤했고, 태양은 더 밝아 보였으며, 그가 버스 정류장으로 가는 길에 새들은 노래했다. 그러나 20분이 지나고, 버스는 여전히 도착하지 않았다. Jim은 자신의 시계를 보며 이리저리 움직였다. 그가 정류장을 잘못 갔을까? 버스가 곧 오지 않는다면, 그는 틀림없이 늦을 것이다. 그는 방향을 다시 확인하기 위해 부리나케 주머니에 손을 넣어 휴대전화를 꺼냈다. 그의 손은 이제 땀이 조금 나기 시작하고 있었고, '배터리 부족' 메시지는 상황을 악화시킬 뿐이었다.

해설 필자는 첫 출근 날 모든 것이 좋아 보여 들떴으나, 역접의 접속사 however 이후에 버스가 오지 않아 손에 땀이 나고 배터리까지 부족한 상황으로 바뀌었다. 따라서 정답은 ②.

선택지분석 ① 행복한 → 질투하는 ② 흥분한 → 초조해하는 ③ 좌절한 → 차분한 ④ 혼란스러운 → 안도하는 ⑤ 만족한 → 무관심한

어휘 apply for ~에 지원하다 / pay off 결실을 보다, 성공하다, 성과를 올리다 / career 경력; 직장 생활; 직업 / back and forth 이리저리[앞뒤로] 움직이는; 왔다 갔다(하는) / for sure 틀림없이, 확실히 / hurriedly 부리나케, 황급히, 허둥지둥 / reach into ~안에 손을 넣다 / double-check 재확인하다 / sweat 땀(을 흘리다); 노력, 수고

구문 **[1행] With** the sun **shining**, / Jim woke with a smile on his face.
「with+O+v-ing[p.p.]」는 'O가 v한[된] 채로'를 의미한다. O와 분사의 관계가 능동이면 v-ing, 수동이면 p.p.를 사용한다.

[6~7행] If the bus(S') didn't come(V') soon, // he(S)'d be(V) late for sure.
「If+S'+동사의 과거형, S+조동사 과거형+동사원형」 형태의 가정법 과거 문장으로 '만약 ~하면 …할 텐데'의 뜻이다.

2 ③

해석 심리치료사인 나는 능숙하게 질문을 던지는 능력이 필수적이라는 것을 알게 됐다. "당신이 원했던 것을 가진다면 당신은 무엇을 얻게 되겠습니까?"라는 질문은 내담자의 마음이 어디에 있는지 드러내는 데 있어 특히 유용하다. 예를 들어, 부모들이 아이가 집에 일찍 들어오고 학교에서 공부하며 상냥하게 말하기 등을 바란다고 말할 때 나는 부모들에게 만약 아이가 이 모든 것을 한다면 그들은 무엇을 얻게 될 것인지 묻는다. 그들은 종종 '마음의 평화'나 '걱정으로부터의 자유' 등을 대답한다. 이 시점에서 부모들은 더욱 근본적인 바람을 확인한 것이다. 그들은 자신들의 내면세계를 더 명료하게 묘사했으며, 이는 효과적인 상담에 반드시 필요하다.

해설 심리치료사로서 올바른 질문을 던져 내담자가 자신의 내면에 대해 더 잘 알게 되는 것이 중요함을 말하고 있다. 따라서 정답은 ③.

선택지분석 ① 마음의 평화를 얻는 법
② 당신이 진정으로 원하는 것을 발견하라!
③ 올바른 질문이 마음의 열쇠다
④ 왜 내면의 목소리에 귀 기울여야 하는가?
⑤ 모든 상담사가 지녀야 할 중요한 기술들

어휘 therapist (심리) 치료사 / skillfully 능숙하게, 솜씨 있게 / essential 필수적인 / expose 드러내다, 노출하다 / client 의뢰인, 고객 / fundamental 근본적인 / counseling 상담 *counselor 상담사 **[선택지어휘]** critical 대단히 중요한; 비판적인

구문 **[1~3행]** "What would you have / if you got what you wanted?"(S) is(V) especially useful / in exposing **where the client's heart lies.**
주어로 쓰인 의문문은 가정법 과거 문장이다. where ~ lies는 exposing의 목적어로 쓰인 간접의문문이다.

[3~5행] ~, when parents say / they want(V) their child(O) to **come home early, study in school, talk in a friendly way**, and so on(C), // I ask(V) them(IO) / what they would have if their child did all of those things(DO).
come home early, study in school, talk in a friendly way는 to부정사의 to 이하 부분이 병렬구조를 이룬 형태이다. what 이하는 ask의 직접목적어로 쓰인 간접의문문이며, 가정법 과거가 쓰였다.

[7~8행] *They have more clearly described their inner world*, **which** is crucial for effective counseling.
which는 앞 절인 They ~ inner world를 선행사로 하는 계속적 용법으로 쓰였다.

3 ⑤

해석 부모님께,
여러분께서 가을 날씨를 즐기고 계시길 바랍니다. 아시다시피 지난 금요일에 메이플 밸리 고등학교에서 또 하나의 성공적인 청소년 육성의 날을 개최하였습니다. 학생들은 다양한 직업의 세부적인 면들을 알게 되었고, 현직에 종사하는 전문가들의 연설을 직접 들을 수 있는 기회를 얻었습니다. 저희는 이것이 저희 학생들에게 엄청나게 소중한 기회였다는 것을 알고 있습니다. 저희는 또한 이 중 어떤 것도 여러분의 도움이 없었다면 불가능했을 것이라는 것을 인정합니다. 여러분들과 같은 자원봉사자들은 점심을 나누어주고, 행사를 준비하고, 참가자들을 맞이하고 심지어 학생들에게 여러분만의 조언을 해주기도 하였습니다. 여러분의 공헌에 진심으로 감사드리며, 내년에 다시 뵙기를 고대하겠습니다.
교감 Sam Lord 드림

해설 학교 행사에 참여하여 자원봉사를 한 부모님들에게 감사의 말을 전하는 글이다. 따라서 정답은 ⑤.

어휘 a wide range of 다양한 / profession 직업, 직종 / incredibly 엄청나게 / distribute 나누다, 배분하다 / contribution 공헌 / sincerely 진심으로 / look forward to A A를 고대하다

구문 [6~7행] We also recognize / that none of this(S′) would have been(V′) possible / *without your help*.
without은 '(지금) ~이 없다면'의 뜻으로, but for나 if it had not been for로 바꿔 쓸 수 있다.

[7~9행] Volunteers like you **distributed** lunches, **organized** events, **greeted** participants, and even **offered** your own advice to students.
문장의 동사 distributed, organized, greeted, offered가 접속사 and로 병렬 연결되어 있다.

4 ④

해석 눈은 많은 것을 인식할 수 있는데, 얼굴에서 나타나는 많은 특징들과 수많은 경치의 특성들을 인지하고 기억할 수 있다. 그러나 수에 관한 한 눈은 뚜렷한 약점을 드러낸다. 우리는 모두 한 번 흘깃 보는 것으로 다섯 개가 넘는 물건을 기억하는 데 문제가 있다는 것을 경험한 적이 있다. 예를 들어, 당신이 연필 한 움큼을 탁자에 떨어뜨렸다면 하나하나 세지 않고 연필이 몇 자루나 있었는지 아는 것은, 불가능하지 않다고 해도, 어려울 것이다. 우리는 시각을 통해 직접 수량을 파악할 수 없기 때문에 수를 만들었다. 그리고 수를 가지고 우리는 셈도 발명했다. 수량을 기록하기 위해 우리는 부호를 만들었고, 그런 다음 그 부호들에 이름을 붙이고, 그 이름들을 기억했다.

해설 시각으로 수량 파악이 불가능해 수를 만들었다는 주어진 문장은, 시각으로 수량 파악이 힘든 상황을 예를 들어 묘사하고 있는 문장 뒤와, 이렇게 만들어진 수로 셈을 만들었다는 문장 사이에 위치하는 것이 가장 적절하다. 따라서 정답은 ④.

어휘 incapable of ~할 수 없는 / grasp 파악하다, 이해하다; 움켜잡다 / quantity 수량, 양 / perceive 인식[인지]하다 / characteristic 특징 / landscape 풍경 / feature 특징, 특성 / marked 뚜렷한 / register 기억하다, 인식하다; 등록하다 / glance 흘낏 봄; 흘낏 보다 / a handful of 소수의 / keep track of ~을 기록하다 / mark 표시, 부호

구문 [7~8행] ~, if you were to drop a handful of pencils on a table, // it(가주어) would be difficult, / if not impossible, / to know how many there were / without counting one by one.(진주어)
if not impossible은 삽입어구로 if it is not impossible에서 「주어+be동사」가 생략된 형태이며, if는 '~하더라도'의 의미이다.

5 ⑤

해석 당신이 강연을 할 때 청중들은 마치 당신의 행동을 통해 당신의 메시지를 받아들이는 것처럼 반응한다. 예를 들어, 당신이 열정이 없다면 청중들도 그렇게 느낄 것이다. 만약 당신이 긴장한 것처럼 보인다면 청중들도 아마 긴장할 것이다. 만약 당신이 끊임없이 몸을 움직인다면 청중들은 당신에게서 자기 통제력의 결핍을 인식하고는 당신이 전하는 메시지에 의심을 품게 되기 쉬울 것이다. 그러므로 당신의 신체가 당신의 진실한 느낌과 의도를 충실하게 그려내는 것이 매우 중요하다. 그래야 당신의 몸짓 언어가 당신의 목적에 불리하게 작동하지 않는다. 당신의 느낌과 태도를 정확히 나타내는 것은 대중 강연에서 의도적이고 효과적인 몸동작이 갖는 단 하나의 가장 큰 이점이다. 적절한 몸동작은 메시지를 더욱 의미 있게 만든다.

해설 강연자의 몸동작이 목적과 의도를 충실히 나타낼 수 있어야 하고, 이러한 적절한 몸동작이 메시지를 더욱 의미 있게 만든다고 했으므로, 이 글의 요지로 가장 적절한 것은 ⑤.

어휘 unenthusiastic 열정이 없는; 냉담한 / constantly 끊임없이, 거듭 / lack 결핍, 부족; ~이 없다 / be likely to-v v할 가능성이 높다, v할 것 같다 / vital 중요한; 필수적인 / faithfully 충실하게, 정확히 / portray 그리다, 묘사하다 / indicator (일의 현황·변화 등을 나타내는) 지표; 계기 / purposeful 의도적인; 결단력 있는 / effective 효과적인 / meaningful 의미 있는, 중요한

구문 **[1~2행]** When you speak, // your audience **responds** / ***as if*** they **received** your message through your behaviors.
as if가 이끄는 절에 동사의 과거형이 쓰여, 주절과 같은 시점인 현재의 일에 대한 가정·상상을 나타낸다.

[5~6행] It(가주어) is vital, therefore, / that your body faithfully portray your true feelings and intention,(진주어) // **so that** your body language doesn't work against your goals.
여기서 so that은 '그래서 ~하다'의 의미로 쓰였다.

CHAPTER 06 형용사적 수식어구

UNIT 01 형용사(구) · 전명구

p. 68

1 (specific)
우리가 느끼는 불안은 구체적인 어떤 것에 관한 것이 아니라, 오히려 미지의 불확실하지만 발생할 가능성이 있는 일들이 보이지 않는 저 앞에 있을지도 모른다는 느낌이다.
cf. 당신의 입술은 음식이 입에서 떨어지지 않도록 닫으며, 당신의 치아는 음식을 더 작은 조각으로 잘게 부순다.

2 (new to another country)
다른 나라에 처음 가는 사람들은 대개 어떻게 행동해야 할지에 대해 두려움과 난감함, 불안함의 느낌을 갖는다.

3 (of another's voice), (about the person), (about her attitude toward life), (about her intentions)
다른 사람의 목소리 톤은 그 사람에 관하여, 그 사람의 삶의 태도에 관하여, 그리고 그 사람의 의도에 관하여 엄청난 양의 정보를 우리에게 준다.
+Tip 콘크리트와 아스팔트로 둘러싸인 가로수의 평균 수명은 7년에서 15년이다.

1 uncertain 불확실한; 확신이 없는 / possibility 있을 수 있는 일, 가능성 / out of sight 보이지 않는 곳에 / far ahead 먼 미래에; 훨씬 전방에
cf. crunch (시끄럽게) 아작아작 씹다
2 helplessness 난감함, 무력함 / uncertainty 불확실성
3 enormous 거대한, 막대한 / attitude 자세, 태도 / intention 의도
Tip surrounded by ~에 둘러싸인 / asphalt 아스팔트

A

1 (from burning fossil fuels) | 연소하는 화석 연료에서 나오는 이산화탄소 가스는 대기로 배출되는데, 이것이 지구 온난화의 원인이 된다.

2 (in the brain), (of being forgetful, restless and slow) | 뇌 속의 물 부족은 건망증, 초조함 그리고 굼뜸의 한 원인이다.

3 (full of overripe fruit and out-of-control plants) | 예상 밖으로, 우리 정원이 너무 커져 버려서 결국 너무 많이 익은 과일과 통제 불능의 식물로 가득한 정원이 되어버렸다.

4 (terribly wrong) | 한밤중에 그는 갑자기 잠에서 깨어, 집 밖에서 매우 이상한 일이 일어나고 있다는 것을 감지했다.

5 (curious about studying film or working in the film industry) | 이 프로그램은 영화를 공부하거나 영화 산업에서 일하는 데 관심이 많은 누구에게나 멋진 기회이다.

1 carbon dioxide 이산화탄소 / fossil fuel 화석 연료 / release 방출하다 / contribute ~의 원인이 되다; 기여하다
2 inadequate 불충분한; 부적당한 / forgetful 건망증이 있는 / restless 초조해하는, 가만히 못 있는
3 unexpectedly 예상외로, 뜻밖에 / overripe 너무 많이 익은 / out-of-control 통제 불능의

B ④

서술형Q 그러므로, 정체기를 사랑하는 것은 즉각적인 피드백과 보상에 대한 필요성 없이 연습에서 만족감을 찾는 것을 의미한다.

해석 어떤 분야에서든 숙달은 쉽게 되지 않는다. 악기 연주를 배울 때도 그 기술은 하룻밤에 습득되지 않는다. 대신에, 그 기술은 수년 동안의 엄격한 연습을 필요로 한다. 이것은 즉각적인 결과를 요구하는 문화에서는 문제가 된다. 미국 작가 George Leonard는 숙련의 필수 요소가 무엇인가에 관한 질문을 받자 이렇게 말했다. "정체기를 사랑하라." 그는 인내하는 연습의 중요성에 대해 말하고 있었다. 정체기란 운동선수든 음악가든 혁신가든 모든 학습자가 하는 경험으로, 최선을 다한 지속적 노력에도 불구하고 향상의 속도가 느려짐을 알게 되는 것을 말한다. 그러므로, 정체기를 사랑하는 것은 즉각적인 피드백과 보상에 대한 필요성 없이 연습에서 만족감을 찾는 것을 의미한다. 달인은 아는 사람이자, 자기가 안다는 사실을 아는 사람이다. 외부적인 인정은 필요하지 않다.

해설 숙달이 되기 위해 필요한 것은 인내심을 동반한 꾸준한 연습이고, 그 안에서 만족을 느끼는 것이 중요하다는 내용의 글이다. 따라서 정답은 ④.

선택지분석 ① 교육에 있어서 즉각적인 결과의 필요성
② 달인과 천재성의 상관관계
③ 느린 향상의 속도를 지속하는 것의 위험성
④ 꾸준한 연습 속에서 만족을 느끼는 것의 중요성
⑤ 달인이 되는 것에 대한 강박관념으로 야기된 문제들

서술형 해설 문장의 주어는 loving the plateau, 동사는 means이고 finding 이하가 목적어이다. for immediate feedback and rewards는 the need를 수식하는 전명구이다.

어휘 mastery 숙달 / ingredient 성분, 구성요소 / innovator 혁신가 / continuing 계속적인 / feedback 피드백 / recognition 인정; 인식 **[선택지어휘]** correlation 상관관계 / persist 계속하다 *persistent 끈질긴, 끊임없이 지속되는 / significance 중요성 / content 만족하는 / obsess over ~에 강박관념을 갖다

구문 [3~4행] American writer George Leonard, / when (***he was***) questioned about **what** *the essential ingredient* (of mastery) was, / said, "Love the plateau."

부사절 when ~ mastery was는 삽입절로, 부사절의 주어가 주절의 주어와 같아 「주어+be동사」가 생략되었다.
what은 about의 목적어인 간접의문문(「의문사+주어+동사」)을 이끈다.

[5~8행] The plateau refers to *the experience* [(***that***) all learners have ●] — **whether** athletes or musicians or innovators — **of** finding that *one's pace* (of progress) slows down / in spite of one's best continuing efforts.

all learners have 앞에 목적격 관계대명사 that이 생략되었으며, 삽입된 whether가 이끄는 절은 '~이든 간에'라는 의미로 쓰였다.
여기서 대시(–)뒤의 of는 동격어구를 이끌며 the experience의 의미를 보충한다.

UNIT 02 to부정사구

p. 70

1 (to communicate in another person's language)
상대방의 언어로 의사소통하려는 노력을 기울이는 것은 그 사람에 대한 당신의 존중심을 보여준다.
cf. 당신은 실내 공기를 청결하게 유지하기 위해 많은 것을 할 수 있다.

2 (to deal with)
재택근무를 할 때는 가족이나 집안일, 걸려오는 전화처럼 처리해야 하는 잡다한 일들이 있다.

2 distraction 집중을 방해하는 것

A

1 to detect spoiled or toxic food | 매우 종종, 상한 음식이나 독성이 있는 음식을 알아채지 못하면 심각한 건강 문제로 이어질 수 있다.

2 to compare the DNA sequence of different individuals | 1980년대에 과학자들은 서로 다른 개인들의 DNA 염기 순서를 비교하는 방법을 개발했다.

3 to reduce stress in our lives, to cope with and survive a stressful lifestyle | 웃음은 우리 삶에서 스트레스를 줄이는 훌륭한 방법이며, 당신이 스트레스를 받는 생활양식에 대처하고 살아남을 수 있는 힘을 얻는 데 도움을 줄 수 있다.

4 to get ready for some restful sleep | 가볍고 재미있는 무언가를 읽는 것은 편안한 잠을 자기 위한 준비로 좋은 방법이다.

5 to understand the physical effects of emotional stress | 히포크라테스는 감정적 스트레스의 신체적 영향을 이해한 최초의 사람이었다.

1 detect 발견하다, 알아내다 / spoiled 상한, 썩은 / toxic 유독성의
2 sequence (유전자의) 순서; 배열; 연속적인 사건
3 cope with 대처하다
4 entertaining 재미있는 / restful 편안한

B ③ 서술형Q in his ability to solve problems

해석 어린이가 자신만의 즐거움을 생성하여 지루함으로부터 스스로를 구제할 때마다 그것은 자아 존중감을 강화하고 문제 해결 능력에 대한 전반적인 자신감을 신장시킨다. 또 다른 중요한 장점은 지루함에 대처하는 법을 학습한 어린이들이 연장된 기간의 기다림을 포함하는 상황에서 더 잘하는 경향이 있다는 것이다. 자신만의 사적 자원을 개발한 어린이들, 즉 가장과 상상 놀이를 가지고 자기 시간을 채우는 법을 학습한 어린이들은 지루한 지체와 기다림을 참아내야 할 때 덜 부산하고, 덜 조르며, 스트레스를 덜 받는 경향이 있다. 마지막으로 지루함은 종종 공상의 '계기'가 된다. 따라서 홀로 있을 수 있는 능력은 자아발견과 자아실현, 다시 말해 우리의 가장 깊은 필요, 감정과

해설 어린이가 지루함에 대처할 기회를 얻게 되면, 그 아이는 자존감과 자신감이 향상되고, 기다림에 대한 인내를 배우며, 공상의 자유도 얻게 되는 등 장점이 있다는 내용의 글이다. 따라서 정답은 ③.

선택지 분석 ① 지루함은 창의성의 적이다
② 창의력에 필요한 요소
③ 빈둥거리는 시간이 아이들에게 주는 선물
④ 지루함을 없애고 당신의 삶을 향상시켜라!
⑤ 사회적 기술 향상을 돕는 아동 게임

충동에 대한 인식과 연결된다. 아이가 혼자 있는 것이 아니라 축구를 하고 있다면 그러한 순간은 일어나지 않을 것임을 우리는 확신할 수 있다.

서술형 해설 형용사적 용법의 to부정사구 to solve problems가 his ability를 수식하는 구조로 영작한다.

어휘 **boredom** 지루함 / **self-worth** 자아 존중감 / **boost** 신장시키다, 북돋우다 / **overall** 전반적인, 전체의 / **make-believe** 가장, (놀이에서) 다른 사람인 것처럼 상상하기 / **demanding** 요구가 많은 / **tedious** 지루한, 싫증 나는 / **trigger** 계기; 방아쇠 / **daydreaming** 공상, 백일몽 / **impulse** 충동 / **on A's own** A 혼자서 **[선택지어휘] component** 요소 / **idle** 게으른, 나태한 / **eliminate** 없애다, 제거하다 / **enhance** (좋은 점을) 높이다, 향상시키다

구문 **[3~5행]** Another significant advantage (S) is (V) / that *children* [who learn to cope with boredom] / tend to do better in *situations* [that involve extended periods of waiting]. (C)

that ~ 부분은 동사 is의 보어이다. 보어절 내에서 who ~ boredom과 that ~ waiting은 각각 children과 situations를 수식하는 주격 관계대명사절이다.

[8~9행] *The capacity* (to be alone) thus becomes linked with ~.

[10~11행] We may be sure / that such moments do **not** occur when the child is playing football, **but** (*occur*) rather when he is on his own.

「not A but B」는 'A가 아니라 B'의 뜻이다. but 다음에는 occur가 반복을 피하기 위해 생략된 것으로 볼 수 있다.

UNIT 03 현재분사 · 과거분사

p. 72

1 (damaging)
불안은 스트레스에 대한 반응으로, 모든 종류의 정신 활동에 해로운 영향을 미친다.

2 (forbidding smoking inside public buildings)
간접흡연으로부터 사람들을 보호하기 위해, 많은 정부가 공공건물 내 흡연을 금지하는 법안을 통과시켰다.

3 (digested)
위장 속 소화된 음식물에서 나오는 영양분은 혈액 속으로 바로 흡수된다.

4 (found using search engines)
최근 한 연구는 검색 엔진을 사용하여 발견된 정보 중 얼마나 많은 양이 정확한 것으로 여겨지는지를 보여준다.
+Tip 1992년 1월 10일, 거친 바다를 지나던 배 한 척이 화물 컨테이너 12개를 유실했다.

Check it Out! 외딴 마을을 방문하는 나무랄 데 없는 예의범절로 잘 알려진 한 사람에 대한 일본의 오래된 전설이 있다.

1 **anxiety** 불안 / **damaging** 해로운
2 **secondhand smoke** 간접흡연 / **forbid** 금지하다
3 **nutrient** 영양소, 영양분
4 **accurate** 정확한
Tip **cargo** 화물
Check it Out! **renowned for** ~으로 유명한 / **flawless** 나무랄 데 없는, 흠이 없는 / **remote** 외딴

A

1 stretching | 나처럼 우리 딸도 마치 반창고처럼 콧등을 가로질러 난 주근깨가 있다.

2 requiring | 나이가 들면서 우리는 축구나 농구처럼 충돌이 필요한 팀 스포츠에서 멀어진다.

3 leading | 우리가 부엌으로 이어지는 옆문을 통해 들어갔을 때, 나는 무언가 잘못되었음을 바로 알았다.

4 guided | 놀라운 여행 경험을 위해 바티칸 박물관의 가이드 안내를 받는 관람을 받아보세요.

1 **freckle** 주근깨 / **bridge** 콧대, 콧날 / **Band-Aid** 반창고
2 **collision** 충돌

B ④ 서술형Q ⓐ posted ⓑ expected ⓒ seeking

해석 맥도날드의 로고는 우리에게 예측 가능성을 상기시킨다. 복제한 색상과 심벌은 어디를 가나 모든 도시에서 맥도날드와 수백만 고객 사이에서 무언의 약속으로 작동한다. 더욱이, 각 맥도날드 매장은 카운터, 그 위에 붙은 메뉴판, 뒤에 보이는 주방, 일렬로 늘어선 탁자와 좌석 등과 같이 일련의 예측 가능한 요소를 제시한다. 이런 예측된

해설 체인점들이 좌석 배치와 제품 진열 등을 유사하게 해서 소비자들에게 예측 가능성을 제시해주고, 이로 인해 소비자들에게 더 친근하게 다가간다는 내용을 맥도날드와 Hair-Plus를 예로 들어가며 설명하고 있다. 따라서 글의 주제로 가장 적절한 것은 ④.

장소 설정은 미국뿐 아니라 세계의 다른 많은 지역에서도 나타난다. 따라서 향수병을 앓는 미국인 여행자는 그들이 이처럼 친숙한 식당을 우연히 만날 수 있음을 아는 데서 위안을 느낄 수 있다. 다른 체인점에 대해서는 그것이 그렇게 간단하지는 않지만 취지는 같다. 예를 들어, Hair-Plus 같은 헤어컷(이발) 체인점은 통일된 헤어스타일을 제공하지 못한다. 머리가 모두 다르고 미용사마다 자기만의 방식으로 머리를 깎기 때문이다. 그럼에도, Hair-Plus는 예측 가능성을 원하는 불안해하는 고객을 위해 쉽게 알아볼 수 있는 제품을 진열한 유사한 매장들을 세운다.

선택지분석 ① 체인점이 광범위하게 확산될 위험
② 예측 가능성에 대한 소비자들의 부정적 반응들
③ 독창성으로 소비자들에게 호소할 필요성
④ 예측 가능한 특징을 이용해서 생기는 체인점들의 친숙함
⑤ 친근한 홍보로 좋은 이미지를 만드는 방법

서술형 해설 ⓐ menu를 뒤에서 수식하는 분사로, 메뉴는 '게시되는' 것이므로 과거분사가 와야 한다.
ⓑ setting을 수식하는 분사로, 장소 설정은 '예측되는' 것이므로 과거분사가 알맞다.
ⓒ customers를 뒤에서 수식하는 분사로, 고객은 예측성을 '추구하는' 주체이므로, 현재분사가 알맞다.

어휘 remind A of B A에게 B를 상기시키다 / predictability 예측 가능성 *predictable 예측 가능한 / unspoken 무언의 / in rows 줄지어 / setting 환경, 장소; 설정 / take comfort in ~에서 위안을 얻다 / run into ~와 우연히 만나다 / franchise 체인점 / uniform 획일적인 / fashion 방법, 방식 / stock with ~을 갖추다, 들여놓다 / recognizable (쉽게) 알아볼 수 있는 **[선택지어휘]** spread 확산, 전파 / appeal to ~에 호소하다

구문 **[3~5행]** Furthermore, each McDonald's presents a series of predictable elements – counter, *menu* **(posted above it)**, *kitchen* **(seen in the background)**, *tables and seats* **(lined up in rows, etc)**.

[5~6행] This expected *setting* appears not only throughout the United States (A) but also in many other parts of the world (B).

「not only A but also B」는 'A뿐만 아니라 B도'의 의미로 A, B 자리에 전명구가 위치한 경우이다.

[10~12행] Still, for *anxious customers* **(seeking predictability)**, / Hair-Plus establishes *similar shops* **(stocked with recognizable products)**.

Make it Yours

p. 74

1 ⑤ **2** ② **3** ④ **4** ④ **5** ②

1 ⑤

해석 어느 비즈니스 잡지와의 인터뷰에서 전설적인 경영자 Peter Drucker는 경계에 대해 이야기하면서 리더에게 있어서 핵심 문제는 '아니요'라고 말하는 법을 배우는 것이라고 했다. 언제나 '예'라고 말하는 리더들은 매우 인기가 있지만 아무것도 해내지 못한다고 그는 덧붙였다. 성공적인 사업체를 운영하는 사람들처럼, 당신도 적절한 양의 자원을 자신에게 투자할 필요가 있다. 다시 말해, 당신은 당신 삶의 전체 운영을 가능하게 만드는 내면의 발전소를 보살피며 유지하는가? 아니면 너무 많은 프로젝트에 가담하고 있다는 이유로 스스로 소진되도록 내버려 두는가? 한꺼번에 너무 많은 일을 해내려고 하면 결국 진이 빠지게 될지도 모르는데, 이것이 모든 것에 '예'라고 말하는 것이 최선인 사람들을 Drucker가 설명한 방식이다. 건전한 경계는 선택이 아니다. 그것은 매우 중요하다.

해설 항상 '예'라고 말하고 한꺼번에 많은 일을 해내려는 사람은 결국 아무것도 해내지 못한다며, 건전한 경계를 설정한 후 '아니오'라고 말할 수 있는 것이 중요하다는 내용의 글이다. 따라서 글의 요지로 가장 적절한 것은 ⑤.

어휘 legendary 전설적인 / boundary 경계 / nurture 양육하다, 보살피다 / powerhouse 발전소 / burn out (에너지를) 소진하다 / be involved in ~에 연루되다; 몰두하다 / end up v-ing 결국 v에 처하게 되다 / drained 진이 빠진 / optional 선택적인

구문 **[4~5행]** Like *those* **(running a successful business)**, you also need to invest the right amount of resources into yourself.

[7~9행] *If you're trying to do too much at once, you may end up becoming drained*, / **which** is how Drucker described *those* [for whom saying 'yes' to everything is best].
S′ V′ C′
which 이하는 앞의 절 전체를 선행사로 하여 부연 설명하는 계속적 용법의 관계대명사절이다. for whom 이하는 those를 수식하는 「전치사+관계대명사」 절이다.

2 ②

해석 우리가 사랑하는 감정으로 가득 차 있을 때 우리는 사랑을 끌어당기는 위치에 자신을 놓는다. 우리의 가슴이 사랑으로 가득하고 우리가 그 사랑을 함께 나눌 때, 우리는 더 친절하고 더 부드러우며 더 큰 인내심을 발휘하게 된다. 종종, 우리가 그저 사랑받기만을 바랄 때는 사랑을 주는 것이 얼마나 멋진 일인지 잊어버리기 쉽다. 그러나 사랑을 나누는 방법을 발견하기 시작하면 마술과도 같은 변화가 우리 삶에 일어난다. 우리는 타인에게 더 관심을 갖게 되며, 더 수용적이고 더 현명하게 된다. 당신이 처한 환경과 꿈, 혹은 좋아하는 것이 무엇이든, 당신의 사랑을 표현하는 기회로 삶을 가득 채우는 것은 언제나 좋은 생각이다.

해설 사랑을 받기만을 추구하지 말고, 사랑을 표현하고 나누면, 삶에도 변화가 일어난다는 내용의 글이므로, 제목으로 가장 적절한 것은 ②.

선택지분석 ① 기쁨을 나누면 두 배가 된다
② 사랑을 나누고, 삶을 풍부하게 하라
③ 부모님의 무조건적인 사랑
④ 당신의 감정을 보여주는 것은 당신을 귀찮게 할 수 있다
⑤ 이성과 감성 간의 균형

어휘 look to ~를 기대하다 / transformation 변화 / take place 일어나다 / circumstance 환경; 사정 / preference 선호 **[선택지어휘]** enrich 질을 높이다, 풍요롭게 하다 / unconditional 무조건적인

구문 **[3~4행]** Often, when we're only looking to be loved, // it's easy to forget how wonderful it is to give love.
가주어 진주어 가주어 진주어
첫 번째 it은 to forget ~ love를 대신하는 가주어이며, 두 번째 it은 how가 이끄는 간접의문문에서 to give love를 대신하는 가주어이다.

[6~8행] **Whatever** your circumstances, dreams, or preferences (*are*), filling your life with *opportunities* (to express your love) is always a good idea.
S V C
복합관계대명사 whatever는 '~이 무엇이든'이라는 양보의 의미로 부사절을 이끌고 있다. to express your love는 opportunities를 수식하는 to부정사구이다.

3 ④

해석 불안에 대해 이해해야 할 첫 번째 것은 그것이 우리의 생물학적 유산의 일부라는 것이다. 어떤 것이든 기록된 인간의 역사가 있기 오래전에, 우리의 선조들은 포식자, 기아, 독초, 적대적인 이웃들, 높은 곳, 질병, 익사와 같은 생명을 위협하는 위험들로 가득 찬 세상에서 살았다. 인간의 정신이 진화를 했던 것은 바로 이러한 위험들에 직면해서였다. 위험을 피하는 데 필수적인 특성들은 진화가 인간으로서 우리에게 심어 준 특성들이었다. 그러한 특성들 중 다수는 결국 단순히 각기 다른 형태의 조심성이 되었다. 두려움이 (인간을) 보호해주었는데, 왜냐하면 사람들은 살아남기 위해서 많은 것들에 대해 조심해야 했기 때문이다. 이러한 조심스러움은 우리의 가장 깊은 증오와 두려움의 일부라는 형태로 우리의 현재 심리적 구조 안에서 계속된다. 이러한 두려움은 남은 부분에 해당되는데, 우리는 그들의 존재에 많은 것을 빚지고 있다.

해설 불안과 두려움은 옛날부터 우리의 생존을 위협했던 수많은 요소들로부터 스스로를 보호하기 위해 우리가 오랫동안 품고 있던 심리적 방어물이 현재까지 '남아 있는 것(remnants)'이다.

선택지분석 ① 피해 ② 스트레스 요인 ③ 애매함 ⑤ 소통

어휘 heritage 유산 / predator 포식자 / toxic 독성이 있는 / drowning 익사 / evolve 진화하다 / breed A into B B의 마음속에 A를 심어주다 / amount to 결과적으로 ~이 되다, ~에 해당[상당]하다 / caution 조심, 신중 *cautious 조심스러운 / persist (없어지지 않고) 계속[지속]되다 / makeup 구성 / represent ~에 해당하다 / owe A to B A를 B에 빚지다

구문 **[2~4행]** Long before any recorded human history, our ancestors lived in *a world* (filled with life-threatening dangers): ~.

[4~5행] **It was** in the face of these dangers **that** the human mind evolved.
「It is ~ that ...」 강조구문으로 '…한 것은 바로 ~이다'의 뜻이며, in the face of these dangers가 강조되고 있다.

[5~6행] *The qualities* (necessary to avoid danger) were *the qualities* [that evolution bred ● into us as human beings].
necessary ~ danger는 The qualities를 수식하는 형용사구이고, that ~ beings는 바로 그 앞의 the qualities를 수식하는 관계대명사절이다.

4 ④

해석 사람들은 기포가 생기는 물을 처음에 천연 지하 샘물에서 즐겼다. 그러나 누군가가 천연 탄산 샘물에 향을 첨가하려 시도했다는 증거는, 파리 사람들이 꿀과 레몬 향을 낸 샘물을 즐겼던 17세기 이전에는 없었다. 1767년 Joseph Priestley라는 영국인은 최초의 인공 탄산수를 만들었으며, 1770년에는 스웨덴 화학자 Torbern Bergmann이 생수에 기포를 집어넣는 기계를 발명했다. 1832년 미국인 John Mathews는 더 나아가 탄산수를 대량 생산할 수 있는 장비를 개량해 '소다 파운튼(소다수 샘)'으로 기계를 판매하기 시작했다. 얼마나 일찍부터 소다수(탄산음료)에 향을 넣기 시작했는지에 관하여 어떤 역사가들은 Philip Syng Physick 박사를 지목한다. 1807년 Syng Physick는 환자가 마시는 것을 더 용이하게 하려고 탄산수에 약간의 향을 첨가했다. 그의 전례를 따른 의사들은 곧 다른 향들을 시험해 보았고, 그중 일부가 곧 인기를 얻었다.

해설 Torbern Bergmann이 기포를 넣는 기계를 발명하긴 했으나, 기계를 만들어 판매한 사람은 John Mathews이다. 따라서 ④가 정답.

어휘 bubbly 거품이 이는 / spring 샘 / flavor 풍미[향기]를 더하다; 풍미, 향미 / Parisian 파리 사람 / chemist 화학자; 약사 / still water 생수 / mass-produce 대량생산하다 / when it comes to A A에 관한 한 / flavoring 향료 / physician 의사

구문 **[1~4행]** However, there is no evidence // that anyone attempted to flavor naturally carbonated spring water / until *the 17th century*, **when** Parisians enjoyed *spring water* **(flavored with honey and lemon).**

no evidence와 that 이하는 동격을 이룬다. when 이하는 the 17th century를 부연 설명하는 관계부사절이다.

[6~8행] ~, American John Mathews further improved (V_1) *equipment* (O_1) **(mass-producing carbonated water)** / and began (V_2) selling his machines for "soda fountains." (O_2)

mass-producing carbonated water는 equipment를 수식하는 현재분사구이다.

[9~10행] In 1807, Syng Physick added some flavoring to carbonated water / to make it (가목적어) easier for a patient (의미상주어) to drink (진목적어).

[10~11행] *Physicians* **(following his example)** soon tried out *other flavors*, some of **which** soon became popular.

which는 other flavors를 선행사로 하는 관계대명사이다.

5 ②

해석 직원 여러분께 알려 드립니다.

여러분이 이미 알고 있다시피 Newport 시는 쓰레기 처리와 관련된 새로운 법을 시행했습니다. 이 법안들의 다수는 특히 기업체의 재활용을 목표로 삼고 있습니다. 수년에 걸쳐, 여기 Dunbar 전기에 있는 우리는 환경적으로 책임을 다하기 위해 최선을 다해왔지만 우리가 완벽한 것은 전혀 아닙니다. 새로운 법률적 요구를 지키기 위해서 우리는 우리의 관행 다수를 새롭게 할 필요가 있을 것입니다. 첫 단계는 모두가 재활용과 쓰레기 감소에 대해 한층 더 잘 이해하는 것입니다. 이것을 이루기 위해서 이번 목요일에 의무 훈련 시간이 있을 것입니다. 불편하게 해드려 죄송하지만 모두가 이 문제의 중요성을 깨달을 수 있으리라 확신합니다. 자세한 사항을 알고 싶으시면, 구내식당의 게시판을 확인하시고 제시간에 도착해주시기 바랍니다. 감사합니다.

총지배인 Andy Spade 드림

해설 쓰레기 처리와 관련된 새로운 법을 시행하기 앞서 쓰레기 처리에 관한 의무 훈련이 시행된다는 것을 공지하는 글이다. 따라서 글의 목적으로 가장 적절한 것은 ②.

어휘 put in place 시행하다 / waste 쓰레기 / disposal 처리, 처분 / aim 목표 삼다, 겨냥하다 / responsible 책임 있는 / far from 전혀[결코] ~이 아닌 / legal 합법의, 적법한 / update 새롭게 하다, 갱신하다 / practice 관행 / reduction 감소 / mandatory 의무적인 / session 회기 / inconvenience 불편 / announcement 알림, 공고 / lunchroom 구내식당

구문 **[2~3행]** As you may already be aware, the city of Newport has put in place *new laws* **(related to waste disposal).**
new laws ~ disposal은 put in place의 목적어이다. related ~는 앞에 나온 명사구 new laws를 수식한다.

CHAPTER 07 부사적 수식어구: 부정사

UNIT 01 목적 · 원인 · 결과를 나타내는 to부정사

p. 78

1 ①
자신의 꿈을 지지받기 위해서 할 수 있는 최선의 것들 중 하나는 다른 사람의 꿈을 먼저 지지해 주는 것이다.
◆ 사고 가능성을 줄이기 위해서 안전 규칙을 엄격하게 따라야 한다.
갓 태어난 새와 동물 무리는 한데 모여 공 모양을 형성하여, 자신들의 몸을 따뜻하게 유지하기 위해 노출되는 표면 부위를 최소화한다.

2 ③
우리 도서관이 올해 전국 10대 도서관 중 하나에 선정된 것을 알려드리게 되어 매우 기쁩니다.

3 ②
그는 시험에 떨어지고 나서 더 열심히 공부했지만, 8년 동안 계속해서 떨어질 뿐이었다.
cf. 사회과학의 상당수에서, 증거는 단지 특정 이론을 확증하는 데, 즉 그것을 뒷받침하는 긍정적인 사례를 찾는 데 사용된다.

◆ strictly 엄격히, 엄하게 / possibility 가능성 / minimize 최소화하다 / exposed 노출된
3 repeatedly 반복적으로
cf. affirm 단언하다; 확인하다 / theory 이론, 학설

A

1 ① | 수영 중 물에 빠진 사람을 구하기 위해, 안전 요원은 혹독한 해상 상태에 대처하도록 정신적 그리고 육체적으로 준비되어야 한다.

2 ② | 나는 차로 돌아왔지만, 결국 열쇠를 차 안에 두고 차 문을 잠근 것을 깨달았다.

3 ③ | 나는 교수님의 추천을 받고 괜찮은 일자리를 얻을 수 있어서 다행이었다.

4 ② | 긁는 소리 때문에 아침 일찍 일어나보니 잃어버린 내 고양이가 돌아와 있는 것을 발견했다.

5 ③ | 19세기에 천문학자들은 우주 공간이 그들이 생각했던 것보다 훨씬 더 조밀하다는 사실을 발견하고는 놀랐다.

1 drowning 물에 빠진 / lifeguard 안전 요원, 인명 구조 요원 / mentally 정신적으로 / physically 육체적으로; 물리적으로 / cope with ~에 대처하다 / harsh 혹독한, 가혹한
2 vehicle 차량, 탈것
3 recommendation 추천서 / decent 괜찮은, 제대로 된
4 scratch 긁다; 긁힌 자국
5 astronomer 천문학자 / astonished (깜짝) 놀란

B ② 서술형Q in order to see things 또는 so as to see things

해석 공감에 있어서, 맥락은 매우 중요하다. 그리고 때때로 맥락을 온전히 이해하기 위해서는 당신 자신이 실제로 그 입장이 되는 것이 필요하다. 이것은 개인적 인간관계에서 사실이며, 비즈니스 세계에 있어서도 마찬가지로 사실이다. 예를 들어, IDEO는 이해에 기반을 둔 조사 기법으로 유명한 디자인 회사인데, 어느 병원으로부터 환자 편의를 개선해 달라는 요청을 받았다. 그래서 그 회사 디자이너 몇 명이 환자의 관점에서 사물을 보기 위해 실제로 병원 침대에 올라갔다. 다른 발견들 중에서, 그들은 환자들이 천장을 바라보며 많은 시간을 보낸다는 것을 알게 되었고, 이는 천장 공간을 장식하거나 환자 정보를 표시하는 데 천장을 활용하라는 권고로 이어졌다.

해설 빈칸 뒤에서 이어지는 예시에서 디자인 회사인 IDEO는 환자 편의를 개선하는 방안을 찾기 위해 실제로 환자의 처지를 겪어보고 그 관점에서 필요한 것을 발견하게 되었다. 따라서 정답으로 ② '당신 자신이 실제로 그 입장이 되는 것'이 적절.

선택지분석 ① 정서적 유대를 형성하는 것이
③ 상식에 의존하지 않는 것이
④ 직장에서 당신의 경험을 확장하는 것이
⑤ 타인에 대해 판단을 내리지 않는 것이

서술형 해설 '~하기 위해서'는 목적을 나타내는 to부정사로 표현한다. 5단어로 작성해야 하므로, in order to-v 또는 so as to-v의 형태로 영작한다.

어휘 context 맥락 / perspective 관점; 원근법 / stare at ~을 응시하다 / ceiling 천장 / display 보여주다, 드러내다 **[선택지어휘]** bond 유대, 결속 / extend 확장하다; 늘이다 / judgement 판단; 판단력

구문 **[1~2행]** And sometimes **to** fully **understand** context / it is necessary **to** physically **place** yourself in it.
(it: 가주어, to physically place yourself in it: 진주어)
첫 번째 to부정사는 '목적'을 나타내는 부사적 용법으로 쓰였고, 두 번째 to부정사는 진주어로 쓰인 명사적 용법이다.

[3~5행] ~, IDEO, *a design firm* (famous for its understanding-based research techniques), was asked / by a hospital / to improve the patient experience.

「ask+A+to-v」 문장의 수동태 「A+be asked+to-v」이 사용되었다. 능동태 문장에서 주어였던 a hospital이 by a hospital이 되면서, to-v 앞에 위치하고 있다.

[7~9행] ~, *they learned / that patients spend a lot of time staring at the ceiling*, / **which** led to *recommendations* (to decorate ceiling space / or use it **to display** patient information).

which는 앞 절인 they learned that ~ at the ceiling을 선행사로 하는 계속적 용법의 관계대명사이다. to decorate 이하는 recommendations를 수식하는 형용사적 용법의 to부정사구로, decorate와 use가 병렬구조를 이룬다. to display patient information은 '목적'을 나타내는 부사적 용법.

UNIT 02 형용사를 수식하는 to부정사

p. 80

1 easy
알로에 베라는 이산화탄소를 잘 흡수하며, 키우기도 쉽다.

2 likely
우리는 상대편에 대해 완전히 몰라서보다는 그들과 지나치게 친해서 더 상처받는 것 같다.

1 carbon dioxide 이산화탄소
2 ignorance 무지

A

1 to be in the same situation | 아버지가 꽤 젊은데도 머리가 희끗희끗해진다면, 당신도 그와 같을 가능성이 매우 높다.

2 to approach | 물에 빠진 사람들에게 접근하는 것은 위험한데, 그들이 당신을 함께 끌어당길 수 있기 때문이다.

3 to fight | 몸이 아드레날린이라는 화학물질을 혈액 속에 만들어낼 때 당신은 실제로 더 강하다고 느끼며 싸울 준비를 갖춘다.

4 to please other classmates at school | 나의 막내아들은 외향적이고 학교에서 다른 친구들을 기쁘게 해주고 싶어 하는 것 같다.

5 to study, to study | 소설은 읽히기 위한 목적으로 쓰이기 때문에 공부하기에 상대적으로 쉬운 반면, 희곡은 공연을 목적으로 쓰이기 때문에 연구하기 조금 더 어렵다.

6 to die to maintain it | 역사를 통틀어, 많은 사람들이 자유를 수호하기 위해 많은 전쟁을 치렀으며, 그것을 지키기 위해 기꺼이 목숨을 바칠 의지가 있었다.

2 drag down ~를 끌어내리다
3 chemical 화학물질; 화학의
4 extroverted 외향적인 / please (남을) 기쁘게 하다
5 relatively 상대적으로, 비교적 / slightly 조금, 약간
6 maintain 유지하다; 주장하다

B ② 서술형 Q 때로 당신이 불행하다고 느끼는 이유를 알아내기 쉽지 않다

해석 때로 당신이 불행하다고 느끼는 이유를 알아내기 쉽지 않지만, 자신의 감정을 살펴보는 것에서 출발해야 한다. John Hamler 교수는 과학적 사고에 관한 강좌를 가르친다. 그는 "모든 과학은 패턴을 알아내는 것이다"라고 말한다. 사건과 상황은 임의적인 것이 아니다. 그것들은 원인과 결과가 있다. Hamler 교수가 설명하기를, 대부분의 사람과 과학자의 차이는 사람들이 세상을 자신들에게 무질서한 것으로 내버려 두기 쉽다는 것이다. 사람들은 사건을 다른 사건과 연관시키지 않고 지나가도록 내버려 둔다. 자신의 감정을 처리하는 데 있어서, 우리는 과학자가 하는 것처럼 기꺼이 패턴을 인식하고 그것을 살펴야 한다. 우울함을 빠르게 이겨내기 쉬운 사람은 자신의 감정의 근원을 규정할 수 있는 사람이다.

해설 글의 후반부에 글의 요지가 드러나 있다. 감정을 처리하는 데에도 과학적 사고를 적용하여 감정의 원인과 패턴을 살피라는 것이다. 따라서 정답은 ②.

서술형 해설 문장의 주어는 관계부사절 why you feel unhappy의 수식을 받는 the reason이고, to figure out은 형용사인 easy를 수식하여, '알아내기에 쉽지 (않은)'으로 해석한다.

어휘 figure out 알아내다 / examine 조사하다; 검사하다 / random 임의적인; 닥치는 대로 / deal with ~을 다루다, 처리하다 / overcome 극복하다 / depression 우울(증); 불경기 / define 규정하다; 정의하다

구문 [1~2행] Sometimes *the reason* [**why** you feel unhappy] is not *easy to figure out*, // but you should start ~.
S V

[4~6행] *The difference* (between most people and scientists), **Professor Hamler explains**, is that people are *likely to let* the world be random to them.
S V V′ O′ C′

Professor Hamler explains는 문장 중간에 「S+V」가 삽입된 형태.

[8~9행] *Those* [who are *likely to* quickly **overcome** a sense of depression] are *those* [who can define the sources of their feelings].
S V C

UNIT 03 정도 · 결과를 나타내는 to부정사

p. 82

1 만약 당신이 그 나라의 해가 잘 내리쬐는 지역에 살 만큼 운이 좋다면, 태양열 가열판은 당신 가정에서 쓰는 물을 데우는 탁월한 방법이다.

2 북극곰은 백 마일을 쉬지 않고 헤엄칠 수 있지만, 얼음이 얼지 않은 바다에서 물개를 잡기에는 너무 느리다.

3 식량이 아주 풍부하고 얻기 쉬워져서 일부 선진 경제국에서는 비만 관련 건강 문제가 생겼다.

1 panel (목재·유리·금속) 판; 패널
2 seal 물개 / open water 얼음이 얼지 않은 바다
3 plentiful 풍부한 / obtain 얻다, 구하다 / -related ~와 관련된

A

1 so powerful as to bring down most signboards

2 too short not to lend a helping hand

3 well enough to get a first prize

1 signboard 간판 / bring down 내리다, 떨어뜨리다; 패배시키다
2 arise 발생하다
3 contest 대회; 경쟁

B ③ 서술형Q too powerless to change

해석 모든 사람이 기분이 좋기를 원하지만 대부분의 사람은 자기 주변 상황이 자신을 기분 좋게 할 만큼 즐겁지 않다고 생각한다. 실제로, 대부분의 사람이 느끼는 기분은 그들이 처한 상황에 완전히 달려 있다. 그들이 바라보고 있는 대상이 그들을 즐겁게 하면, 그들은 좋은 기분을 느낀다. 만약 그러지 않으면(대상이 그들을 즐겁게 하지 않으면) 그들은 좋은 기분을 느끼지 않는다. 대부분의 사람은 항상 좋은 기분을 느끼는 것에 관하여 심한 무력감을 느끼는데, 왜냐하면 그들은 좋은 기분을 느끼기 위해서는 상황이 바뀌어야 한다고 믿지만, 너무 무기력해서 직면한 많은 상황들을 변화시킬 수 없다고도 믿기 때문이다. 그러나 모든 주제는 사실 원하는 것과 원하지 않는 것, 두 가지이고, 자신이 관심을 기울이고 있는 어떤 대상에서도 긍정적인 면들을 보는 법을 배울 수 있다. 그렇게 하면, 상황이 좋지 않을 때도 행복을 발견할 수 있을 만큼 자유로워질 수 있다.

해설 사람은 주변 상황에 따라 기분이 달라지지만, 어떤 상황에서든 긍정적인 시각을 가지면 행복을 발견할 수 있다는 내용의 글이므로, 글의 주제로 가장 적절한 것은 ③.

선택지분석 ① 일상생활에서 행복을 추구하는 것의 이점
② 주위 사람들을 기분 좋게 만드는 방법
③ 행복하기 위해 긍정적인 마음을 갖는 것의 중요성
④ 사람들이 좋고 나쁨을 느끼는 다른 상황들
⑤ 사람을 행복하게 하는 환경의 영향

서술형 해설 「so+형용사+that+주어+cannot+동사원형」은 '너무 ~해서 v할 수 없는'의 「too~ to-v」로 바꾸어 쓸 수 있다.

어휘 pleasing 기분 좋은, 즐거운 / entirely 완전히, 전적으로 / observe 관찰하다; 준수하다 / helpless 무력한 / in regards to A A에 관해서 / constantly 끊임없이, 거듭 / aspect 측면; 양상 / circumstance 상황, 환경 **[선택지어휘]** pursue 추구하다

구문 [1~2행] ~, but most people believe / that what is around them is not *pleasing* / **enough to make** them feel good.
S′ V′

[3~4행] If what they are observing pleases them, / they feel good, // **otherwise**, / they don't.
S′ V′

otherwise는 if ~ not의 뜻으로, if what they are observing doesn't please them의 의미를 내포하고 있다. they don't 뒤에는 앞에서 나왔던 feel good이 반복되어 생략되었다.

[4~7행] Most people feel quite helpless ~ // because they believe **that** in order to feel good, the situation must change, / but they also believe **that** they are so powerless that they cannot change *many of the conditions* [they face].
because가 이끄는 절 안에 두 개의 절이 but으로 병렬 연결되어 있다. 두 개의 that절은 각각 believe의 목적어로 쓰였다.

[8~9행] ~ and you can learn to see *the positive aspects* (of **whatever** you are giving your attention to).
whatever가 이끄는 복합관계대명사절이 of의 목적어로 쓰였다. whatever는 '~하는 것은 무엇이든'이라는 뜻.

Make it Yours

p. 84

1 ⑤ 2 ⑤ 3 ② 4 ③ 5 ④

1 ⑤

해석 '식사하는 동안 식탁에서 팔꿈치를 내려놓아라!'라는 에티켓 지적은 매우 보편적인 경험이다. 많은 에티켓 규칙에서처럼, '식탁에서 팔꿈치를 내려놓는 것'은 반드시 격식을 차린 행동이나 외관에 관한 것만은 아니다. 그것은 다른 사람들을 편안하게 해주기 위한 목적으로 지켜진다. 팔꿈치는 방해가 된다. 팔꿈치는 포크나 숟가락을 입에 가져가는 동안 다른 사람의 팔을 치거나, 순식간에 식탁보를 잡아당겨 접시와 식기를 어지럽힐 수도 있다. 팔꿈치는 또한 접시와 그릇을 쳐 식탁에서 떨어뜨리거나, 서빙하는 사람이 식탁에 무언가 올려놓는 것을 방해할 수도 있다. 다시 말해, 식사 서빙과 식사를 하는 동안 팔꿈치를 자신의 양옆에 바짝 붙이는 것은 실용적인 목적을 위한 것이다.

해설 식탁에서 팔꿈치를 내려놓으라는 에티켓의 목적이 무엇인지 찾는다. 빈칸 문장 뒤 이어지는 설명에서는 팔꿈치를 올려놓는 것이 같이 식사하는 사람이나 서빙하는 사람에게 방해가 될 수 있다고 말하고 있다. 따라서 '다른 사람들을 편안하게 해주기' 위한 목적임을 알 수 있으므로, 정답은 ⑤.

선택지분석 ① 다른 사람의 기분을 좋게 하기
② 자신이 공손하게 보이도록 하기
③ 아이들을 얌전하게 만들기
④ 의사소통이 원활해지도록 돕기

어휘 etiquette 에티켓, 예의 / necessarily 반드시; 불가피하게 / formal 격식을 차린; 공식적인 / get in the way 방해되다 / tablecloth 식탁보 / disrupt 방해하다, 지장을 주다 / tableware 식기 **[선택지어휘]** well-behaved 예의 바른, 얌전한

구문 **[2~4행]** ~, "elbows off the table" is**n't necessarily** about formal behaviors or appearances; // it's observed **so as to make** other people comfortable.
not necessarily는 '반드시 ~한 것은 아니다'라는 의미로 부분부정을 나타낸다.

[4~6행] They can knock another person's arm / while (*they are*) bringing a fork or spoon to the mouth // or *quickly* (*can*) *pull the tablecloth*, / **which** can disrupt dishes and tableware.
문장의 동사인 can knock과 (can) pull이 or로 병렬 연결된 구조이다. which는 앞의 (They) quickly (can) pull the tablecloth를 선행사로 하는 계속적 용법의 관계대명사이다.

2 ⑤

해석 당신이 고등학교 신입생이며 Daniel Offer라는 정신과 의사를 알고 있다고 가정해 보자. 그는 어느 날 당신에게 다음과 같은 몇 가지 질문을 던지기로 한다. 당신이 성장하는 데 종교가 도움이 되었습니까? 당신은 훈육으로서 체벌을 받았습니까? 등등. 그러고 나서 34년 뒤 그가 당신을 찾아 당신의 답변을 비교하기 위해 동일한 질문을 다시 던진다. 놀랍게도, 청소년 때 당신이 떠올린 기억은 성인으로서 떠올린 기억에 유사하지 않을 가능성이 크다. 이 실험을 실제로 진행할 인내심이 있었던 Dan 박사가 알아낸 것처럼 말이다. 체벌 질문을 살펴보자. 성인 중 오직 3분의 1만이 체벌을 기억해 냈지만, Dan 박사는 거의 90%에 달하는 청소년들이 이 질문에 '예'라고 대답했었음을 발견했다. 이것은 기억의 부정확성을 보여주는 데이터의 일부에 불과하다.

해설 빈칸이 있는 문장은 실험 결과에 해당한다. 실험 결과에 대한 설명이 나오는 빈칸 이후의 내용을 살펴보면 같은 질문에 대해 청소년일 때의 대답과 성인일 때의 대답이 달랐음을 알 수 있고, 기억이 부정확하다고 했다. 따라서 청소년 때 떠올린 기억과 성인일 때 떠올린 기억이 '유사하지' 않을 가능성이 크다는 것이 적절하다. 정답은 ⑤.

선택지분석 ① 바꾸지 ② 부정하지 ③ 도움이 되지 ④ 방해하지

어휘 freshman 신입생 / physical punishment 체벌 / discipline 훈육, 규율; 절제(력) / recall 기억해 내다 / adolescent 청소년 / patience 인내(심) / fraction 부분, 일부 / demonstrate 보여주다; 시위하다 / inaccuracy 부정확(성)

구문 **[5~7행]** ~, *the memories* [you recalled as an adolescent] aren't ***likely to resemble*** *the* ***ones*** [you recall as an adult], // as *Dr. Dan*, **who had *the patience* (to actually do this experiment)**, found out.

ones는 memories를 대신하는 부정대명사이다. Dr. Dan을 보충 설명하는 관계대명사절이 삽입되어 as절의 주어와 동사가 멀리 떨어져 위치하게 되었다.

3 ②

해석 많은 사람이 "내가 틀렸다"라고 말하는 것을 부끄럽게 여긴다. 사실은, 우리가 실수를 인정할 정도로 대범할 때 자신의 평판도 좋아진다. 자신이 틀렸다고 정직하게 말할 수 있는 리더가 모든 이들 중 가장 존경받는 리더이다. 내가 지금까지 알고 지낸 사람 가운데 가장 좌절감을 주었던 사람은, 어떤 일이 일어나든 자신이 틀렸다고 절대 인정하지 못했던 어느 회사 사장이었다. 언제나 모든 게 다른 사람의 잘못이었다. (리더로서 그는 그토록 중요한 프로젝트를 관리하기에는 경험이 너무 부족했다.) 그와 같은 사람들은 완벽한 척함으로써 자신이 강하고 세 보인다고 생각한다. 실제로는, 이 사람들이 자신감이 없음을 다른 사람들은 즉시 알아차린다. 그러니, 만약 실수를 저지른다면 그것을 인정하라. 왜냐하면 "내가 틀렸다"라고 말할 수 있을 정도로 강한 사람에게 삶은 훨씬 더 수월하기 때문이다.

해설 지문은 자신이 틀렸다고 인정하는 것이 중요함을 이야기하고 있다. ①에서는 자신이 틀렸음을 절대 인정할 수 없는 사람에 대한 내용이 나오는데 ②는 중요한 프로젝트를 관리하기에는 미숙한 리더에 관해 이야기하고 있어 흐름에 맞지 않고, ③의 People like that은 ①에서 나온 사장과 같은 사람을 가리키므로 ②에서 흐름이 끊기는 것을 알 수 있다.

어휘 reputation 평판, 명성 / admit 받아들이다, 인정하다 / frustrating 좌절감을 주는 / inexperienced 경험이 부족한, 미숙한 / pretend to-v v인 체하다

구문 **[1~2행]** The truth(S) is(V) (*that*) we increase our reputation / when we are ***big enough to admit*** mistakes.(C)

[3~5행] *The most frustrating man* [I've ever known] / was *a company owner* [who, **no matter what happened**, could never admit he was wrong] — ~.

「no matter what+동사」는 '무엇이 ~하더라도'라는 의미의 양보의 부사절이다.

4 ③

해석 Becky는 기차가 역에 들어오는 것을 지켜보았고, Jane을 찾기 시작했을 때 기차에서 내리는 여러 명의 승객들을 보았다. Jane이 곧 기차에서 내릴 예정이었는데, 대신 Becky의 휴대전화가 울렸다. Becky가 전화를 받자 Jane의 익숙한 계속해서 이어지는 말이 들렸다. "아, Becky야, 정말 미안하지만 나 기차를 놓쳐서 다음 기차를 탔는데 곧 도착할 거야." Becky는 전화를 끊고, 오랜 기다림을 위해 자리에 앉았다. 그녀는 앞에 보이는 단조로운 풍경을 응시했다. 몇 명의 사람들도 터미널에서 (누군가를) 기다리고 있었고, 그녀는 그들을 보았지만 누구도 아주 즐거워 보이지 않았다. 여름날 오후의 고요함을 방해하는 지나가는 자동차조차 한 대도 없었다. 그녀는 다시 시계를 지켜보았고, 그러고 나서 의자에 등을 기대었다. 그녀는 여러 번 하품을 하면서 무기력하게 낯익은 풍경을 바라보았다.

해설 Becky는 역에서 친구를 오랜 시간 기다리고 있다. 특히 She stared at the monotonous landscape in front of her.나 She listlessly stared out at the familiar scene, yawning several times.라는 말을 통해 Becky가 ③ '지루해하는' 것을 알 수 있다.

선택지분석 ① 외로운 ② 부끄러운 ④ 우쭐해 하는 ⑤ 안도한

어휘 stream (수많은 일의) 연속, 이어짐 / monotonous (지루할 정도로) 단조로운, 변함없는 / landscape 풍경 / glance 흘깃 보다; 흘깃[휙] 봄 / entertaining 재미있는, 즐거움을 주는, 유쾌한 / listlessly 생기 없게, 무기력하게; 마음 내키지 않게 / yawn 하품을 하다; 하품

구문 **[3~4행]** Becky answered **to hear** Jane's familiar stream of words.

to hear는 결과를 나타내는 to부정사 부사적 용법으로 쓰여 and heard의 의미를 갖는다.

[4~5행] "Oh, Becky, I'm so sorry **to have missed** the train but I'm on the next one and I expect it to arrive soon."

to have missed는 원인을 나타내는 to부정사의 부사적 용법으로 쓰였고, 주절의 시제(현재)보다 기차를 놓친 것이 더 이전의 일이므로 완료부정사가 사용되었다.

5 ④

해석 우리는 매일 "내가 얼마나 멍청해질 수 있는 건지." 혹은 "내가 왜 그랬을까. 나 정말 바보네."와 같은 소리 없는, 종종 분노에 찬 메시지를 우리 자신에게 보낸다. 우리 사회에서는 친구나 다른 누군가가 분명히 잘못했을 때조차도 그들에게보다는 당신 자신에게 화를 내는

해설 상대방이 잘못을 하여 화가 나는 상황에서, 부정적인 인상을 주어 인간관계를 해치게 될까봐 분노의 방향을 자기 자신에게로 돌리는 사람들이 많은데, 이는 분노를 처리하는 잘못된 전략이며 자신의 잘못이 아닌 일에 자책하며 자신을 비난해서는 안 된다는 내용의 글이다. 그러므로, 글의 주장으로 가장 적절한 것은 ④.

것이 더 용납되는 것 같다. 겉으로 자축하는 사람들은 종종 '자만하는' 것으로, 혹은 '자기중심적'이라고 여겨지는데, 이는 모두 매우 부정적인 꼬리표들이다. 그래서 자신들의 분노를 내면으로 겨누는 사람들이 높은 비율로 존재한다. 나는 상대방의 잘못일 때조차 모든 일에 '미안하다'라고 말하는 너무나 많은 사람들을 발견한다. 우리는 분노를 표출하지 않음으로써, 그리하여 개인적 관계이든 동료 관계이든 상사와의 관계이든, 인간관계를 '구함으로써' 관계를 지키기 위하여 이러한 무의식적 전략을 사용하는 것인지도 모르겠다. 당신 자신을 벌하지 말라. 당신이 잘못한 게 아닐 때 당신 잘못이라고 자신에게 말하지 말라.

어휘 idiot 바보 / acceptable 용인할 수 있는 / outwardly 겉으로는, 표면상으로 / conceited 자만하는 / label 꼬리표; 상표 / inward 내면으로 / unconscious 무의식적인 / strategy 전략

구문 **[7~9행]** We may use this unconscious strategy / **to protect** relationships by not expressing anger — thus "**saving**" the relationship, **be it** a personal one (A) **or** with a co-worker or boss (B).

to protect ~ anger는 목적을 나타내는 부사적 용법의 to부정사구이다. "saving"이하는 결과를 나타내는 분사구문이며, 「be it A or B」는 'A이든 B이든'의 뜻이다. a personal one에서 one은 relationship을 나타낸다. with a co-worker or a boss는 문맥상 'relationship with a co-worker or boss'를 의미한다.

CHAPTER 08 부사적 수식어구: 분사구문

UNIT 01 분사구문의 의미

p. 88

1 길을 세 시간이나 달려 알자스에 도착했을 때, Jonas는 끝없는 농경지밖에 보지 못했다.

2 다른 모든 사람이 우리와 똑같이 생각하고 느낀다고 믿기 때문에, 우리는 자주 타인의 의도를 오해한다.

3 마케팅 부서의 일원으로 고용된다면, 저는 현재 고객들이 구매한 물건들에 대해 계속해서 좋은 기분을 느끼게 하는 사람이 반드시 되겠습니다.

+Tip 너의 말을 인정한다 해도, 나는 그것이 우리가 논의하고 있는 주제와 관련이 있다고 생각하지 않는다.

2 misunderstand 오해하다 / intention 의도
3 ensure 반드시 ~하게 하다

Check it Out! 1. 많은 발 문제들은 높은 발꿈치 부분을 포함한, 불편한 신발 때문이다.
2. 일을 수락한다는 것은 당신이 그 일에 따른 책임을 받아들인다는 것을 의미한다.

A

1 Because | 가난했기 때문에, 그는 대학을 다닐 수 없었지만, 독학으로 공부를 이어나갔다.

2 When | 문을 열었을 때, 그들은 외출한 동안 집에 도둑이 들었다는 것을 알아차렸다.

3 If | 당신과 함께 일하는 사람들을 살펴보면, 그들이 동일한 상황에서 스트레스를 받는 경향이 있다는 것을 알게 될 것이다.

2 break into 침입하다

B ④ 서술형Q 도시에 거주하는 이러한 전문 직업인들이 실제로 어떻게 느끼는지 알 수 있다면

해석 오늘날 소비자의 마음 상태는 연령, 지역, 혹은 숫자보다 더 중요하다. 예를 들어, 소비자 조사는 도시에 사는 젊은 전문 직업인이 당신의 '이상적인' 목표 시장이라고 말할지 모른다. 그것까지는 좋다. 하지만 그 조사가 말해주지 않는 것이 있다. 과로에 지치고 심적 부담감을 느끼며 우울감에 빠져서, 그들은 직업을 바꾸고 시골로 이사해서 즐겁고 단순한 삶을 사는 것을 꿈꾸는데, 이는 당신에게는 '이상적인' 것이 아닐지도 모른다. 소비자의 기분에 대해 생각함으로써, 당신은 어떻게 마케팅을 해야 하는지에 관하여 더 나은 아이디어를 얻을 수 있다. 도시에 거주하는 이러한 전문 직업인들이 실제로 어떻게 느끼는지 알 수 있다면, 그들에게 다가갈 방법을 찾을 수 있다. 이것은 당신으로 하여금 '위안 상품', 즉 스트레스와 부담감을 덜어주기 위해 고안된 제품을 고려해 보도록 만들 수도 있다.

해설 '도시에 사는 젊은 전문 직업인들'과 같은 단순한 지표와 더불어 그들이 실제로 무엇을 느끼는지 알 수 있다면 소비자에게 더 다가갈 수 있을 것이라 했다. 따라서 ④ '소비자의 기분에 대해 생각함'에 따라 더 나은 아이디어를 얻을 수 있을 것이다.

선택지분석 ① 트렌드를 따라감
② 편안하게 열린 자세를 유지함
③ 자세한 연구조사를 행함
⑤ 소비자의 경제 사정을 이해함

서술형 해설 Knowing ~ feel은 조건을 나타내는 분사구문이다. (= If you know ~ feel)

어휘 urban 도시의 / overwork 과로하다 / burden 부담을 지우다; 부담 / depress 우울하게 만들다 / dwell 거주하다 / relief 안도 *relieve (불쾌감·고통 등을) 없애주다, 덜어주다 **[선택지 어휘]** keep up with (뉴스·유행 등에 대해) 알다 / detailed 상세한

구문 **[3~6행] Feeling overworked, burdened, and depressed,** / *they dream about* ***changing*** *their jobs,* ***moving*** *to the country,* and ***living*** *a pleasant and simple life,* / **which** might not be "ideal" for you.

Feeling ~ depressed는 이유를 나타내는 분사구문으로, Because they feel ~ depressed로 바꾸어 쓸 수 있다. changing, moving, living은 전치사 about의 목적어로 쓰인 동명사로, 접속사 and로 병렬 연결되어 있다. which는 they ~ simple life를 선행사로 하여 그것을 부연 설명하는 계속적 용법의 관계대명사이다.

[8~9행] This might lead you to consider **"relief products,"** / ***things*** **(designed to relieve stress / and reduce the sense of burden).**

"relief products"와 things 이하는 동격이고, designed ~ burden은 things를 수식하는 과거분사구이다.

UNIT 02 시간 관계를 나타내는 분사구문

1 spreading goods and ideas
인류 역사를 통해 사람들이 상품과 사상을 퍼뜨리며 한 장소에서 다른 곳으로 이동해왔기 때문에 문화는 외부 영향으로부터 완전히 격리된 적이 거의 없다.

2 Spotting the kids fighting in the corner
Janet은 구석에서 싸우고 있는 아이들을 발견하고는 아이들을 떼어 놓기 위해 최대한 크게 고함을 질렀다.

3 allowing you to prevent injuries
다양한 요가 자세는 근육과 관절을 단련하는 데 도움을 주어, 부상을 예방하도록 해준다.

Check it Out! 음악은 영화가 서사극인지 개인적인 이야기인지를 효과적으로 전달하면서 영화의 범위를 알려줄 수 있다.

1 rarely 드물게, 좀처럼 ~하지 않는 / isolated 격리된, 고립된
2 spot 발견하다, 알아채다 / separate 분리하다, 떼어놓다
3 joint 관절
Check it Out! convey 전달하다 / scope 범위; 시야 / motion picture 영화 / epic drama 서사극

A

1 becoming president of one of the largest banks in the country, ② | 수년간 Steven은 인생의 많은 장애물을 성공적으로 극복하고 나서, 나라에서 가장 큰 은행 중 하나의 총재가 되었다.

2 giving you enough time to focus on your work, ② | 재택근무는 울리는 전화기나 잡담하는 동료들로부터 벗어나 일에 집중할 충분한 시간을 준다.

3 Watching the boy get carried away in an ambulance, ① | 구급차에 실려 가는 소년을 보면서 그는 깊게 숨을 들이마셨다.

2 chatter 수다를 떨다, 재잘거리다
3 take a deep breath 심호흡하다

B ④ 서술형Q going to companies based in industrialized countries

해석 관광은 확실히 많은 일자리를 창출하지만 종종 고임금의 일자리는 호텔 같은 자본 집약 사업을 운영하는 사람들에게 돌아가며, 그들은 외부인인 경우가 많다. 지역민들이 채용되더라도 그 일은 종종 임금이 낮고 한철 일자리일 수 있어, 많은 지역민들이 일 년 중 많은 시간을 실업 상태로 있게 된다. 관광객들이 쓰는 돈의 대부분은 결코 방문 국가에 들어가지도 않으며, 선진 공업 국가에 소재한 기업들에게 간다. 관광은 또한 문화적 다양성에도 영향을 미쳐, 전통 사회에 외부 영향력을 끼치며, 이미 확립된 경제적, 사회적 관계를 흔들어 놓고, 한 문화의 핵심 요소를 무의미한 공연으로 만들어버린다. 민감한 환경, 야생동물 서식지, 역사 유물에 가해지는 수천 명의 방문객들에 의한 물리적 해악 또한 매우 클 수 있다.

해설 관광이 산업화된 선진 공업 국가 소재 기업들의 배만 불리고, 지역 주민들을 실업 상태로 만들 수 있으며, 그 지역의 문화적 다양성을 해칠 수 있다고 말하는 등 지역 공동체에 미치는 관광의 부정적인 영향에 대해 말하고 있다. 따라서 글의 제목은 ④가 적절하다.

선택지분석 ① 관광의 득과 실
② 관광이 미치는 환경적 영향
③ 지역 문화를 존중하고 보존하는 방법
④ 관광은 지역 공동체에 정말로 좋은 것인가?
⑤ 관광에 있어 빈부 격차

서술형 해설 동시상황을 나타내는 분사구문으로 고치려면, 접속사와 문장의 주어를 삭제하고, 동사를 분사의 형태로 고쳐야 한다. 따라서 and (it) goes는 going이 되어야 한다.

어휘 capital 자본 / intensive 집약적인; 집중적인 / outsider 외부인; 국외자 / seasonal 계절적인 / unemployed 실업자인 / the majority of 대부분의 / destination 목적지, 도착지 / industrialized 선진 공업[산업]화된 / impact 영향을 주다; 영향 / diversity 다양성 / disturb 어지럽히다, 교란하다 / hollow 무의미한; 공허한 / sensitive 민감한, 예민한; 세심한 **[선택지어휘]** pros and cons 장단점; 찬반론

구문 **[1~2행]** Tourism certainly creates many jobs, // but often the highest-paid work goes to *those* [**who** run the *capital-intensive businesses* (such as hotels)], / **who** tend to be outsiders.
첫 번째 who는 those를 수식하는 관계대명사이고, 두 번째 who는 those who run ~ as hotels를 부연 설명하는 계속적 용법의 관계대명사이다.

[3~4행] **When** local people are employed, // *the work is often poorly paid and may be seasonal*, / **which** leaves(V′) many locals(O′) unemployed(C′) for much of the year.
여기서 When은 '~일지라도'의 의미로 쓰였다. which는 the work ~ seasonal을 부연 설명하는 계속적 용법의 관계대명사이다.

[6~9행] Tourism also impacts cultural diversity, / **bringing outside influences into traditional societies, disturbing established economic and social relations, and turning essential elements of a culture into hollow performances.**

bringing ~ societies, disturbing ~ relations, turning ~ performances 세 개의 분사구문이 and로 병렬 연결되어 '부대상황'을 나타내고 있다.
(= as it(=tourism) brings ~ societies, as it disturbs ~ relations, and as it turns ~ performances)

[9~10행] *The physical harm* (done to sensitive environments, wildlife habitats, / and historic treasures / by thousands of visitors)(S) can also be(V) huge(C).

UNIT 03 형태에 주의해야 하는 분사구문

p. 92

1 Henri Matisse는 아버지를 기쁘게 해드리기 위해 변호사가 되는 훈련을 받느라 후에 화가가 되었다.

2 밤에 잠을 빼앗기면 뇌는 제대로 기능하지 못하고 이는 인지 능력과 정서 상태에 영향을 미친다.
◆ 그 죄수는 목격자의 최후 진술에 의해 구원받아 석방되었다.

3 이 잎이 무성한 나무는 열대 기후가 원산지임에도 불구하고, 세계 거의 어느 곳에서나 살 수 있다.

4 위험을 수반하는 선택에 직면할 때, '모험을 하지 않으면 얻는 것도 없다' 또는 '나중에 후회하는 것보다 조심하는 것이 더 낫다' 중 우리는 어떤 지침을 사용해야 하는가?

Check it Out! 나는 딸의 눈에 눈물이 샘솟는 것을 방 건너편에서 본 기억이 난다.

2 deprive A of B A에게서 B를 빼앗다 / cognitive 인식의
◆ prisoner 죄수; 포로 / release 풀어주다, 석방하다 / statement 진술 / witness 목격자; 증인
3 native to A A가 원산지인, A에 고유한 / leafy 잎이 무성한
4 venture 위험을 무릅쓰고 하다
Check it Out! well 솟아 나오다; 내뿜다

A

1 X, Raised[Having been raised] | 십 대들은 빠르게 발달하는 인터넷과 확장되는 휴대전화의 기능과 함께 자랐기 때문에 주변 세상과 많은 접촉을 할 수 있게 되었다. **해설** 분사구문의 의미상주어인 teens와 raise는 수동 관계이며, 문맥상 분사구문의 시제가 문장의 동사보다 앞선 때를 나타내므로 Raised 혹은 Having been raised가 되어야 한다.

2 O | 확실히 칭찬은 아이의 자존감에는 중요하지만, 너무 작은 일에 너무 자주 주어지면, 그것이 필요할 때 진정한 칭찬의 영향을 약하게 한다. **해설** 분사구문의 의미상주어인 it(=praise)과 give는 수동관계이므로 given이 알맞게 쓰였다.

3 O | 그녀가 진실하고 약속을 지켜준 것이 감사해서, 우리는 감사의 편지와 작은 선물로 우리의 고마움을 표현하기로 결심했다. **해설** Grateful 앞에 Being이 생략된 형태이다.

4 O | 교육에 관해 연구하는 동안, 나는 아이들이 두뇌를 훈련시키지 않기 때문에 여름방학마다 아이들의 IQ가 저하된다는 것을 알고 놀랐다.

5 O | 그녀가 무엇을 하고 있는지 보고 싶은 호기심에 소년들은 그녀 쪽으로 방향을 돌렸다.

6 X, Excited[Being excited] | 그녀는 가장 좋아하는 영화배우를 직접 보는 것에 신이 나서 비명을 지르기 시작했다.

1 mature 발달하다; 어른이 되다; 성숙한 / expand 확장하다; 팽창하다 / capability 기능; 능력 / have access to ~에 접근할 수 있다
2 critical 중요한; 비판적인 / self-esteem 자존감 / call for 필요로 하다; 요구하다
3 truthful 진실한 / gratitude 감사
5 head off 진로[도주로]를 바꾸다
6 in person 직접, 몸소

B ⑤ 서술형Q ⓐ used ⓑ recognized

해석 일반적인 대화에서 대부분의 말은 그저 말일 뿐이다. 하지만 연설에서 사용될 때, 이와 같은 말 중 일부는 청중들이 여러분에게서 등을 돌리게 할 수 있다. 연설하는 사람이 이러한 말과 표현이 어떤 것들인지 배우려면 경험이 필요하고, 일단 깨닫게 되면, 그것들은 마음속에서 호전적인 말로 분류되어 다시는 사용되지 말아야 한다. 상황에 따라, 그러한 호전적인 말들은 다음과 같은 것들이 될 수 있다.

해설 연설에 쓰이면 청중을 마음 상하게 하는 말들을 예로 들며 그 말을 쓰지 말아야 한다는 내용이므로 정답은 ⑤.

서술형 해설 ⓐ 때를 나타내는 분사구문으로, 의미상 주어인 some of these same words는 '사용되는' 것이므로 과거분사 used를 써야 한다. ⓑ 접속사 once가 생략되지 않은 분사구문으로, 의미상 주어인 they(=these words and expressions)는 '인식되는' 것이므로 과거분사 recognized가 와야 한다.

"우리 지식인들은..." 혹은 "여러분 민간인들은 이해하지 못할 것입니다..." 청중들에게 그러한 말과 표현은 거만한 태도와 동정심의 부족을 나타낸다. 어떤 청중들은 여러분의 말을 믿어줄 수도 있지만, 대개는 여러분을 좋지 않게 받아들일 것이다. 마찬가지로, 어떤 상황에서는 적절하고 즐거운 농담이 다른 상황에서는 공격적이거나 무시하는 것처럼 받아들여질 수도 있다.

어휘 catalogue ~을 분류하다; 카탈로그 / intelligentsia 지식인들, 지식 계급 / civilian 민간인 / an air of ~한 태도 / superiority 거만함; 우세 / compassion 동정심, 연민 / give A the benefit of the doubt (그렇지 않음을 증명할 수가 없으므로) A의 말을 믿어 주다, A에 대해 미심쩍은 점을 좋게 해석하다 / more often than not 대개, 자주 / offensive 공격적인; 불쾌한 / belittle ~을 무시[경시]하다, 얕보다

구문 **[2~4행]** **It**(가주어) takes experience *for a speaker*(의미상주어) **to learn**^{V} what these words and expressions are^O(진주어), // and **once recognized**, / they should be **mentally catalogued** as fighting words [and] **not used** again.

It은 가주어로, to learn ~ are가 진주어이며, for a speaker는 to부정사의 의미상주어이다. mentally catalogued와 not used는 동사 be와 함께 수동태를 만드는 과거분사로, 접속사 and로 병렬 연결되어 있다.

UNIT 04 with + 목적어 + v-ing/p.p

p. 94

1 with a smile stretching from ear to ear
Chris는 입이 귀에 걸리도록 활짝 웃으며 지역 체스 챔피언인 자신의 형 옆에서 자랑스럽게 섰다.

2 with their tail held above the water
오리는 문제가 생길 때 공기 중으로 바로 튀어 오를 수 있도록 꼬리를 물 위에 내어놓은 채 헤엄친다.

Check it Out! 꼴등임에도 불구하고 그녀는 얼굴에 함박웃음을 지으며 결승선을 통과하는 자신을 발견했다.
+Tip 그의 외모로 판단하건대, 그는 그다지 신뢰할 만한 사람이 아닐지도 모른다.

1 regional 지역의
Tip trustworthy 신뢰할 수 있는

A

1 evolving | 산업사회가 정보를 기반으로 하는 사회로 발전하면서, 상품으로서의 정보개념이 등장했다.

2 bowed | 그는 그녀에게 다가가 고개를 숙인 채 남동생의 죽음에 대한 애도를 표했다. **해설** his head와 bow는 수동 관계이므로 bowed가 적절하다.

3 held | Ben은 늦잠을 자서 학교에 지각했고, 그래서 책가방을 손에 든 채 뛰어야 했다.

4 visiting | 폼페이는 매년 약 250만 명이 방문하는, 이탈리아에서 가장 인기 있는 관광지 중 하나다. **해설** about 2,500,000 people과 visit는 능동 관계이므로 visiting이 알맞다.

5 crossed | 모든 면접관이 팔짱을 낀 채 앉아 있어서 나는 극도로 긴장했다.

6 blaring | 지난밤 경찰차 한 대가 거리에서 사이렌을 요란하게 울리며 나를 지나쳤다.

1 industrial 산업의 / evolve 발전하다, 진화하다 / concept 개념 / emerge 나타나다, 출현하다
2 bow 고개를 숙이다
3 oversleep 늦잠 자다
5 extremely 극도로

B ⑤ 서술형Q with each team trying to produce

해석 배우들은 대본에 쓰인 연기를 하는데, 그것들은 다른 사람들에 의해 만들어지고 그 안에서 모든 사람들이 협력해 예정된 결과를 가지고 예정된 과정을 따른다. 영화와 모든 형태의 드라마에 내재된 긴장감은 관객들에게 영향을 끼치지만, 일반적으로 참여자들(배우들)에게는 영향을 끼치지 않는다. 하지만 경기에서 선수들은 양쪽 팀이 경쟁하면서 각 팀이 다른, 실은 반대되는 결과를 만들기 위해 노력하며 대본에 없는 행위를 보인다. 스크린에서 위험하고 어려운 행동을 하는 것처럼 보이는 배우들은 실제로는 그것들을 거의 하지 않는다. 그들의 대역배우들이 실제로 위험한 일을 하고, 그 위업들은 일반적으로 실제로 위험한 것보다 더욱 위험해 보이도록 만들어진다. 대조

해설 주어진 문장의 By contrast로 미루어 앞 문장에는 관객들이 보는 것과 실제 행동 사이에 어떤 차이가 있는 것에 관한 이야기가 있어야 한다. 따라서 어려운 행동을 하는 것처럼 보이나 실제로는 그렇지 않은 배우들의 연기에 대한 이야기가 나온 후인 ⑤에 들어가는 것이 가장 적절하다.

서술형 해설 '~하면서'라는 뜻으로 동시상황을 나타내는 「with+목적어+분사」 구문을 활용한다. 의미상 주어인 each team은 노력을 하는 주체이므로, 현재분사인 trying을 쓴다. 「try to-v」는 '~하려고 애쓰다'의 의미이다.

적으로, 야구, 미식축구, 그리고 농구 선수들은 관객들이 보기에 그들이 하는 동작을 정말로 수행한다. 그들이 하는 것은 진짜이고 자발적이며 그들의 노력의 결과는 관객과 참여자들(선수들) 모두에게 미리 알려져 있지 않다.

어휘 spectator 관객 / script ~의 대본을 쓰다; 대본, 원고 / cooperate 협력하다; 협조하다 / pre-establish 예정하다; 미리 확립하다 / predetermine 예정하다, 미리 결정하다 / outcome 결과; 성과 / tension 긴장감; 갈등 / inherent 내재된 / participant 참여자 / double 대역배우; 두 배의 / hazard 위험 (요소) / feat 위업; 재주 / spontaneous 자발적인, 마음에서 우러나온 / in advance 미리, 사전에

구문 **[3~4행]** Actors give *scripted performances*, **which** are designed by others and **in which** all cooperate to follow a pre-established course / with a predetermined outcome.
which ~ others와 in which ~ outcome은 각각 앞의 scripted performances를 보충 설명하며 병렬 구조를 이룬다.
[6~8행] But players in games give *unscripted performances* [**in which** two sides compete, / **with each team trying** to produce a different — indeed the opposite — outcome].
「전치사+관계대명사」 형태인 in which가 이끄는 절은 unscripted performances를 수식한다.

Make it Yours

p. 96

1 ② **2** ⑤ **3** ④ **4** ② **5** ③

1 ②

해석 NASA의 주된 목적은 우주를 탐사하고 더 잘 이해하는 것이다. 하지만 NASA가 별에 도달하기 위해 개발한 기술 중 많은 것들이 대중들에게 새어 나와, 보다 영양가가 높은 유아용 분유와 해로운 자외선을 차단하는 선글라스, 그리고 더 많은 것들을 생겨나게 했다. 모든 휴대전화 카메라의 1/3이 원래 NASA의 우주선을 위해 개발된 기술을 사용한다. 그리고 1960년대에, 달의 사진의 화질을 높이고 싶어 한 NASA 과학자들은 디지털 이미지 처리 기술을 발명했다. 그 기술은 나중에 많은 다른 용도를 찾았는데, 특히 의학 분야에서 자기공명영상(MRI)과 같은 몸의 영상 촬영 기술을 가능하게 도왔다.

해설 두 번째 문장에 글 전체의 요지가 담겨 있으며, 그 이후에 NASA가 우주 탐사를 위해서 개발했지만, 이제는 지상에서 쓰이는 물건들이 열거되어 있으므로, 글의 제목으로는 ② '지상으로 가져온 우주 기술'이 가장 적절하다.

선택지분석 ① 무엇이 우주 탐사에 혜택을 주는가
③ 우주 탐사는 비용만큼의 가치가 있는가?
④ 일상용품에서 기인한 NASA의 발명품들
⑤ NASA는 우주 탐사의 새로운 시대를 열었다

어휘 primary 주된; 최초의 / explore 탐사하다; 탐구하다 *exploration 탐사; 탐구 / cosmos 우주 / filter down to ~에게 새어 나가다 / mass 대중; 덩어리 / innovation 혁신 / nutritious 영양가가 높은 / infant 유아 / formula 분유 / ultraviolet light 자외선 / spacecraft 우주선 / enhance 질을 높이다; 향상하다 / application 용도 / magnetic 자기의, 자석의 / resonance 공명; (소리의) 울림 **[선택지어휘]** originate from ~에서 생겨나다 / daily goods 일상용품 / era 시대

구문 **[1~4행]** But much of *the technology* [***(which[that])*** NASA developed in reaching for the stars] / has filtered down to the masses, / **leading to innovations** / such as more nutritious infant formula and *sunglasses* [**that** block harmful ultraviolet light], / and many more.
NASA ~ the stars는 선행사 the technology를 수식하고 있으며, 목적격 관계대명사 which 또는 that이 생략되었다. leading ~ many more는 부대상황을 나타내는 분사구문이다. that ~ light는 관계사절로 앞에 있는 sunglasses를 수식하고 있다.

2 ⑤

해석 경쟁은 주로 스트레스를 많이 주기 때문에 일의 성취를 방해하는 것처럼 보인다. 질 가능성에서 생기는 불안은 (일의) 수행을 방해한다. 이런 불안을 억누를 수 있을지라도, 두 가지 일, 즉 잘하려고 노력하는 것과 남을 이기려 노력하는 것을 동시에 하는 것은 어렵다. 경쟁은 당면한 일에서 주의를 쉽게 돌릴 수 있다. 한 교사가 자신의 제자들에게 질문을 던지고 있다고 생각해 보라. 한 어린 소년이 그녀의 관심을 끌기 위해 손을 마구 흔들며, "제발요! 제발요! 저요!"라고 외

해설 글의 요지는 경쟁에서 비롯된 스트레스로 인해 수행과 성취에 방해가 된다는 것이다. 어린 학생이 선생님의 질문에 답하는 경쟁을 벌이면서 무조건 손을 들고 주목을 끌어 답할 기회를 받게 되더라도 정작 질문의 내용은 놓쳐버리는 상황을 예로 들고 있으므로, 어린 학생이 질문에 답하는 주된 과업보다는 ⑤ '자신의 급우들을 이기는 데' 집중했다는 내용이 적절하다.

친다. 마침내 그가 (교사에게) 인지되었지만, 그는 답을 잊고 만다. 그래서 그는 머리를 긁적이며, "질문이 뭐였죠?"라고 묻는다. 문제는 그가 주제(질문에 답하는 것)가 아닌 자신의 급우들을 이기는 데 집중했다는 것이다.

선택지분석 ① 질문하는 데
② 시험을 잘 보는 데
③ 자신의 불안감을 억누르는 데
④ 선생님의 주의를 딴 데로 돌리는 데

어휘 interfere with ~을 방해하다 / primarily 주로 / arise from ~에서 발생하다 / suppress 억누르다 / distract (주의를) 딴 데로 돌리다; 기분 전환하다 / at hand 당면한; 가까운 / pupil 학생 **[선택지어휘]** beat 이기다

구문 **[6~7행] Finally recognized**, he has forgotten the answer.
Finally recognized는 분사구문으로 'Although he has finally been recognized'로 바꾸어 쓸 수 있다.

3 ④

해석 소설 <파이 이야기>로 유명한 Yann Martel은 1963년 스페인의 살라망카에서 캐나다 외교관 부모 아래에 태어났다. 여러 나라를 두루 돌아다녔기 때문에, Martel은 변화와 적응, 생존에 대해 많은 것을 알고 있다. Martel이 가정에서 받은 영향은 정치적일 뿐 아니라 문학적이기도 했다. 그의 아버지는 수상 경력이 있는 프랑스어 시인이며, 문학 번역가로 활동하는 양친 모두가 <파이 이야기>의 프랑스어 번역을 맡았다. 그 소설은 2001년 출간되기 전, 런던의 출판사 다섯 곳으로부터 거절을 당했다. 그러나 그다음 해 그 소설은 Man Booker상을 수상하며 널리 알려지게 되었다. Martel은 어떻게 글을 써야 하는지 분명한 감을 갖고 있다. 작가와 독자의 동등성을 강조하면서 그는 한때 이런 말을 했다. "이야기꾼이 되려고 애쓰지 마세요. 왜냐하면 그럴 때 독자들은 꼬임과 속임을 당하고, 그러면서도 아무것도 남은 것이 없는 것처럼 느끼기 때문입니다."

해설 2001년 출간되고, 그다음 해에 Man Booker상을 수상했다고 했으므로, 글의 내용과 일치하지 않는 것은 ④다.

어휘 diplomat 외교관 / adaptation 적응 / survival 생존 / literary 문학의 / undertake 맡다; 착수하다 / reject 거절하다 / publishing company 출판사 / equality 평등 / storyteller 이야기꾼 / kidnap 납치하다 / take in ~를 속이다

구문 **[2~3행] Having traveled widely throughout many countries**, / Martel knows much about change, adaptation, and survival.
Having traveled ~ countries는 완료형 분사구문으로 술어동사(knows)보다 앞선 때를 나타낸다. (= Because he traveled widely throughout many countries)

[9~10행] Emphasizing the equality of writers and readers, / he once said, "Don't try to be a storyteller, because the reader feels kidnapped, taken in but left with nothing."
Emphasizing ~ readers는 '부대상황'을 나타내는 분사구문이다. (= While he emphasized the equality of writers and readers)

4 ②

해석 Molly는 눈을 반쯤 감은 채로 창밖 너머 지나가는 들판을 응시했다. 아빠와 함께 조부모님 댁으로 가는 세 시간의 기차 여행은 그녀의 어린 마음에는 2주간의 여행 같았다. 그녀는 어떠한 흥미로운 것도 찾지 못했고, 지루함이 너무 커서 거의 참을 수 없었다. 딸에게 미안함을 느낀 아빠는 집에서 가져온 색종이 묶음을 꺼내서, 한 장을 종이 백조로 접었다. Molly는 그 백조를 잡고 그것을 응시했다. "어떻게 종이가 이렇게 아름다운 모양으로 아주 완벽하게 접힐 수 있어요?"라고 딸은 궁금해했다. 어떻게 아빠께서 이것을 하셨는지 상상하려고 노력하면서 딸의 눈은 접힌 부분들 위로 따라갔다. "다른 것도 만들어 주실 수 있나요?"라고 딸이 물었다. 그러자 아빠는 능숙하게 작은 종이별을 만드셨다. 이제 Molly의 정신은 깨어났다. 딸은 종이 한 장을 가져와 자기 자신만의 백조를 만드는 일을 시작했다.

해설 Molly는 기차 안에서 참을 수 없는 지루함을 느끼다가 아버지가 종이를 접어 백조와 별을 만드는 것을 보고 정신이 깨어났으므로 Molly의 심경 변화로 가장 적절한 것은 ② '지루한 → 흥미 있어 하는'이다.

선택지분석 ① 기쁜 → 놀란 ③ 지친 → 기분 좋은
④ 격노한 → 궁금한 ⑤ 무관심한 → 무서워하는

어휘 dullness 지루함 / stand 참다, 견디다 / pad (여러 장의 종이를 묶어놓은) 묶음 / fold (특히 종이나 천을) 접다; 접힌 부분[흔적] / swan 백조 / grab (움켜) 잡다 / trace 따라가다, 추적하다 / skillfully 능숙하게, 솜씨 있게 / get to-v v하기 시작하다

구문 **[1행]** Molly stared out the window at the passing fields / **with eyes half closed.**
「with+(대)명사+p.p.」는 '~된 채로'로 부대상황을 나타낸다.

[4-5행] Feeling sorry for his daughter, her dad took out *a pad of colored paper* [he**'d brought** from home] and folded a piece into a paper swan.
Feeling ~ daughter는 '이유'를 나타내는 분사구문이다. 아빠가 집에서 색종이 묶음을 가져온 것은 주절의 시점 이전에 일어난 일이므로 과거완료 시제 had brought가 사용되었다.

5 ③

해석 Suffolk의 Sudbury에서 태어난 Thomas Gainsborough는 대단한 예술적 재능을 보였다. 그의 확실한 재능을 알아보았기에, 그의 가족은 그를 13세의 나이에 런던으로 보냈다. 1745년 Gainsborough는 풍경화를 팔아 생계를 꾸리기 바라며 사업을 시작했으나 그 시도가 실패하자 Suffolk으로 돌아왔다. Gainsborough는 풍경화를 '얼굴 그림(초상화)'보다 더 선호했으나, 후자가 더 많은 이윤을 남긴다는 사실을 알게 되었다. 이를 염두에 둔 채 그는 마침내 Suffolk에서, Bath의 부유층이 애용하는 휴양지로 옮겼으며, 그곳에서 부유층과 유명인들에게 고용되었다. 여기서 Gainsborough는 자신의 화법에 특유의 모습을 더하기 위해 종종 촛불 곁에서 그림을 그리면서 자신의 기술을 완성했다. 1768년이 되자 그는 매우 유명해져서 왕립 미술원의 창립 멤버 중 한 사람으로 초청받았다. Gainsborough는 이를 수락했으며 경력의 말년을 런던에서 보냈다.

해설 Gainsborough는 고향인 Suffolk이 아닌 Bath에서 부유층과 유명인들에게 고용되어 일을 했다고 했으므로, 글의 내용과 일치하지 않는 것은 ③이다.

어휘 **make a living** 생계를 꾸리다 / **landscape** 풍경화; 풍경 / **venture** 벤처 (사업), (사업상의) 모험 / **fashionable** 부유층이 애용하는; 유행하는, 유행을 따르는 / **resort** 휴양지 / **candlelight** 촛불 / **brushwork** 화법 / **distinctive** 독특한 / **founding member** 창립 회원

구문 **[1행] Born in Sudbury, Suffolk**, / Thomas Gainsborough displayed great artistic skills.
Born ~ Suffolk는 '연속동작'을 나타내는 분사구문으로, 앞에 Being이 생략되었다.

[2행] Recognizing his obvious talent, / his family sent him to London at the age of 13.
Recognizing ~ talent는 '이유'를 나타내는 분사구문이다.

[5~7행] Keeping this in mind, / he eventually moved from Suffolk to *the fashionable resort of Bath*, / **where** he was employed by the rich and famous.
Keeping this in mind는 '부대상황'을 나타내는 분사구문이다. where는 the fashionable resort of Bath를 선행사로 하여 부연 설명하는 관계부사.

[7~8행] Here, Gainsborough perfected his skills, / **often painting by candlelight**, in order to give(V′) his brushwork(IO′) its distinctive appearance(DO′).
often painting by candlelight 이하는 '부대상황'을 나타내는 분사구문이다. (= as he often painted by candlelight, ~)

CHAPTER 09 접속사의 이해

UNIT 01 의미가 다양한 접속사

p. 100

1 ③
성숙해 감에 따라 우리는 용기와 신중함의 균형을 맞춰야 한다는 것을 배운다.

2 ②
돼지는 진흙에서 구르는 습관 때문에 전통적으로 더러움과 연관되는 반면, 고양이는 깨끗한 동물로 여겨졌다.

3 ②
우리는 태양열 에너지라는 달콤한 빗속에 흠뻑 젖어 있음에도 불구하고, 태양열 기술은 우리 문명사회에 동력을 공급하는 방법으로서 제대로 사용되지 않고 있다.

4 ②
조사에 따르면, 고객의 문제가 즉각적으로 해결되었는지 그렇지 않은지가 문의 전화를 얼마나 빨리 받았는지에 대한 고객의 인식에 영향을 미쳤다.

1 caution 신중함; 조심; 경고
2 be associated with ~와 관련되다 / dirtiness 더러움, 불결
3 civilization 문명(사회)
4 perception 자각, 인식

A

1 ① | 무절제한 쇼핑은 깨닫고 치료하지 않으면 삶을 황폐화할 수 있는 심각한 질환이다.

2 ② | 30분 이하의 낮잠은 낮 시간 동안 뇌 기능을 향상시킬 수 있는 반면, (그보다) 더 긴 낮잠은 건강과 수면의 질에 부정적인 영향을 미칠 수 있다.

3 ① | 당신이 실험을 수행하고 있든지 관찰을 하고 있든지, 실험실에서는 안전장비를 착용해야 한다.

4 ② | 공손함을 표현하는 적절한 방법은 문화적으로 결정되기 때문에 서로 문화마다 다를 것이다.

1 compulsive 통제를 못하는, 상습적인 / disorder 질환, 장애 / ruin 황폐하게 하다; 망치다
2 function 기능
3 conduct (특정 활동을) 하다 / gear 장비, 복장; 기어 / laboratory 실험실
4 politeness 공손함, 정중함 / bound 얽매인; 묶인

B ⑤ 서술형Q 그것이 금속이든 플라스틱이든 유리든 아니면 다른 종류의 물질이든 간에

해석 Samantha Park 님께,
생태 축제의 환경 보존 미술 대회에 출품해주신 것에 감사드립니다. 매년 우리는 아마추어 화가와 전문 화가로부터 똑같이 수백 개의 출품작을 받습니다만, 귀하의 작품이 명백하게 보여주는 재능과 관심사를 거의 보여주지 않습니다. 불행히도 환경 파괴 없는 지속가능성과 환경 의식을 증진하는 것을 위해서 우리는 대회 지침 시행에서 엄격함을 유지해야 합니다. 이러한 것들 중 하나는 출품작들이 금속이든 플라스틱이든 유리든 아니면 다른 종류의 물질이든 간에, 반드시 최소한 90퍼센트의 재활용된 내용물을 사용해야 한다고 말하고 있습니다. 심사숙고 끝에 우리 심사위원들은 귀하의 출품작이 이런 자격 요건을 충족하지 않는다고 결정 내렸습니다. 귀하의 작품은 우편으로 다음 주 중 반환될 것입니다. 참여해주신 것에 감사드리고 화가로서 귀하의 활동에 행운을 빕니다.
축제 조직위원
Kate Ling 드림

해설 미술대회에 작품을 출품한 작가에게 대회 관계자가 보낸 글로, 환경 보존 미술 대회인 만큼 최소한 90%의 재활용된 내용물을 사용해야 하는데 출품한 작품이 그 요건을 충족하지 못해 돌려보낸다고 하고 있다. 따라서 정답은 ⑤.

서술형 해설 부사절로 쓰일 때, 「whether A or B」는 'A이든 B이든'의 의미이다.

어휘 submission 제출, 제안 / sustainable 환경이 파괴되지 않고 계속될 수 있는 *sustainability 환경 파괴 없이 지속될 수 있음 / amateur 아마추어, 애호가 / alike 똑같이, 둘 다 / display 보이다, 나타내다 / in the interest of ~을 위해서 / awareness 의식, 관심 / enforcement 시행, 실시 / guideline 지침 / state 말하다, 진술하다 / entry 출품작; 참가자 / content 내용물 / rule 결정[판결]을 내리다 / qualification 자격 / participation 참여

구문 [6~8행] One of these states (S) / that entries must use at least 90% recycled content, // **whether** that is metals, plastic, glass, **or** another type of material. (O) states (V)
「whether A or B」는 양보의 부사절로 'A이든 B이든'의 뜻이다.

UNIT 02 혼동하기 쉬운 접속사

p. 102

1 오늘날, 과학자들은 기후 변화를 더 정확하게 이해하고 예측할 수 있도록 전 세계에서 정보를 수집한다.
2 우리의 뇌는 잃는 것에 너무나 민감해서 일단 우리에게 무언가가 주어지면 그것을 포기하기를 주저한다.
3 질투는 매우 울적한 감정이어서 우리는 가장 친한 친구에게도 그것에 대해 말하지 못한다.
4 어떤 꿀벌은 좁은 공간에 한데 모여 열을 내기 위해 날개를 빠르게 움직이고, 그래서 몸을 따뜻하게 유지할 수 있다.

2 hesitant 주저하는, 망설이는
3 jealousy 질투, 시기 / depressing 우울한

A

1 such a well-advertised event that all the tickets were sold out
2 so that we can learn from our ancestors' mistakes
3 so loud that I cannot relax in my apartment

2 ancestor 선조, 조상

B ⑤ 서술형Q it is so useful that Native Americans have used it

해석 삶의 가장 커다란 절망 가운데 하나는 우리가 이해받지 못한다고 느끼는 것이다. 아무도 우리의 고민, 우리의 바람, 혹은 우리의 특수한 상황을 제대로 이해하지 못하는 것처럼 보인다.
(C) 이 문제에 대한 해결책이 있다. 그것은 발언 막대기라는 것인데, 이는 매우 유용하기 때문에 북미 원주민들은 그것을 수 세기 동안 사용해 왔다. 발언 막대기를 든 사람은 모두가 그를 이해한다고 느낄 때까지 말하는 것이 허용되며, 다른 누구도 발언이 허용되지 않는다.
(B) 그는 자신이 이해받았다고 느끼는 즉시 다른 사람도 이해받았다고 느낄 수 있도록 발언 막대기를 넘겨주어야 한다. 당신이 다른 사람들과 당신의 느낌을 나누고자 할 때 이런 막대기를 하나 갖는다면 멋지지 않을까?
(A) 이것은 당신이 배울 수 있는 가장 중요한 의사소통 기술은 어떻게 들어야 하는가임을 잘 보여준다. 참된 경청은 그저 침묵하는 것을 의미하지 않는다. 그것은 발언자가 이해받을 때까지 당신이 사려 깊게 경청하는 것을 의미한다.

해설 (C)의 '이 문제'가 주어진 문장이 말한 '아무에게도 이해받지 못하는 것'을 가리키므로, 주어진 문장 다음에 (C)가 이어지는 것이 적절하다. (B)의 '그'가 (C)에서 언급한 '발언 막대기를 든 사람'이며, (A)에서 발언 막대기 이야기를 통해 참된 경청의 의미를 이끌어내고 있으므로 (C)-(B)-(A)가 자연스럽다.

서술형 해설 '아주 ~해서 …하다'는 「so+형용사[부사]+that+주어+동사」의 어순으로 쓰며, '(과거부터) 쭉 ~해왔다'는 현재완료 시제를 이용해 표현한다.

어휘 frustration 좌절감 / illustrate 분명히 보여주다; 삽화를 쓰다 / considerately 사려 깊게 / permit 허용하다

구문 **[6~7행]** As soon as he feels understood, // he must pass it to someone else / **so that** they too can feel understood.
여기서 「so that ~」은 '~하도록'이라는 '목적'의 의미.

UNIT 03 상관접속사 구문

p. 104

1 your body, mind
올바른 호흡은 폐의 가장 깊숙한 부분에서 나오는 것으로, 몸과 마음에 모두 이롭다.

2 to fight the danger, to escape it
위험한 상황과 마주치면, 우리의 신체는 그 위험에 맞서 싸우든가 아니면 그것으로부터 도망갈 준비를 한다.

3 created, destroyed
에너지는 다른 형태로 바뀔지는 몰라도, 새로 만들어지거나 파괴되지 않는다.

4 by judgments of others, by a genuine sense of worth that you recognize in yourself
건전한 자아 개념은, 타인의 판단이 아니라 본인이 스스로 인식하는 참된 가치에 의해 키워진다.

2 encounter 맞닥뜨리다, 부딪히다
4 fuel 자극하다; 연료를 공급하다 / genuine 진짜의, 참된

5 for making people smarter, for making people dumber
인터넷은 우리가 가진 도구 중에서, 사람들을 더 똑똑하게 만들 뿐 아니라 더 멍청하게 만들기도 하는 가장 위대한 도구이다.

A

1 unavoidable, actually crucial | 갈등은 관계의 장기적인 성공을 위하여 불가피할 뿐만 아니라 실제로 필수적이다.

2 too highly placed, too distantly connected with us | 우리는 너무 높은 지위에 있거나 우리와 너무 먼 관계인 사람을 시기하지 않는다.

3 in New Zealand, around the globe | 뉴질랜드와 세계 각지를 모두 돌아다닌 경험은 새로운 생각에 언제나 열려 있어야 한다는 것을 내게 가르쳐 주었다.

4 accepting my ideas, suggesting her own | 그녀는 내 생각을 수용하지도 않고 자신의 생각을 제시하지도 않음으로써 나를 곤란하게 만들었다.

5 about its quantity, about its quality | 우리가 충분한 수면을 취하는 것에 관하여 말할 때, 그것은 잠의 양이 아니라 질에 관한 것이다.

1 conflict 갈등 / unavoidable 피할 수 없는 / crucial 중대한, 결정적인
2 distantly 멀리, 떨어져서

B ③ 서술형Q as well as

해석 때로 우리는 삶에서 종결이 일어나면 무언가 크게 잘못될 것임에 틀림없다는 잘못된 믿음을 고수한다. 그러나 이것은 사실이 아니다. 우리의 졸업식을 예로 들어보자. 졸업식은 한 단계의 학교 교육이 종료되었다는 것보다 훨씬 더 많은 것을 의미한다. 졸업은 한 시기의 끝을 나타낼 뿐만 아니라, 새로운 시기의 시작을 축하한다. 그러므로 당신이 어떤 종류든 끝을 경험할 때 그것을 이와 동일한 방식, 즉 끝남인 동시에 시작이라는 식으로 생각하라. 삶은 교실이며, 많은 경우 우리의 끝은 실제로 졸업이거나 아니면 진급이다. 비록 처음에는 그 반대로 느껴질 수도 있지만 말이다. 대부분의 경우, 종결은 우리가 한 가지 교훈을 배운 뒤 그다음 교훈을 배울 준비가 되었기 때문에 찾아온다. 당신의 삶에서 종결이 일어나면 거기에는 목적이 있다는 것을 확신할 수 있다.

해설 졸업이 단순한 학업의 끝이 아니라 새로운 시기의 시작인 것처럼, 삶에서 무엇인가의 끝은 새로운 것의 시작이기도 하다고 말하고 있다. 따라서 끝을 두려워하지 말고, 그것을 다른 방식으로 이해하라는 것이 글의 요지다. 따라서 적절한 제목은 ③.

선택지분석 ① 왜 우리는 끝을 두려워하는가?
② 새로운 시작에 대비하라
③ 끝을 다른 방식으로 이해하라
④ 일을 끝낼 때가 언제인지를 아는 것
⑤ 종결에 대한 여러 가지 오해들

서술형 해설 「not only A but also B」는 'A뿐만 아니라 B도'의 의미로 「B as well as A」로 바꾸어 쓸 수 있다.

어휘 stick to A A를 고수하다, 계속하다 / false belief 잘못된 신념 / era 시기, 시대 / celebrate 기념하다, 축하하다 / promotion 진급, 승진

구문 **[1~2행]** Sometimes we stick to **the false belief** / **that** if an ending comes into our lives, something must be terribly wrong.
that 이하는 the false belief와 동격절이다.
[5~6행] ~, think of it in the same way — as **both** an end (A) **and** a start (B).
「both A and B」 'A와 B 둘 다'

UNIT 04 병렬구문

p. 106

1 performs surgery, runs nutrition programs, provides mental health care
국경없는의사회는 일차 진료를 제공하고, 수술을 시행하며, 영양 프로그램을 진행하고, 정신 건강 관리를 제공한다.
◆ 당신이 만든 원곡을 보호하기 위해, 당신은 예술가로서 자신이 만든 노래를 등록할 수 있고, 그 권리를 타인에게 팔 수 있다.

1 Doctors Without Borders ((기관)) 국경없는의사회 / surgery 수술 / run 운영하다
◆ license 허가하다

2 to learn that you have been accepted to the university of your choice
나는 너의 편지를 받고 네가 선택한 대학에 합격했다는 것을 알고는 매우 기뻤다.
◆ 개인이 자아 존중감을 갖고 있으면 자신을 타인과 비교하거나 다른 사람들을 분열시키거나 우월감을 느낄 필요가 없다.

3 focusing on what is within your control, taking the first logical step
대부분의 장애물은 가능성을 보고 당신의 통제 범위 안에 있는 것에 집중한 다음 첫 번째 논리적 단계를 취함으로써 극복될 수 있다.

4 that he might never regain the full use of his right arm
그 의사는 그가 신경에 손상을 입었으며 오른팔의 기능을 결코 완전히 회복하지 못할 수도 있다고 결론지었다.

Check it Out! 1969년과 1972년 사이에, 미국은 달을 연구하고 암석 샘플을 가지고 지구로 돌아오기 위해 우주비행사들을 달에 보냈다.

2 delighted 매우 기뻐하는
◆ individual 개인; 각각의, 개인의 / self-worth 자아 존중감 / tear apart 분열시키다 / superior 우월한
3 logical 논리적인, 타당한
4 conclude 결론을 내리다 / nerve 신경 / regain 회복하다
Check it out! astronaut 우주비행사

A

1 gives you a headache, makes you tired, causes pain in the muscles around your eyes | 때로 어두운 불빛 아래에서 책을 읽는 것은 두통을 일으키거나 피곤함을 느끼게 하고, 아니면 눈 주위 근육에 통증을 일으킨다.

2 covers the eyes, washes away all the tiny dust particles that may be present | 우리가 눈을 깜박일 때 눈물 막이 눈을 덮어, 있을지 모르는 작은 먼지 입자들을 모두 씻어낸다.

3 analyzing your breath, booking an appointment with your doctor | 그다지 멀지 않은 미래에 당신의 칫솔은 당신의 입김을 분석하여 의사와 진료 예약을 잡을 수 있을 것이다.

4 that praise is vital for happy children, that the most important job in raising a child is nurturing his or her self-esteem | 행복한 아이들에게 칭찬은 필수적이며, 아이를 키우는 데 가장 중요한 일은 자존감을 기르는 것이라고 한다.

5 stand straight, make eye contact, turn towards people | 더 좋은 첫인상을 위해, 아이들에게 이야기할 때 똑바로 서고, 시선을 맞추며, 사람들을 향해 몸을 돌리게 하라.

6 to work alone, to deal with things on an individual basis | 어떤 사람들은 혼자 일하는 것과 상황을 개인적으로 처리하는 것을 선호한다.

2 blink (눈을) 깜박이다 / film 얇은 막 / particle 입자, 조각 / present 존재하는
3 toothbrush 칫솔 / be capable of ~할 수 있다 / analyze 분석하다
4 vital 필수적인; 중요한 / nurture 기르다; 양육하다

B ⑤ 서술형 Q 당신의 자녀가 수업이나 과제를 계획하는 것을 돕거나 아니면 단지 아이가 수업에서 배우고 싶어 하는 것을 확인하도록 돕는 것

해석 학생들이 어릴 때는 그들이 배워야 하는 중요한 것을 ① 결정하도록 도와줄 교사나 부모가 필요하다. 대학에 가서도, 학생들은 여전히 필수 자료들을 학습해야 하지만, 그들이 더 효과적이고 적극적인 학습자가 되면서 그들은 종종 단지 교사가 계획한 것보다 더 많은 것을 ② 성취하기 위한 자기만의 학습 목표를 갖게 된다. 당신의 자녀가 수업이나 과제를 계획하는 것을 돕거나 아니면 단지 아이가 수업에서 배우고 싶어 하는 것을 확인하도록 돕는 것만으로도 자립적인 학습 기술의 발달을 ③ 진작시킨다. 물론, 학생들은 여전히 대수학이나 화학 같은 특정 과목 학습을 도와주는 '전문가'를 필요로 하지만, 그들은 많은 과목에서 어느 정도 자신의 학습을 스스로 ④ 감독할 수 있어야 한다. 결과적으로, 학생들은 단지 그들을 ⑤ 방해하고(→ 이끌어주고), 중요한 답이나 자료를 제공하며, 경험을 나누고, 그들의 이해를 평가해줄 누군가를 필요로 하는 것인지 모른다.

해설 학생들이 자신만의 학습 목표를 가지고 능동적으로 배워가면서, 배워야 할 것을 결정해주기보다는 옆에서 도움을 줄 수 있는 조력자로서의 부모나 교사를 필요로 하게 된다는 내용의 글이다. 따라서, ⑤ disturb(방해하다)는 '안내하다'라는 뜻의 guide로 바꾸는 것이 적절하다.

서술형 해설 주절에서 Helping의 목적격보어로 쓰인 to부정사 to plan과 to just identify가 등위접속사 or로 연결되어 있다. she would ~ in a class는 some things를 수식하는 목적격 관계사절이다.

어휘 instructor 교사, 강사 / independent 자립적인; 독립적인

구문 **[5~6행]** Helping your child to plan classes or lessons, or to just identify *some things* [(*that*) she would like to learn ● in a class], encourages the development of independent learning skills.
(S: Helping ~ a class], V: encourages)
동명사 주어는 단수취급하므로, 단수동사 encourages가 왔다.

[9~11행] Eventually, they may only need *someone* (**to disturb** them, **(to) provide** critical answers or resources, **(to) share** experiences, and **(to) test** their understanding).

to disturb ~ understanding은 someone을 수식하는 형용사적 용법의 to부정사구이다.

Make it Yours

p. 108

1 ④ 2 ③ 3 ④ 4 ④ 5 ②

1 ④

해석 중요한 결정에는 시간, 헌신, 그리고 생각이 필요하다. 우리가 보통 이런 종류의 결정을 성급하게 내리지는 않지만, 많은 사람들은 충동에 근거하여 반려동물을 선택한다. 휴대전화나 자동차는 잘 작동하지 않거나 빨리 흥미가 없어지면 팔거나 웃돈을 주고 새것으로 바꿀 수 있지만, 동물을 상품으로 여겨서는 안 된다. 그리고 우리가 마음이 바뀌면 대학이나 전공을 바꾸는 것과는 달리, 애완동물이 제대로 행동하지 않거나 우리가 나이가 들면서 흥미를 잃으면 그냥 그것을 버리거나 방치할 수 있다고 생각하는 것은 도리에 맞지 않는다. (보살필 동물을 가진다는 것은 인지 기능에 유익할 수 있는 목적의식을 애완동물 소유자에게 줄 수 있다.) 동물을 집에 들이는 것은 큰 조치인데 그 일이 일어나기 전에 내려야 하는 중대한 결정들이 있다.

해설 반려동물은 상품과 달리 마음이 바뀌면 쉽게 교체할 수 있는 대상이 아니므로 소유를 결정하기 전에 신중해야 한다는 것이 글의 요지이다. 따라서 애완동물이 소유주에게 줄 수 있는 이점에 대해 언급한 ④가 글의 흐름에 어울리지 않는다.

어휘 commitment 헌신, 전념 / in haste 서둘러서 / impulse 충동 / trade in 거래하다, ~을 웃돈을 주고 신품과 바꾸다 / commodity 상품 / reasonable 도리에 맞는 / get rid of ~을 버리다 / neglect (돌보지 않고) 방치하다 / beneficial 유익한

구문 [4~7행] And unlike switching colleges or majors / **when** we change our minds, // it(가주어) is not reasonable to assume **that if** a pet doesn't perform well **or** we outgrow our interest, // we can just get rid of it **or** neglect it.(진주어)

it은 가주어이고, 진주어는 to assume 이하이다. that if a pet ~ neglect it은 to assume의 목적어절이다. 진주어절 안의 첫 번째 or은 a pet doesn't perform well과 we outgrow our interest를 병렬 연결하고, 두 번째 or은 동사구 get rid of it과 neglect it을 병렬 연결한다.

2 ③

해석 1990년대 초, 세계무역기구(WTO)는 돌고래를 해치는 참치 그물을 금지하지 않기로 결정했다. 이는 많은 환경 운동가들을 격분시켰다. 그래서 그들은 조직을 구성해 그들이 지지하고자 했던 가치를 만들어가기 시작했다. 그것은 어업인이 단지 참치를 싸게 잡기 위한 이유로 돌고래를 죽여서는 안 된다는 것이었다. 활동가들은 참치 회사에 돌고래를 해치지 않도록 압력을 가하기 위해 소비자와 인터넷의 힘을 빌렸고, 이에 참치 회사들은 고객을 잃고 싶지 않았기 때문에 어업인들에게 돌고래를 해치지 않는 그물을 사용하도록 압력을 가했다. 그 결과, 미국의 식료품 가게에서는 '돌고래 안전'이라는 표시가 붙지 않은 참치 캔을 구입하는 것이 불가능하게 되었다. 그래서 많은 돌고래가 생명을 구했다. 이러한 개선이 가능했던 것은 정부가 개입했기 때문이 아니라, 녹색 운동가들이 시민들의 도움으로 새로운 기준을 만들었기 때문이었다.

해설 환경 운동가들은 자신들의 가치를 실현하기 위해 소비자와 인터넷에 의지했고, 결국 식료품 가게에서 '돌고래 안전'이라는 마크가 붙은 참치 캔만 구입할 수 있는 새로운 기준이 생겼다고 했다. 따라서 빈칸에는 ③이 가장 적절하다.

선택지분석 ① 많은 기부자들로부터 기금을 조성했기
② 공공기관 간의 협조를 구했기
④ 그들이 수호하는 가치를 따라줄 것을 참치 회사들과 협상했기 → 환경 운동가들이 직접 참치 회사와 협상한 것은 아니다.
⑤ 돌고래 죽음의 심각성을 언론에 알렸기

어휘 ban 금지하다 / environmentalist 환경 운동가 / activist 운동가, 활동가 / rely on ~에 의지하다 / label 라벨(상표)을 붙이다; 라벨 / improvement 개선; 향상 **[선택지어휘]** raise funds 기금을 모집하다 / donor 기부자 / cooperation 협력 / negotiate with ~와 협상하다 / seriousness 심각성

구문 [2~4행] So, they got organized and began to shape *the value* [(that) they wanted to support ●] — that fishermen shouldn't kill dolphins simply to catch tuna cheaply.

got organized와 began to shape 이하가 and로 병렬 연결되어 있다.

[7~8행] As a result, **it** has become impossible / **to buy** a can of tuna in an American grocery store [**that** isn't labeled "Dolphin Safe."]

it은 가주어이고, to buy 이하가 진주어이다. 선행사인 a can of tuna를 수식하는 관계사절을 문장 뒤로 보내 관계사절이 선행사와 떨어져 있는 구조이다.

[9~10행] This improvement was possible **not** because the government got involved, **but** because the green activists shaped a new standard with the help of citizens.

「not A but B」는 'A가 아니라 B'의 뜻으로 because가 이끄는 부사절이 상관접속사로 병렬 연결되어 있다.

3 ④

해석 친구와의 관계는 부모, 형제자매 간의 관계와는 매우 다르다. 가족 관계, 특히 어른과 아이 간의 관계와는 다르게, 또래 관계는 관계자들 간의 어느 정도의 평등을 기반으로 하고 있다. 이는 관계의 조건에 대한 더 많은 협상을 가능하게 한다. 또한, 골라서 선택할 수 없는 가족 관계와는 달리, 또래 관계는 비교적 쉽게 형성될 수 있고 그만큼 쉽게 깨질 수 있다. 우리 부모와 형제자매는 그들이나 우리가 좋든 싫든 간에 보통 우리와 함께해야 한다. 하지만 친구들은, 만약 우리가 그들에게 상처를 주거나 짜증나게 하는 어떤 것을 말하거나 행한다면, '나는 더는 네 친구가 아니야.'라고 선언할 위험성이 항상 있다. (또래 관계는 아이들의 인격 형성에 매우 중대한 영향을 끼쳐서 부모는 항상 그것들에 세심한 주의를 기울여야 한다.) 그러므로 아이들은 그 점 때문에 그들의 형제자매와 부모와의 관계보다, 혹은 다른 어떤 어른과의 관계보다, 또래와의 관계를 강화하고 유지하기 위해 훨씬 더 많은 노력을 할 필요가 있다.

해설 부모나 형제 자매 간의 관계와 달리 친구 관계는 협상이 필요하고, 때에 따라 깨질 수도 있으므로, 친구 관계의 강화와 유지를 위해 아이들의 노력이 필요하다는 내용의 글이다. 따라서, 자녀의 성격 형성에 미치는 영향 때문에 부모가 항상 자녀의 친구 관계를 예의 주시해야 한다는 ④는 글의 전체 흐름과 어울리지 않는다.

어휘 sibling (한 명의) 형제자매 / peer 또래; 동료 / negotiation 타협; 교섭 / terms (합의·계약 등의) 조건 / be stuck with ~에 들러붙다 / declare 선언하다 / exert (영향력을) 가하다 / strengthen 강화하다

구문 [1행] Our relationships with friends are very different from **those** with parents and siblings.

앞에 쓰인 명사의 반복 쓰임을 피하기 위한 지시 대명사로 앞의 명사가 단수일 때는 that, 복수일 때는 those로 받는다. 여기는 our relationships를 지칭하므로 those가 사용되었다.

[10~12행] Children therefore need to make much more of *an effort* (to strengthen and maintain relationships with their peers) than ~.

to strengthen ~ peers는 an effort를 수식하는 형용사적 용법의 to부정사로, to strengthen과 (to) maintain이 접속사 and로 병렬 연결되어 있다.

4 ④

해석 텔레비전으로 방송되는 스포츠의 연출에는 고도로 조직되고 통제된 제작이 포함된다. 스포츠 행사 제작과 관련된 ① 복잡성 때문에 가능한 한 많은 변수를 통제하는 것이 중요하다. 제작 스태프에는 보통 제작자, 감독, 실황 방송 아나운서, 카메라 기사, 영상과 소리 조절 기사, 그리고 기술자들 사이의 계급에 따른 업무 ② 분배가 일반적으로 포함된다. 각각의 개인에게는 분명하게 규정된 책임이 있고, 그들은 장비에 어떤 결함이 있더라도 그 책임을 ③ 이행할 것으로 기대된다. 유연성도 훌륭한 특성이긴 하지만, 각각은 기술과 이전의 경험에 따라 특정한 역할에 고용된다. (일과) 관련된 압박은 시간 제약뿐 아니라 ④ 확실성(→ 불확실성)에서도 오는데, 그 이유는 제작자들은 행사 내부적인 것과 외부적인 것 둘 다에서 예측할 수 없는 사건에 대응해야 하기 때문이다. 경기 그 자체는 ⑤ 대본이 없을 수 있지만, 스포츠 행사의 제작은 가능한 한 조직화된다.

해설 스포츠 방송 제작은 복잡성 때문에 가능한 많은 변수를 통제해야 한다는 내용이 글의 처음에 등장하며, 뒤에 이어지는 문장에서 제작자는 행사 안팎의 예측할 수 없는 일들에 대응해야 한다고 했으므로 ④ 'certainty(확실성)'는 'uncertainty(불확실성)'로 고쳐야 한다.

어휘 presentation 연출 / involve 포함하다; 관련시키다 / variable 변수 / hierarchical 계급[계층]에 따른 / division 분배 / operator (장치) 조작자, 기사 / fulfill 이행하다, 수행하다 / deficiency 결함 / flexibility 유연성 / occurrence 발생, 사건 / unscripted 대본이 없는

구문 [6~7행] Each individual has *clearly defined responsibilities*, **which** they are expected to fulfill ● despite any deficiencies in equipment.

which 이하는 clearly defined responsibilities를 보충 설명하는 관계절이다.

[9~11행] The pressures involved come not just from time limitations (A) but also from uncertainty (B), // as producers have to react to unpredictable occurrences both within the event and external to it.

「not just A but also B」는 'A뿐만 아니라 B도'라는 의미이다. 접속사 as는 '이기 때문에'라는 뜻으로 쓰였다. 「both A and B」는 'A와 B 둘 다'의 뜻이다. it은 앞에 나온 the event를 의미한다.

5 ②

해석 당신은 자아상을 갖지 않은 채 태어난 것처럼, 부정적 감정을 갖지 않은 채 태어난다. 당신은 성장하면서 부정적 감정을 배웠음에 틀림없다. 일반적으로 대부분 가족으로부터 부정적 감정을 습득한다. 어머니나 아버지처럼, 자기 자신과 동일시하는 사람들의 부정적 감정과 반응을 모방한다. 누군가가 당신에게 당신의 행동 방식이 적절치 않다고 말하면, 당신은 "난 원래 이래요."라고 말하면서 그들의 조언을 거부한다. 종종 당신은 특정 부정적 감정을 너무 오랫동안 지녀온 나머지, 그것을 인식하지도 못하거나 혹은 그것들이 처음에 어디에서 왔는지도 모른다. 그러나 당신이 확신할 수 있는 한 가지는, 당신은 그것들(부정적 감정)을 타고나지 않았다는 것이다. 그것들은 영구적이지 않다. 원한다면 당신은 그것들로부터 자유로울 수 있다.

↓

부정적 감정은 타고난 것이라기보다는 타인을 (A) 모방함으로써 학습된다. 그러므로 그것은 당신이 원한다면 그것들은 (B) 바로잡힐 수 있다.

해설 부정적 감정은 선천적인 것이 아니라, 후천적이며, 가까운 사람들의 부정적 감정을 모방하면서 배우게 된다고 말했다. 또한, 우리는 원한다면 부정적 감정에서 자유로워질 수 있다고 하였으므로 정답은 ②가 가장 적절하다.

선택지분석

	(A)		(B)
①	가르침	……	구해질
③	모방함	……	지속될
④	거부함	……	지속될
⑤	가르침	……	바로잡힐

어휘 self-image 자아상 / typically 일반적으로, 보통 / inappropriate 부적절한 / input 조언; 투입; 입력 / permanent 영구적인 / inborn 타고난, 선천적인 **[선택지어휘]** lasting 지속적인, 영속적인

구문 [6~7행] Often, you've held certain negative ideas for so long // that you're not even aware of them, or where they came from originally.

「so/such ~ that ...」 구문은 '아주 ~해서 …하다'의 의미이며 「so+형용사[부사]」 또는 「such+(a/an)+(형용사)+명사」 형태가 쓰인다. 전치사 of의 목적어로 them과 where ~ originally가 접속사 or로 병렬 연결되어 있다.

[요약문] Instead of being inborn, / negative emotions are learned by imitating others, // so *(that)* they can be corrected if you want.

「~, so (that) ...」의 형태로, '~ 그래서 …하다'라는 '결과'의 의미를 나타낸다.

CHAPTER 10 관계사절

UNIT 01 관계대명사절 · 관계부사절

p. 112

1 [who want to do well in school]
학교 공부를 잘 하려는 학생들에게, 아침밥은 하루 중 가장 중요한 식사다.
+ Tip 그는 자신의 연구가 비즈니스의 역사와 특히 경영에 집중됐던 경제사학자였다.

2 [that distinguish humans from other animals]
언어는 인간을 다른 동물과 구분하는 중요한 특징 중 하나다.

3 [where anybody can post anything]
인터넷은 누구나 어떤 것이라도 올릴 수 있는 자유로운 공간이기 때문에 온갖 쓸모없는 데이터로 가득할 수 있다.

4 [within which goods and services are produced, distributed, and consumed]
모든 인간 사회는 재화와 서비스가 그 안에서 생산되고 분배되며 소비되는 경제 체계를 가지고 있다.

Check it Out! 삶과 스포츠는 중요하고도 어려운 결정을 내려야 하는 많은 상황을 제시한다.

Tip historian 역사학자 / center on ~에 초점을 맞추다 / administration 경영, 관리; 행정(업무)
4 distribute 분배하다, 나누어 주다 / consume 소비하다

A

1 who need to discuss our problems with others | 우리는 자신의 문제를 타인과 논의할 필요가 있는 사회적 동물이다.

2 where a number of mysterious plane and boat incidents have occurred | 버뮤다 삼각지대는 오래전부터 여러 의문스러운 비행기와 보트 사고가 발생한 곳으로 여겨져 왔다.

3 through which sound is carried | 대부분의 경우 소리는 공기를 통해 귀에 이르지만, 공기가 소리를 전해주는 유일한 매개체는 아니다.

4 that the rain had made | 몇몇 소년들이 비가 만들어 놓은, 길가의 조그만 개울에서 놀고 있었다.

5 when we can search for information about another culture very easily | 우리는 다른 문화에 관한 정보를 매우 쉽게 찾을 수 있는 시대에 살고 있다.

2 incident 사건
3 medium 매체, 수단; (화가·작가 등의) 표현수단
4 roadside 길가, 노변

B ① 서술형 Q ⓓ where → that 또는 which

해석 프랜차이즈 사업의 옹호자들은 그것이 여러분 혼자 힘으로 사업을 시작하는 가장 안전한 방법이라고 오랫동안 주장해 왔다. 거대 체인점들이 후원하는 업계 모임인 국제 프랜차이즈협회(IFA)는 프랜차이즈 가맹점이 개인 사업자에 비해 더 성공적이라는 것을 '증명하는' 연구를 발표해왔다. 1998년 IFA의 한 연구는 전체 가맹점의 92퍼센트가 스스로 '성공했다'고 말했음을 주장했다. 그 조사는 다소 한정적인 표본, 즉 여전히 영업을 하고 있는 가맹점을 바탕으로 이루어졌다. 파산한 가맹점은 성공했다고 느끼는지 전혀 질문받지 않았다. Bates가 수행한 한 연구는 새로 개점한 프랜차이즈 사업체 중 38.1퍼센트가 개점 후 5년 이내에 파산했음을 발견했다. 또 다른 연구에 의하면, 1983년에 프랜차이즈 사업체를 매각하기 시작한 미국 회사들은 1993년쯤에는 4분의 3이 업계에서 사라졌다. Bates는 "요약하자면 자영업으로 프랜차이즈를 택하는 것은 위험할 뿐입니다."라고 주장한다.

해설 IFA가 시행한 연구조사에서의 프랜차이즈 사업의 높은 성공률은 한정된 표본을 대상으로 했음이 지적되었고, 빈칸 문장 바로 앞까지 이어지는 내용은, 다른 연구들이 모두 프랜차이즈 사업의 실패 비율이 매우 높음을 나타내주고 있다는 것이므로 빈칸에 가장 적절한 것은 ①이다.

선택지분석 ② 요즘 성황인
③ 불경기에 타격을 받기 쉬운
④ 비교적 착수하기 쉬운
⑤ 경제 성장과 무관한

서술형 해설 ⓓ 선행사 A study가 관계사절 Bates conducted 내에서 목적어 역할을 하므로, 관계부사가 아닌 관계대명사 that 또는 which가 와야 한다.

어휘 advocate 옹호자, 지지자; ~을 지지하다 / franchise 가맹점 영업권(을 주다); 체인점, 가맹점 / back 도와주다, 후원하다 / fare better 더 잘하다 / independent businessman 자영업자 / survey (설문)조사 / go bankrupt 파산하다 / go under 파산하다 / go out of business 폐업하다 / self-employment 자영(업), 자유업 **[선택지어휘]** at best 잘해야, 기껏 / booming 인기 상승의; 급속히 발전하는 / susceptible 영향받기 쉬운 / recession 불경기, 불황; 후퇴 / undertake 착수하다 / indifferent 무관심한

구문 **[2~4행]** The International Franchise Association (IFA), / *a trade group* (backed by the large chains), / has released *studies* (**"proving" that** franchisees fare better / than independent businessmen).
S = V

"proving" ~ businessmen은 studies를 수식하는 현재분사구이다. that 이하는 "proving"의 목적어로 쓰인 명사절이다.

[6~7행] *Franchisees* **[who'd gone bankrupt]** were never asked / **if** they felt successful.
if절은 '~인지 아닌지'의 뜻으로 동사 asked의 목적어이다.

UNIT 02 다양한 형태의 관계사절

p. 114

1 [that remove germs without the addition of running water]
흐르는 물 없이도 세균을 없애주는 물티슈, 크림, 스프레이들이 가게 선반 위에 있다.

2 [we observe about the universe]
물리학에서 과학자들은 우리가 우주에 관하여 관찰하는 데이터를 설명하고 예측할 수 있도록 모형이나 이론을 만든다.
◆ 독성이 강한, 야생에서 발견되는 몇몇의 버섯 품종이 있다.

3 [who we think had an impact on history]
우리가 역사에 영향을 미쳤다고 생각하는 모든 정치 지도자들은 생각하고 계획하기 위해 혼자 있는 규율을 실천했다.

4 [which has more than a single meaning], [whose context does not clearly indicate which meaning is intended]
애매모호한 용어는 단 하나보다 더 많은 의미를 가지고 있으며, (그 용어가 사용된) 맥락이 어떤 의미를 뜻하는지 분명하게 나타내지 않는 용어이다.

1 wipe 물티슈 / germ 세균
2 ◆ variety 품종; 다양성 / poisonous 유독한
3 discipline 규율; 훈련
4 ambiguous 애매모호한 / context 맥락, 전후 사정 / indicate 나타내다, 보여주다

A

1 something, [you do without thinking] | 호흡은 무의식적으로 하는 일이지만, 의식적으로 조절할 수 있다. **해설** you 앞에 관계대명사 that이 생략되었다.

2 The birds, [that biologists say can sing the loudest and the longest] | 생물학자들이 말하는 가장 크고 가장 길게 노래할 수 있는 새들이 보통 최고의 영역을 차지한다. **해설** that 뒤에 biologists say가 삽입되었다.

3 a song, [that I'd loved when I was a kid] | 지난주에 시내를 운전하던 중에, 내가 어렸을 적 무척 좋아했던 노래가 라디오에서 나오는 것을 들었다.

4 new employees, [who we believed were most competent among the applicants] | 우리는 우리가 생각하기에 지원자 중 가장 유능한 신입사원들을 채용했다.

5 a tree, [that grows in the coldest countries], [that thrives in the Highlands of Scotland as well as in Sweden and Russia] | 자작나무는 가장 추운 나라에서 자라며 스웨덴과 러시아뿐만 아니라 스코틀랜드 고지에서도 무성하게 자라는 나무이다.

1 without thinking 무의식적으로 / consciously 의식적으로
2 biologist 생물학자 / wind up with 결국 ~로 끝내다 / territory 영역; 지역, 영토
4 competent 능숙한 / applicant 지원자
5 thrive 잘 자라다, 번창하다

B ④ 서술형Q 부모가 자녀를 인터넷 시대에 대비시키기 위해 할 수 있는 최선의 것

해석 인터넷과 컴퓨터는 단지 도구일 뿐인데, 한 사람이 미칠 수 있는 범주를 엄청나게 확장시킬 수 있는 훌륭한 도구이다. 그러나 그럼에도 당신은 그것들로부터 최선의 것을 얻는 방법에 대해서는 여전히 알 필요가 있다. 이 도구들은 검색을 할 수는 있지만, 판단은 하지 못한다. 그것들은 당신이 멀리 그리고 넓게 상호 작용할 수 있도록 해주지만 좋은 이웃이 되는 법에 관해서는 아무것도 가르쳐주지 않는

해설 가치판단을 배우기 어려운 인터넷 시대에 부모가 아이들에게 무엇을 해줄 수 있는지 찾아야 한다. 빈칸 뒷부분에서 읽기와 쓰기 같은 전통적인 방법으로 아이들의 소프트웨어가 강해지고 번창할 수 있다고 말하고 있으므로 정답은 ④가 가장 적절하다.

선택지분석 ① 훌륭한 역할 모델이 되어주는
② 신뢰할 수 있는 관계를 만드는
③ 부모의 역할에 대해 깊이 생각하는

다. 부모가 자녀를 인터넷 시대에 대비시키기 위해 할 수 있는 최선의 것은 아이들에게 첨단 기술을 가르치거나 더 빠른 컴퓨터를 사주는 것이 아니라, 더욱 오래된 기본을 강조하는 것이다. 자녀가 번창하는 것을 보고 싶다면 그들만의 개인적인 소프트웨어가 더 강해져야 하는데, 이는 오직 전통적인 방법, 즉 읽기와 쓰기, 종교, 가족으로만 형성될 수 있다. 그것은 인터넷에서 다운로드받을 수 없다. 오직 부모와 교사에 의해 업로드될 수 있을 뿐이다.

⑤ 기술의 균형 있는 사용을 장려하는

서술형 해설 밑줄 친 부분은 문장의 주어부이다. 여기에서 parents can do ~ for the Internet age는 The best thing을 선행사로 하는 관계대명사절로, 앞에 목적격 관계대명사가 생략되어 있다. to prepare 이하는 목적을 나타내는 to부정사구로 해석한다.

어휘 extend 확장하다 / enormously 엄청나게, 대단히 / get the best out of ~을 가장 잘 이용하다 / interact 상호 작용하다 / high-tech 첨단 기술의 **[선택지어휘]** parental 부모의 / old-fashioned 옛날식의; 전통적인 사고방식을 지닌 / fundamental 근본적인 / balanced 균형 잡힌

구문 **[4~6행]** *The best thing* [(*that*) **parents can do / to prepare their kids for the Internet age**] is not **to teach** them high-tech skills, or (***to***) **buy** their kids faster computers, but rather **to stress** more old-fashioned fundamentals.
(S: The best thing ~ age / A: to teach ~ computers / B: to stress ~ fundamentals)

「not A but B」는 'A가 아니라 B인'의 의미로 A, B 자리에 is의 보어인 명사적 역할의 to부정사구가 쓰였다.

[7~8행] If you want to see your kids thrive, // *their own personal software* must be stronger, // **which can only be built in the traditional way**: // by reading, writing, religion, and family.
which는 their own personal software를 선행사로 하여 그것을 부연 설명하는 계속적 용법의 관계대명사이다. 콜론(:) 뒤의 어구는 the traditional way의 구체적 내용이다.

UNIT 03 보충 설명하는 관계사절

p. 116

1 good bacteria
맹장은 유익한 박테리아의 '은신처' 역할을 하는데, 이 박테리아는 사람들이 음식을 소화하고 '유해한' 박테리아를 물리치도록 돕는다.
+Tip 이 지식경제에서, 이는 날이 갈수록 점점 더 중요해지는데, 당신은 글을 잘 쓰는 법을 배울 필요가 있다.

2 one big contest
만약 당신이 세계를, 모든 사람이 다른 모든 사람과 경쟁하는 하나의 거대한 시합으로 본다면 당신은 결코 만족하지 않을 것이다.

3 Food becomes smaller in your mouth
음식은 당신의 입속에서 더 작아지는데, 이는 소화 과정의 다음 단계에 도움을 준다.

Check it Out! 그에게는 경찰관이 된 두 여동생이 있다. / 그에게는 두 여동생이 있는데, 그들은 경찰관이 되었다.

1 serve ~로 쓰일 수 있다, ~로 적합하다 / fight off ~와 싸워 물리치다
2 compete 경쟁하다
3 digestive 소화의

A

1 meetings, [which aren't very productive] | 월요일에는 회의가 지나치게 많은데, 이는 그다지 생산적이지 못하다.

2 their own gardens, [in which they cultivate vegetables] | 그들은 근처에 자신들만의 밭을 갖고 있는데, 이곳에서 채소를 재배한다.

3 the surrounding muscles, [which act as a support system] | 무릎의 힘을 키우기 위해서는 무릎 주위의 근육을 강화해야 하는데, 이 근육이 지탱하는 시스템 역할을 한다.

4 the golden age of ancient Greece, [when Greek thinkers laid the foundations for modern Western politics, philosophy, science, and law] | 현대 서양사상의 기원은 고대 그리스의 황금시대까지 거슬러 올라갈 수 있는데, 그 당시에 그리스 사상가들은 현대 서구의 정치, 철학, 과학, 그리고 법률의 토대를 마련했다.

5 a notice board, [where you can pin up important notes] | 당신의 방에 게시판을 달 수 있는데, 여기에 중요한 메모를 핀으로 꽂아둘 수 있다.

1 overload 과적하다; 너무 많이 주다 / productive 생산적인; 생산하는
4 contemporary 현대의; 동시대의 / trace back to A 기원[유래]이 A까지 거슬러 올라가다 / philosophy 철학
5 pin up ~을 핀으로 고정하다

B ④ 서술형 Q ⓐ who ⓑ which ⓒ which

해석 창의적인 천재들의 삶을 살펴보면 그들의 신념과 창의성이 밀접하게 연관되어 있다는 것을 발견한다. 한 예가 미켈란젤로인데, 그는 시스틴 성당의 프레스코화를 그리는 데 고용되었다.
(B) 미켈란젤로의 경쟁자들은 그가 복잡한 과정을 거치는 프레스코화를 한 번도 그려본 적이 없다는 사실을 알고 있었기 때문에 미켈란젤로를 고용하도록 교황 율리우스 2세를 설득했다. 그의 경쟁자들은 미켈란젤로가 그 일을 거절하거나 아니면 수락하더라도 그 결과가 시원치 않을 것이라고 확신했다.
(C) 그러나 미켈란젤로는 자신이 세계에서 가장 위대한 화가이며 어떤 재료를 사용해서도 걸작을 만들 수 있다고 믿었다. 그는 그 일을 수락함으로써 그 신념에 따라 행동했다.
(A) 그는 매우 불편한 가운데 프레스코화를 작업했는데, 위를 쳐다보며 작업해야 했기 때문에 이는 그의 시력을 크게 손상시켰다. 그러나 그는 최선을 다함으로써 자신을 당대 최고의 화가로 자리매김하게 만든 걸작을 창조했다.

해설 미켈란젤로가 프레스코화를 그리도록 고용되었다는 주어진 문장 뒤에, 미켈란젤로가 어떻게 고용되었는지 설명하고 있는 (B)가 오는 것이 적절하다. (B) 뒤에는 미켈란젤로가 경쟁자들의 예상에도 불구하고 그 일을 받아들였다는 내용인 (C)가 오고, 마지막으로 결국 미켈란젤로가 걸작을 창조했다는 (A)의 내용이 이어지는 것이 자연스럽다. 따라서 순서는 (B) - (C) - (A).

서술형 해설 ⓐ Michelangelo를 선행사로 하는 계속적 용법의 관계대명사 who가 와야 한다. ⓑ 앞에 나온 현재분사구 having to work looking upward를 부연 설명하는 계속적 용법의 관계대명사 which가 알맞다. ⓒ a fresco를 선행사로 하는 계속적 용법의 관계대명사 which가 적절하다.

어휘 execute (예술 작품을) 만들어내다; 실행하다; 해내다 / discomfort 불편 / upward 위쪽을 향해 / sight 시력 / masterpiece 걸작 / establish (지위·명성 등을) 확고히 하다 / complicated 복잡한 / competitor 경쟁자 / be convinced 확신하다, 납득하다 / turn down ~을 거절[거부]하다 / act on ~에 따라 행동하다

구문 [7~8행] His rivals persuaded Pope Julius II to hire him // because they knew Michelangelo **had** never **painted** *a fresco*, // **which included a complicated process.**
had painted는 주절의 시제인 과거보다 더 이전의 일에 대해 이야기하는 과거완료로 '경험'의 의미를 갖는다.

Make it Yours

p. 118

1 ③ 2 ③ 3 ⑤ 4 ④ 5 ⑤

1 ③

해석 과학자들은 영장류와 다른 동물들이 간단한 도구를 사용하도록 훈련했을 때, 뇌가 기술에 의해 얼마나 깊이 영향을 받을 수 있는지를 발견했다.
(B) 예를 들어, 원숭이들에게 그렇지 않으면(도구를 사용하지 않으면) 잡을 수 없는 음식에 다다르기 위해 갈퀴와 집게를 사용하는 법을 가르쳤다. 연구자들이 원숭이의 신경 활동을 관찰했을 때, 도구를 붙잡는 손을 통제하는 데 관여하는 시각령과 운동령에서의 상당한 성장을 발견했다.
(C) 하지만 연구자들은 훨씬 더 주목할 만한 것도 발견했다. 그 자료는 갈퀴와 집게가 실제로 원숭이 뇌의 신경 경로 속으로 통합되었다는 것을 보여주었다.
(A) 원숭이들의 뇌에 관한 한, 그 도구들은 그들 신체의 일부분이 되었다. 집게를 가지고 실험을 계획한 연구자들이 설명했듯이, 원숭이의 뇌는 집게가 이제 손가락인 것처럼 행동하기 시작했다.

해설 주어진 글은 과학자들이 동물에게 도구를 사용하도록 훈련하며 뇌가 기술에 의해 깊이 영향을 받음을 발견했다는 내용으로, 바로 뒤에는 훈련의 구체적인 내용과 그 결과를 설명한 (B)가 와야 적절하다. 다음으로는 그 결과 외에 훈련에 사용한 도구가 실제로 원숭이 뇌의 신경 경로 속으로 통합되었다는 또 다른 발견을 언급한 (C)가 와야 하며, (C)에 부연하여 원숭이의 뇌는 도구가 손의 일부인 것처럼 행동했다는 (A)가 오는 것이 자연스럽다.

어휘 primate 영장류 / profoundly 깊이; 완전히 / plier 집게 / rake 갈퀴, 갈퀴로 모으다 / otherwise (만약) 그렇지 않으면[않았다면] / beyond A's grasp A의 손이 닿지 않는 곳에 / neural 신경(계통)의 / visual area 시각령(대뇌에 있는 시각에 관계된 영역) / motor area 운동령(대뇌에서 운동 발현에 관계된 영역) / striking 주목할 만한, 눈에 띄는; 인상적인 / incorporate A into B A를 B(의 일부)로 집어넣다[포함하다]

구문 [4~5행] As *the researchers* **[who designed the experiment with the pliers]** explained, // the monkeys' brains began to act / as if the pliers were now fingers.
[7~9행] When researchers monitored the animals' neural activity, // they found significant growth / in *the visual and motor areas* ((*which were*) involved in controlling the hands **[that held the tools]**).
involved ~ tools는 the visual and motor areas를 수식하는 과거분사구로, involved 앞에 「관계대명사+be동사」인 which were가 생략되어 있다고 볼 수 있다. that held the tools는 the hands를 선행사로 하는 관계대명사절이다.

2 ③

해석 항구에 이르자, Fil은 배에서 달려 나갔다. 그는 줄 앞으로 가능한 한 가까이 밀치고 나아갔다. 배에서 내리기를 그만큼이나 열망하던 다른 승객들은 그를 뒤로 떠밀었다. 신고할 것도 별로 없이 세관을 통과한 후, 앞으로 살게 될 버마의 랑군이라는 새로운 도시에서 그의 앞에 완전히 새로운 인생이 펼쳐졌다. 지금, 여기에서 그는 가장 먼 땅에 있었다. 그는 극동에 대한 모든 놀라운 일들에 대해 들었었는데 이제 그는 이 모든 이국적이고 낯선 장소들, 음식과 사람들을 실제로 경험하고 있었다. 그것은 그와 그의 가족들에게 큰 도약이었다. 고향에서 이렇게 멀리 떨어져서 돌아다녀본 사람은 아무도 없었다.

해설 이 글은 Fil이 항해 끝에 이국의 새로운 도시에 내려서, 말로만 들은 새로운 경험을 직접 하게 된 상황이므로 그의 심경으로 가장 적절한 것은 ③ '흥분한, 들뜬'이다.

선택지분석 ① 지루해하는 ② 외로워하는 ④ 당황한 ⑤ 지친

어휘 port 항구 / queue 줄 / eager 열망하는 / customs 세관 / declare (세관에 과세 물품을) 신고하다 / wonder 경이(로운 것), 불가사의 / the Far East 극동 / exotic 이국적인 / wander 돌아다니다

구문 **[2~3행]** *The other passengers*, [who were just as eager as he was to get off the ship], pushed him back.
who ~ the ship은 The other passengers를 선행사로 하는 계속적 용법의 관계대명사절이다.

[4~5행] ~, he had a whole new life ahead of him in *the new city* [(*which[that]*) he was to live in]: ~.
he was to live in은 앞에 목적격 관계대명사 which[that]가 생략되어 the new city를 수식한다. was to live in의 「be to-v」는 'v할 예정이다'의 뜻이다.

3 ⑤

해석 외국인이 당신이 사는 나라에 관하여 성급한 결론을 내렸는데 당신이 그에 동의하지 않는다면 당신은 뭐라고 말해야 할까? 우선, 흥분하지 마라. 대신에, 당신은 다음과 같이 말할 수 있다. "그렇게 보일 수도 있지만, 나를 포함해 여기 사는 대부분의 사람이 그와 같은 의견을 가지고 있다고 생각하지 않습니다." "당신은 왜 아이를 갖지 않습니까?"와 같이 매우 사적으로 보이는 외국인의 질문은 그가 사는 나라에서는 받아들여질 수도 있으므로, 그것을 단지 당신의 문화에 대한 진실한 호기심으로 간주하라. 또한, 당신은 일부 개인적인 질문들에 대해 다음과 같이 일반적인 대답을 할 수 있다. "이 나라에는 결혼하고도 아이를 갖지 않는 많은 부부들이 있는데, 그들 모두 틀림없이 그들만의 이유가 있을 거라 확신합니다." 만약 그 사람이 그 점을 재차 끄집어내는데 당신은 더는 구체적으로 말하고 싶지 않다면, "그건 내가 논의하기에 편하지 않은 주제군요."라고 말하라.

해설 외국인이 나의 나라에 대해 성급한 결론을 내리거나 사적인 질문을 할 때 어떻게 대응할 수 있는지 제시하고 있다. 따라서 글의 주제는 ⑤가 적절하다.

선택지분석 ① 외국인에게 친근하게 대하는 몇 가지 방법
② 다양한 문화에서 허용되지 않는 질문들
③ 신중한 결론을 내리는 것의 중요성
④ 문화적 차이를 이해할 필요성
⑤ 외국인의 난처한 질문에 대처하는 방법

어휘 jump to a conclusion 속단하다 / acceptable 용인되는; 받아들일 수 있는 (↔ unacceptable 받아들일 수 없는) / genuine 진실한; 진짜의 / press (무엇을 하도록) 압력[압박]을 가하다 **[선택지어휘]** awkward (처리하기가) 곤란한; 어색한

구문 **[4~6행]** *Questions* (from a foreigner) [which seem quite personal], / such as "Why don't you have any children?" / might be acceptable in his homeland, ~.
선행사인 Questions를 수식하는 전명구 때문에 관계사절이 선행사와 떨어져 있는 구조이다.

[7~8행] ~, such as "There are *lots of married couples* (in this country) [who don't have children], // and I'm sure they all have their own reasons."

4 ④

해석 과거에는 의복을 거의 혹은 전혀 입지 않았던 지역으로까지 서양 의복이 확산된 것은 때때로 건강과 청결이라는 관점에서 비참한 결과들을 초래했다. 그러한 많은 경우에 사람들은 의복이라는 복합적 요소 중 단 하나의 부분, 즉 의복의 착용만을 받아들였다. 그들은 의복의 관리에 대해서는 전혀 몰랐고 많은 경우에 그러한 관리를 위해 필요한 장비가 부족했다. 옷을 입지 않았을 때, 그들의 몸은 빗속에서 몸을 씻는 샤워를 했고, 벌거벗은 피부는 햇볕과 공기 중에서 빨리 말랐다. 그러나 그들이 의복을 얻었을 때, 소나기는 벌거벗은 몸만큼 빨리 마르지 않는 젖은 옷을 의미했고, 따라서 폐렴이나 다른 폐 질환들이 때때로 생겨났다. 그들이 옷을 세탁하는 법을 알았더라도

해설 의복 착용의 관습이 없던 곳에 의복이 전파되었을 때 단지 의복의 '착용'만이 전파되었고 의복의 '관리' 방법은 전파되지 않아서 사람들은 옷을 세탁하지 않았고, 비에 젖은 옷을 그대로 착용하여 폐렴 등의 질환을 앓게 되었으므로, 정답은 ④.

선택지분석 ① 문화유산의 지역적 가치와 충돌하게 되었다
② 사회에 예기치 못한 긍정적인 변화를 초래했다
③ 사람들이 서로 사귈 수 있는 기회를 제공했다
⑤ 현대 문명의 발달에 영향을 주고 (그것을) 가속화했다

옷을 세탁하기 위한 물이 보통 그들에게 거의 혹은 전혀 없었다. 갈아입을 새 옷이 없어서 사람들은 대개 그들이 갖고 있는 것을 그냥 그 옷이 닳아서 해질 때까지 입었다.

어휘 **spread** 확산, 전파 / **clothing** 의류 / **take over** 인수하다, 인계받다 / **cleanse** (피부·상처를) 세척하다 / **bare** 벌거벗은 / **lung** 폐 / **result** (~의 결과로) 발생하다 / **fall apart** 다 허물어질 정도이다 **[선택지어휘]** **come into conflict with** ~와 충돌하다 / **valuation** (평가된) 가치 / **heritage** 유산 / **disastrous** 처참한, 형편없는 / **cleanliness** 청결함 / **accelerate** 가속화하다

구문 **[1~2행]** The spread of Western clothing to *areas* **[in which little or no clothing was worn in the past]** / has sometimes produced disastrous results / in terms of health and cleanliness.
in which ~ in the past는 areas를 수식하는 「전치사+관계대명사」 절로, in which는 where로 바꿔 쓸 수 있다.

[10~11행] There were no *fresh clothes* (to change into) // so people usually simply wore **what they had** / until the clothes fell apart.
to change into는 fresh clothes를 수식하는 형용사적 용법의 to부정사구이다. 접속사 so는 '그래서'의 뜻이며, what they had는 wore의 목적어로 쓰인 관계대명사절이다.

5 ⑤

해석 비교적 최근까지 스웨덴은 농업 기반의 사회였다. 1900년대 초 산업혁명이 노동자들을 도시로 유입시킬 때까지 대략 90%의 가정이 농장에서 살았다. 스웨덴은 산업화한 도시 기반의 나라로 ① 급격히 바뀌었으며, 단지 2%의 인구만이 현재 농업에 종사하고 있다. 따라서, 많은 스웨덴 사람들은 농장에서의 삶을 기억하거나, 그에 대한 이야기를 틀림없이 들어왔다. 농장에 대한 ② 유대감은 매우 강하고 대단히 개인적이다. 비록 대부분의 스웨덴 사람들은 일상적인 도시 생활을 즐기긴 하지만, 그 과거가 그렇게 ③ 멀지 않기 때문에, 스웨덴 사람들은 마음속으로는 여전히 조상들의 방식으로 쉽게 돌아갈 수 있는 농부들이다. 농장으로 돌아가고 자연으로 돌아가자는 낭만주의가 스웨덴 문화의 큰 부분을 구성한다. 스웨덴 사람들은 자신들에게 더 소박했던 시절을 생각나게 할 수 있는 시골로 ④ 탈출하기를 갈망한다. 이것은 또한 다른 곳의 젊은이들과 마찬가지로, 컴퓨터와 스마트폰에 상당히 많은 양의 시간을 바치는 것처럼 보이는 젊은 스웨덴 사람에게도 마찬가지이다. 하지만(많은 시간을 전자기기를 사용하며 보내기는 하지만), 시골에 있는 동안에 이 젊은 스웨덴 사람들은 자신들의 부모와 ⑤ 반대되는(→ 유사한) 방식으로 행동한다.

해설 This is also true of younger Swedes(이것은 또한 젊은 스웨덴 사람들에게도 마찬가지이다)라는 말을 통해 스웨덴의 젊은이들도 부모들처럼 시골 생활을 동경한다는 것을 알 수 있으므로, ⑤는 similar와 같이 유사성을 나타내는 단어로 바꾸어야 한다.

어휘 **agriculturally** 농업적으로, 농사와 관련하여 / **Industrial Revolution** 산업혁명 / **Swede** 스웨덴 사람 / **tie** 유대감, 유대 관계 / **peasant** 농부, 소작농 / **romanticism** 낭만주의 / **constitute** 구성하다, 이루다; 설립[제정]하다 / **long for** ~을 갈망하다 / **remind A of B** A에게 B를 생각나게 하다[상기시키다] / **counterpart** 대응 관계에 있는 사람[것]; 상대 / **elsewhere** 어딘가 다른 곳에서 / **devote A to B** B에 A를 바치다[쏟다] / **significant** 상당한; 중요한 / **fashion** 방법, 방식

구문 **[6~8행]** Although they enjoy everyday city life, // most Swedes are still *peasants* at heart **[who could easily return to the ways of their ancestors]**, // because the past is not too distant.
관계대명사 who가 가리키는 선행사는 바로 앞에 있는 heart가 아니라 peasants이다.

[10~12행] This is also true of *younger Swedes* **[who, (similar to their counterparts elsewhere), seem to devote a significant amount of time ~ and smartphones]**.
주격 관계대명사 who가 이끄는 절은 앞의 younger Swedes를 수식한다. similar to their counterparts elsewhere는 관계사절 속의 삽입구이다.

CHAPTER 11 비교구문

UNIT 01 원급을 이용한 표현

p. 122

1 금속은 돌만큼 단단하지만 플라스틱과 비슷한 성질을 지녔으며 거의 무한히 재사용이 가능하다.
◆ 나의 생활 방식이 다른 사람들의 생활 방식만큼 다채롭거나 신나지는 않지만, 적어도 나에게 안정감을 준다.

2 오늘날, 미국 성인 인구의 무려 8~10%는 무절제한 쇼핑객일지도 모른다.
+Tip 저 작은 마을에 새로 생긴 무역센터에는 매년 무려 300만 명의 방문객들이 온다.

3 일부 소설가들은 자신의 이야기에 가능한 한 많은 등장인물을 포함시키는 것을 선호한다.

4 한 연구는, 매력적인 후보자가 매력적이지 않은 후보자보다 2.5배 더 많은 표를 얻었다는 것을 발견했다.

1 **behave** 성질[반응]을 보이다, 나타내다 / **infinitely** 무한히; 엄청 / **reusable** 재사용할 수 있는
3 **novelist** 소설가
4 **candidate** 후보자; 지원자

A

1 weren't as flat as they are today

2 destroyed as many as 13,000 homes and caused as much as $2 billion

3 hold on to as much water as possible

4 about four times as high as

2 **go through** ~을 겪다; ~을 통과하다; ~을 조사하다
3 **hold on to A** A를 계속 보유하다 / **contract** 수축하다; 계약하다 / **minimize** 최소화하다
4 **fossil fuel** 화석 연료 / **renewable** 재생 가능한 것

B ④ 서술형Q 스트레스를 받는 사람들이 스트레스가 없는 사람들보다 흔한 감기로 고생할 확률이 세 배 더 높았다

해석 놀랄 것 없이, 만성적인 스트레스를 겪는 사람들은 더 자주 아프다. 한 연구는 스트레스를 받는 사람들이 스트레스가 없는 사람들보다 흔한 감기로 고생할 확률이 세 배 더 높다는 것을 보여주었다. 그것은 스트레스가 면역 체계에 영향을 미치기 때문이다. 마찬가지로, 뇌도 면역 체계만큼이나 스트레스에 민감하다. 스트레스를 받은 경험에 대한 기억은 뇌와 신체가 강제로 (거기에) 주의를 기울이게 되므로 더 쉽게 형성된다. 스트레스가 지나치게 심하지 않은 경우, 뇌는 실제로 더 잘 수행할 수 있다. 하지만, 장기간에 걸쳐 스트레스가 지나치게 심하면 그것은 학습에 해를 끼치기 시작한다. 당신은 일상생활에서 스트레스가 학습에 미치는 영향을 확인할 수 있다. 스트레스를 받는 사람들은 스트레스를 받지 않는 사람들만큼 효과적으로 수학을 하지 못하거나 언어를 처리하지 못하거나 혹은 오래된 정보들을 새로운 계획에 적용하지 못한다.

해설 주어진 문장은 스트레스와 뇌의 상관관계에 대해 말하며, 스트레스가 심하지 않을 때는 뇌가 잘 수행한다고 설명한다. 따라서, 이 문장은 역접의 접속사 However로 시작하며, 스트레스가 심할 때 뇌에 미치는 영향력에 대해 설명하고 있는 문장 앞인 ④에 오는 것이 가장 적절하다.

서술형 해설 「배수사 + as + 원급 + as ~」는 '~보다 …배 더 ~하다'라는 뜻으로, stressed individuals와 individuals without stress가 비교 대상이다.

어휘 **severe** 극심한, 심각한 / **chronic** 만성적인 / **immune system** 면역 체계 / **sensitive** 민감한; 세심한 / **effectively** 효과적으로

구문 [5~6행] ~, the brain(A) is just as *sensitive to stress* as the immune system(B) is.
「as + 원급 + as」는 비교 대상에 정도의 차이가 없음을 나타낸다.

[9~10행] Stressed people(A) can't do math, process language, or adapt old pieces of information to new scenarios as *effectively* as non-stressed individuals(B).
do math, process language, adapt ~ new scenarios는 or로 병렬 연결된 구조이며, 모두 can't에 이어진다.

UNIT 02 비교급을 이용한 표현

p. 124

1 인간으로서, 우리의 시각은 다른 감각들보다 더 고도로 발달되어 있기 때문에 우리는 '눈으로 먹는다'.
◆ 스케이트보드와 스노보드의 차이점은, 넘어졌을 때 눈보다 아스팔트에서 훨씬 더 다치기 쉽다는 것이다.
+Tip 인종 차별은 한 인종 집단이 선천적으로 다른 인종 집단보다 우월하다는 믿음에서 비롯된다.

2 의사 결정자가 더 많은 지식과 경험을 가질수록, 좋은 결정을 내릴 가능성은 더 크다.

3 무언가 재미있는 것을 보거나 들을 때, 혼자 있을 때보다 다른 사람과 같이 있으면 웃을 확률이 30배나 더 높아지는 것 같다.

1 **highly** 고도로; 대단히, 매우
◆ **asphalt** 아스팔트
Tip inferior 열등한; 하위의 / **preferable** 선호되는, 더 좋은 / **racism** 인종차별 / **innately** 선천적으로
2 **chance** 가능성

A

1 more useful than intellectual ability

2 The more meaning you pack, the fewer words are needed

3 at least 20 times more smell-related cells

1 **common sense** 상식, 사리 분별
2 **get across** 전달하다, 이해시키다
3 **-related** ~와 관련된

B ⑤ 서술형Q the more optimistic and confident we will feel 또는 the more we will feel optimistic and confident

해석 우리가 결과를 통제할 수 있다고 믿는 것이 침착함과 동기를 증가시킨다. 기질, 운, 운명, 타인, 혹은 날씨 등의 외적 원인이 우리가 원하는 결과를 통제한다는 과장된 믿음은 "왜 시도해보겠는가?"와 같은 무관심한 태도로 이어질 수 있다. 우리는 이러한 강력한 외적 힘에 대한 약한 희생자가 되는 역할로 빠져들 수 있다. 우리가 결과를 통제할 수 있다고 더 많이 믿으면 믿을수록, 우리는 더 낙천적이고 자신감을 느끼게 될 것이다. 우리가 우리의 궁극적 관심의 만족을 통제할 수 있다고 믿는 것은 깊고 널리 퍼진 낙천주의를 만들어내는 데 도움이 된다. 우리의 행복이 우리의 생각에 의해 결정된다는 것을 아는 것과 우리가 우리의 생각을 통제할 수 있음을 아는 것은 저 깊은 낙천주의의 기둥이다.

해설 외적 요인이 결과를 통제한다는 믿음은 무관심한 태도를 낳는 반면, 자신이 결과를 통제할 수 있다는 믿음은 자신감과 낙천성을 북돋아 준다는 내용이다. 그러므로, 제목으로 가장 적절한 것은 ⑤ '자율권을 부여받았다고 느끼는 것: 행복의 핵심'이다.

선택지분석 ① 희생자가 되는 것에서 위안을 얻어라
② 내면의 갈등에 영향받지 마라
③ 결과를 통제한다는 환상
④ 자신감이 덜한 사람이 더 낙천적으로 된다

서술형 해설 「the 비교급 ~, the 비교급 …」 구문으로, 「the + 비교급 + 주어 +동사」의 순으로 써야 한다.

어휘 **exaggerate** 과장하다 / **outcome** 결과 / **external** 외부의, 밖의 / **slip** 빠지다, 처하게 되다; 미끄러지다 / **optimistic** 낙천적인 ***optimism** 낙천주의 / **ultimate** 궁극적인 / **pervasive** 만연하는 / **pillar** 기둥 **[선택지어휘] empower** 권한을 주다

구문 **[1~3행] Exaggerated beliefs** **that** external causes — nature, luck, fate, other people, or the weather — control *the outcomes* [(*that*) we want ●] / can lead to a "why try?" apathetic attitude.
S = V
동사는 can lead이며, that ~ want는 주어 Exaggerated beliefs와 동격을 이루고, the outcomes 뒤에 목적격 관계대명사 that이 생략되었다.
[4~5행] The more we believe that we can control the outcomes, the more optimistic and confident we will feel.
「the+비교급 ~, the+비교급 …」은 '~하면 할수록 더 …하다'라는 뜻.

UNIT 03 최상급 표현

p. 126

1 어떤 실험에서든 가장 중요한 부분은 그것(실험)을 안전하게 수행하는 것이다.

2 당신의 꿈을 위한 지지를 받기 위해 당신이 할 수 있는 가장 좋은 일 중 하나는 다른 누군가의 꿈을 먼저 지지하는 것이다.

3 아이들에게 자신들이 쓸 돈을 주는 것보다 물건의 값어치에 관하여 더 빨리 가르쳐주는 것은 없다.

1 **conduct** (특정 활동을) 수행하다

A

1 one of the largest industries

2 The most effective way to learn English

3 nothing is superior to preparing your food

1 manufacturing 제조업
2 immerse 몰두하다, 몰두하게 만들다
3 when it comes to ~에 관한 한 / feed 영양분을 주다

B ③ 서술형Q No other thing, as[so] much as

해석 누군가를 알게 되는 과정은 많은 대화를 수반한다. 그러나 당신이 거쳐야 할 가장 중요한 단계 중 하나는 그들이 각기 다른 상황에서 어떻게 행동하는지 관찰하는 것이다. 그들이 다른 사람들, 특히 서비스를 제공하고 있는 사람들을 어떻게 대하는가? 그들은 어떤 성미를 보이는가? 그들은 좌절에 어떻게 대처하는가? 그들은 어떤 부류의 운전자인가? 그들의 돈 관계는 어떠한가? 다시 말해, 우리는 새 친구의 인생 철학이 우리 자신의 것과 맞는지 보기 위해 그것을 알아내려고 한다. 만약 우리가 냉담함보다 친절을, 경쟁보다 팀워크를, 탐욕보다 관대함을 중요시한다면, 우리는 이런 생각들에 따라 행동하는 친구들을 원한다. 낯선 사람과 함께 시간을 보내는 것보다 그 사람에 관해 더 많이 가르쳐주는 것은 없다.

해설 누군가를 알려면 함께 시간을 보내며 그 사람의 행동방식을 살펴보는 것이 가장 좋은 방법이라고 했으므로, 정답은 ③.

선택지분석 ① 당신이 어떤 가치를 소중하게 여기는지 공유하는
② 그들이 당신에게 주는 첫인상에 의지하는
④ 다른 사람들에게 그들의 철학과 성격에 대해 묻는
⑤ 그들이 당신과 비슷한 취미를 가지고 있는지 알아보는

서술형 해설 ⓐ는 비교급을 이용해 최상급의 의미를 나타낸 것으로, 같은 의미를 나타내려면, 「no other+단수명사 ~ as[so]+원급+as」 구문으로 쓴다.

어휘 go through ~을 거치다 / temper 성미, 성질 / deal with ~을 다루다, 처리하다 / frustration 좌절(감) / figure out 알아내다 / philosophy 철학 / coldness 냉담함 / generosity 관대함, 너그러움 / greed 탐욕 / in line with ~와 일치하여, ~을 따라 **[선택지어휘]** observe 관찰하다; 준수하다

구문 **[1~2행]** But one of *the most important steps* [you need to go through] **is** **to observe how** they behave in different situations.
(S: one of ... go through] / V: is / C: to observe ... situations)

「one of the 최상급 + 복수명사」는 '가장 ~한 것들 중 하나'라고 해석하며, one이 주어이므로 단수 동사 is를 쓴다. to observe 이하는 보어로 쓰인 명사적 용법의 to-v이며, how가 이끄는 간접의문문은 observe의 목적어로 쓰였다.

[5~6행] We are attempting, **in other words, to figure out** our new friend's philosophy of life / **to see if** it matches with our own.
in other words는 삽입어구이며, attempting의 목적어로 to figure out ~이 연결된다. to see 이하는 '목적'을 나타내는 부사적 용법의 to부정사이며, if는 see의 목적어절을 이끄는 접속사로 '~인지 아닌지'라고 해석한다.

[8~9행] **Nothing** teaches you about a stranger **more than** spending time with him.
비교급을 사용해 최상의 의미를 나타낸 것으로 '…보다 더 ~한 것은 없다'라고 해석한다.

Make it Yours

p. 128

1 ③ 2 ① 3 ④ 4 ③ 5 ④

1 ③

해석 손톱은 하루에 0.1mm 정도씩 자란다. 발톱은 손톱보다 느리게 자라며, 약물이나 질병으로 (손톱이나 발톱이) 자라는 속도가 변할 수 있다. 손가락마다 차이가 있는데, 중지와 약지는 엄지와 새끼손가락보다 조금 더 빨리 자라는 경향이 있다. (스트레스와 불안은 대부분의 사람에게 있어서 손톱을 물어뜯는 주요 원인이며, 그 습관은 심각한 손상을 일으킬 수 있다.) 어떤 연구는 손발톱이 여름에 더 빨리 자라는 한편, 겨울과 추운 환경은 손발톱의 성장을 늦추는 경향이 있음을 보여준다. 다른 연구들은, 적어도 오른손잡이인 사람에게 있어서

해설 지문은 손발톱이 자라는 속도에 관하여 설명하고 있다. ③은 손톱을 물어뜯는 이유와 그 결과에 대해 말하고 있어 손발톱의 성장과는 관계가 없으므로 글의 전체 흐름과 어울리지 않는다.

어휘 anxiety 불안, 염려; 열망 / indicate 보여주다, 나타내다 / right-handed 오른손잡이인 / stimulation 자극

는 오른손 손톱이 왼손보다 더 빨리 자라며, 마사지와 같은 자극은 손발톱이 더 빨리 자라도록 돕는다는 것을 발견한 것으로 보인다.

구문 **[7~9행]** Other studies seem to find / **that** the right-hand fingernails grow **faster than** the left, at least for right-handed individuals, / and **that** stimulation, such as massage, helps them grow faster.
find의 목적어로 두 개의 that절이 병렬 연결된 구조이다.

2 ①

해석 다른 사람과 지속적이고 만족스러운 유대감을 형성하는 것은 우리가 어떤 성격 특질을 원하는지 아는 것과 많은 운을 필요로 한다. 우리는 우리가 찾는 긍정적인 특성에 대해 알고 있지만 (그 긍정적 특성을 지닌) 그나 그녀를 만날 행운을 갖지 못한 것일 수도 있다. 이 경우, 대개 우리가 느끼는 외로움의 깊이에 따라 덜 어울리는 누군가를 받아들인다. 그러나 우리가 인내심을 더 많이 가질수록 우리가 꿈꾸는 사람을 만날 수 있는 시간은 더 많아진다. 세상은 많은 아름다운 사람들로 가득해서, 완벽한 한 사람을 발견할 것이라고 믿기 어려울 수 있다. 그럼에도, 당신의 여정의 끝 어딘가에는 당신에게 적합한 사람이 있다. 약간의 지식과 운, 그리고 특히 인내심을 가지면 이 운명은 당신의 것이 될 수 있다.

해설 중반부의 However 이후에 글의 요지가 드러나 있다. 우리가 원하는 긍정적인 특성을 가진 사람을 만날 때까지 인내심을 더 많이 가지면 우리에게 적합한 사람을 만날 수 있다고 했으므로 정답은 ①.

어휘 lasting 지속적인 / satisfying 만족스러운 / bond 유대, 결속 / trait 특성 / depth 깊이 / loneliness 외로움; 고독 / patience 인내(심) / be filled with ~으로 가득 차다

구문 **[1~2행]** Finding a lasting and satisfying bond with another person (S) requires (V) knowing **what qualities of character we desire** (O_1), and a lot of luck (O_2).
requires의 목적어로 knowing ~ we desire와 a lot of luck이 접속사 and로 연결되어 있다. what qualities of character we desire는 knowing의 목적어로 쓰인 「의문사+주어+동사」의 의문사절이다.
[4~5행] ~, **the more** patience we have, ***the more time*** we have [**in which to meet** the person of our dreams].
「the+비교급 ~, the+비교급 …」은 '~하면 할수록 더 …하다'라는 뜻. in which ~ dreams는 「전치사+관계대명사절」이 「전치사+관계대명사+to-v」로 축약된 것이다. which의 선행사는 the more time.

3 ④

해석 나는 차의 앞쪽 끝을 잭으로 들어 올리고 그 아래 있는 눈을 치웠다. 그러는 동안에, Daniel은 차를 따뜻하게 유지해서 우리가 얼어 죽지 않게 하고, 차를 작동시키는 데 충분한 빛을 확보하려고 라디에이터에서 약 2피트 앞에 불을 지폈다. 핸들 조정은 놀라울 정도로 수월해서 우리는 몇 분 이내로 다시 떠날 준비를 했다. 그런데 그때 우리는 좁은 길을 빠져나가는 것이 들어왔던 것보다 더 어렵다는 것을 알게 되었다. 빽빽한 나무들 때문에 어딘 가에 빠져버리는 심각한 위험을 감수하지 않고서는 차를 돌릴 방법이 없었다. 게다가 휘몰아치는 눈보라 때문에 시야가 매우 흐려졌다. 우리가 더 할 수 있는 일은 아무것도 없었다.

해설 필자는 눈에 빠진 차가 다시 움직일 때는 '마음이 놓였다가' 좁은 길을 빠져나갈 수 없고 눈보라가 휘몰아치자 '좌절했을' 것이다.

선택지분석 ① 걱정하는 → 기쁜 ② 슬퍼하는 → 부끄러운
③ 화난 → 동조적인 ⑤ 감정 어린 → 감동받은

어휘 in the meantime 그러는 동안에 / radiator 라디에이터, (자동차의) 냉각기 / furnish (필요한 것을) 공급하다, 제공하다 / operation (기계 등의) 작동, 운전 / lane 좁은 길 / density 빽빽함, 조밀함 / get stuck (옴짝달싹 못하게) 빠지다, 끼다 / whirl 매우 빠르게 돌다, 소용돌이치다 / visibility 시야, 눈에 보이는 정도

구문 **[2~3행]** ~ **to keep** the car warm and (***to keep***) us from freezing to death, and **to furnish** enough light for the operation.
목적을 나타내는 부사적 용법으로 쓰인 두 개의 to부정사 to keep과 to furnish가 and로 연결되어 병렬구조를 이루고 있다. 또한 the car warm과 us from freezing to death 역시 동사 to keep에 and로 병렬 연결되어 있다. 「keep A from + v-ing」는 'A가 v하지 못하게 하다'라는 뜻이다.
[5~6행] Then we discovered / **that** it (가주어) would be **more difficult** / to get out of the lane (진주어) / **than** it **had been** (*difficult*) to get in (*the lane*).
동사 discovered의 목적어로 쓰인 that절은 비교급 문장으로 공통된 부분은 이처럼 생략되었다. 차가 좁은 길에 '들어온' 것이 차가 길에서 '나간' 것보다 먼저 일어난 일이므로 had been의 과거완료시제가 쓰였다.

4 ③

해석 비타민C는 어떻게 뇌에 영향을 주는가? 비타민C의 가장 확실한 능력은 항산화제로서 갖는 능력이다. 선도적 연구자인 Lester Packer는 비타민C가 비타민E와 더불어 가장 강력한 항산화제 가운데 하나라고 말한다. 항산화제로서 비타민C는 다양한 손상 원인으로부터 뇌세포를 보호한다. 예를 들어, 알츠하이머병에 걸린 사람들은 젊고 건강한 사람보다 뇌에 비타민C 양이 훨씬 적다는 것을 연구들이 보여주었다. 그러나 비타민C는 항산화제 이상이다. 그것은 지능지수와 다양한 정신 기능을 향상시킬 수 있다. 예를 들어, 혈중 비타민C 농도가 가장 높은 학생들은 다른 학생들보다 기억력과 지능지수 테스트에서 더 좋은 점수를 받은 것으로 밝혀졌다. 점수가 낮은 학생들도 비타민C를 더 많이 섭취함으로써 테스트 결과를 향상할 수 있다.

해설 주어진 문장은 역접 연결어인 However와 더불어 비타민C가 항산화제 이상이라고 했으므로, 주어진 문장을 기준으로 앞에는 항산화제로서의 비타민C의 기능, 뒤에는 항산화제 이상의 비타민C 기능이 나와야 한다. 따라서, 항산화제로서 비타민 C가 뇌세포를 보호한다는 내용과 그 예시가 나오는 문장 뒤와 비타민C가 지능지수와 정신 기능에 미치는 영향을 말하는 문장 앞인 ③이 적절하다. 따라서 정답은 ③.

어휘 obvious 분명한, 명백한 / along with ~와 함께; ~와 마찬가지로

구문 **[5~7행]** For example, studies have shown / that *people* (with Alzheimer's disease) have **much lower** levels of vitamin C in the brain **than** young healthy people.
much는 비교급을 수식하는 부사이다.

5 ④

해석 싱글맘인 Susan은 자신의 아들 Jake를 위해 가능한 한 많은 것을 주고 싶었다. 그러나 Jake는 다른 사람들과 관계 맺는데 어려움이 있었고, 집에서 나가고 싶어 하지 않았다. Susan은 자신이 집에서 일하면 도움이 될지도 모른다고 생각했는데, 집에서는 그녀가 Jake를 계속 지켜보면서 더 돌봐줄 수 있을 것이었다. 그녀의 많은 희생에도 불구하고, Jake는 나아지지 않았고 그래서 그녀는 전문가의 도움을 구했다. 마침내 그녀는 Jake에게 그녀와 떨어져서 살아볼 것을 제안했다. (서로를) 분리하는 그 하나의 행동은 커다란 변화의 원천인 것으로 드러났다. 몇 개월 내에, 두 사람의 삶은 모두 상승 방향으로 돌아섰다. 그녀의 이야기에서 되도록 자녀들을 편안하게 해주는 것이 언제나 정답은 아니라는 것을 알 수 있다. 가능한 한 많은 지원을 해주는 것이 마땅히 해야 할 일인 때가 있지만, 그 시기는 영원하지 않다.

해설 이 글은 싱글맘인 Susan의 예가 등장하고 마지막에 주제가 드러나는 구조로 이루어져 있다. 자녀를 위해 모든 것을 희생하며 주는 것이 항상 좋은 결과를 가져오는 것은 아니라는 내용으로 정답은 ④이다.

선택지분석 ① 부모에게서 독립하도록 노력하라
② 절박하다면 전문가의 도움을 받아라!
③ 자녀를 위하여 할 수 있는 한 많이 희생하라
④ 더 많이 주기 위해서 때로 더 적게 주어야 한다
⑤ 가족 갈등: 일상적이고 자연스러운 일

어휘 have difficulty (in) ~하는 데 어려움을 겪다 / relate to A A와 관련되다 / keep an eye on ~을 계속 지켜보다 / sacrifice 희생(물); 희생하다 / separation 분리, 구분 / turn out ~인 것으로 드러나다 / upward turn 상승 경향 **[선택지어휘]** independent 독립된; 자립적인 / desperate 절박한, 필사적인; 절망적인 / conflict 갈등, 충돌 / occurrence 일어난 일; 발생

구문 **[5행]** Finally, she **suggested** / to Jake / **that** he ***(should)*** try living apart from her.
that 이하는 suggested의 목적어로 쓰인 명사절이며, 요구·주장·제안 등을 나타내는 동사(insist, recommend, suggest 등)에 계속되는 that절의 동사로는 「(should)+동사원형」을 쓴다.
[7~8행] ~, we can learn / that keeping[V] our children[O] **as comfortable as they can be**[C] (S′) is not (V′) always the answer.
[8~9행] There is *a time* [**when** giving **as much support as possible** (S′) is (V′) *the right thing* (C′) (to do)], but that time isn't forever.
when ~ to do는 a time을 수식하는 관계부사절이다. to do는 the right thing을 수식하는 형용사적 용법의 to부정사구이다.

UNIT 01 강조구문

p. 132

1 the kind of food people eat for each meal
건강에서 가장 중요한 역할을 하는 것은 사람들이 식사 때마다 먹는 음식의 종류이다.
cf. 낮은 속력으로 달리다가 충돌할 경우 사망이나 중상으로 이어질 가능성이 낮다는 것은 확실하다.

2 not until after 9 a.m.
오전 9시가 되어서야 내가 탈 비행기가 이륙을 위한 준비로 마침내 터미널을 떠났다.
◆ 오늘날 우리가 알고 있는 여권이 사용되기 시작한 것은 언제였나?

3 encourage
임의로 베푼 친절이 실제로 다른 사람도 그와 같은 일을 하도록[친절을 베풀게] 장려하는 증거를 나는 여러 차례 보았다.

1 significant 중요한
cf. collision 충돌 (사고), 부딪힘 / be likely to-v v할 가능성이 높다, v할 것 같다
2 terminal 공항 터미널; 종착역 / in preparation for ~의 대비로 / takeoff 이륙; 도약; 출발
3 proof 증거(물); 증명 / random 무작위의; 임의로 하는 / encourage 권장하다, 장려하다

A

1 the Italians | 커피, 우유, 그리고 맨 위에 우유 거품을 추가하는 카푸치노의 유행을 처음으로 시작한 것은 바로 이탈리아 사람들이었다.

2 make | 부상 때문에 Jim은 농구부에서 경기를 할 수 없었지만, 코치는 그가 연습할 수 있도록 그를 장비 관리자로 만들었다.

3 with documentaries | 그 감독의 경력이 시작된 것은 바로 다큐멘터리였고, 그래서 그의 후기 작업은 그 장르로부터의 많은 기술을 특징으로 했다.

4 the uncertainty of the result and the quality of the sporting contests | 우리는 스포츠 경기의 결과를 예측할 수 없다. 우리가 매력적이라고 생각하는 것은 결과의 불확실성과 스포츠 경기의 질이다.

5 get | 어느 정도의 예술적인 능력은 천부적인 재능이지만, 사람들은 연습을 통해 정말로 나아진다.

1 cappuccino 카푸치노 (커피)
2 equipment 장비, 용품
3 feature 특징을 이루다; 특징
4 uncertainty 불확실성

B ①

해석 활성화 에너지는 화학 반응을 시작하는 데 필요한 에너지이다. 예를 들어, 종이는 화씨 451도에서 연소하지만 450도에서는 연소하지 않는다. 이제 당신이 숲속에서 길을 잃어 추운 상태로 따뜻한 온기를 필요로 한다고 상상해 보자. 당신은 종이와 나뭇잎을 좀 태우기 원하여 막대기 두 개를 한데 문지름으로써 에너지를 쏟는다. 당신은 자신의 노력으로 열을 만들고 심지어 온도를 450도까지 올린다. 슬프게도 당신은 활성화 에너지가 451도라는 사실을 모른 채 실망한 나머지 그만둔다. 그러나 당신이 불을 붙이지 못하게 한 것은 겨우 조금의 노력이었다. 위대한 챔피언들은 좋은 것과 위대한 것의 차이가 믿을 수 없을 정도로 작다는 것을 알고 있다. 때로 필요한 모든 것은 조금만 더 인내하는 것이며 그럴 때 당신은 다음 단계에 올라서 있는 자신을 발견할 것이다. 추가적인 노력을 기울이는 것이야말로 위대한 성과의 토대를 형성한다.

해설 단 1도 차이로 불을 붙일 수 있고 없음이 결정되는 것처럼 좋음과 위대함의 차이 역시 매우 작다고 이야기하고 있다. 빈칸 앞에서 조금 더 인내하면 다음 단계로 올라갈 수 있다고 했으므로, 위대해지기 위해서 필요한 것은 1도를 높이기 위한 '추가적인 노력'일 것이다. 정답은 ①.

선택지분석 ② 명확한 목표를 설정하는 것
③ 자기 자신을 믿는 것
④ 긍정적인 면을 보는 것
⑤ 필수적인 지식을 얻는 것

어휘 invest (시간·에너지 등을) 쏟다, 바치다 / incredibly 믿을 수 없을 정도로 / foundation 토대, 기초 **[선택지어휘]** look on the bright side 긍정적으로 보다

구문 [2~3행] Now imagine yourself lost in a forest, **(being) cold**, and **needing warmth.**
cold ~ warmth는 동시상황을 나타내는 분사구문으로, cold 앞에 being이 생략되어 있다.

[9~10행] **Giving** extra effort (S) **does** *form* (V) *the foundation* (O) (for great performances).
동명사구가 주어이므로 단수 동사(does)가 쓰였다.

UNIT 02 삽입구문 · 동격구문

p. 134

1 (— in reading, math, and other subjects —)
음악 공부는 아이들이 학교에서 하는 모든 학습, 즉 읽기, 수학, 그리고 기타 과목들을 풍부하게 한다.

2 (it seemed)
보기에, Simon의 새집은 한 사람이 혼자 살기에는 너무 컸다.
+Tip 시드니와 멜버른이 호주의 가장 큰 도시이지만, 인구 50만도 되지 않는 캔버라가 그 나라의 수도이다.

3 The eye, the most delicate and sensitive part of the body
신체 중 가장 연약하고 민감한 부위인 눈은 공기 중에 있는 먼지를 견뎌내야 한다.

4 the idea, that the living generation must be protectors of the earth's resources for later generations
미래에 대한 공정함은 현세대가 다음 세대를 위하여 지구 자원의 보호자가 되어야 한다는 생각을 포함한다.
cf. 투자자들의 마음을 여는 비결은, 투자자들에게 특별히 흥미 있어 보이는 방식으로 당신의 프로젝트에 대해 얘기하는 것이다.

1 enrich 풍요롭게 하다; 질을 높이다
3 delicate 연약한 / sensitive 민감한 / withstand 견뎌내다 / present 있는, 존재하는
4 fairness 공정성 / protector 보호자; 보호 기관
cf. attract 끌어 모으다 / investor 투자자 / particularly 특별히, 특히

A

1 (— usually about 20 stories high —) | 보통 20층 정도의 높이인 풍차보다도 훨씬 높은 풍력 발전기는 오늘날 풍력을 잡아내는 데 사용되고 있다.

2 (especially children) | 폭넓은 연구는 폭력적인 장면을 보는 것이 사람들, 특히 어린이들을 폭력적으로 되게 한다는 것을 보여준다.

3 Fossil fuels, one of the main sources of electric power | 전력의 주요 공급원 중 하나인 화석 연료는 재생 불가능한 에너지원인데, 이는 화석 연료가 한번 타면 대체되기 어렵기 때문이다.

4 The belief, that athletes run faster and faster until they reach the finish line | 육상선수들이 결승선에 닿을 때까지 점점 더 빨리 뛴다는 생각은 대개의 경우 사실이 아니다.

5 The kiwi, a non-flying bird found in New Zealand | 뉴질랜드에서 발견되는 날지 못하는 새 키위는 대략 4파운드 정도 무게가 나가고, 새의 알은 1파운드 정도이다.

6 the chances, that you'll repeat those mistakes again | 실수를 숨기거나 실수에 대해 변명하는 것은 당신이 그 실수들을 다시 반복할 가능성을 증가시킨다.

1 wind tower 풍력 발전기 / windmill 풍차
2 extensive 광범위한; 대규모의
3 fossil fuel 화석 연료 / nonrenewable 재생이 안 되는 / replace 대신하다, 대체하다
5 weigh 무게가 ~이다

B ③ 서술형Q One of the 20th century's most influential voices in American and English literature, Ezra Pound

해석 확실히, 모든 학문 분야의 사람들에게 요약하기란 어렵다. 많은 유명 소설가들은, Mark Twain과 Ernest Hemingway가 생각나는데, 편집자들에게 자기들 원고의 과도한 길이에 대해 유감스럽게 생각하며, 만일 시간이 더 있었더라면 작품이 절반 길이가 되었을 것이라고 편지를 써 보냈다. Winston Churchill은 5분 전에 예고를

해설 글의 주제는 간명하게 쓰는 것이 장황하게 쓰는 것보다 훨씬 어려운 일이라는 것인데, ③번 문장은 '시는 정서에 합치하는 운율을 지녀야 한다'는 진술이므로 글의 전체 내용과 관계없다.

서술형 해설 문장의 주어 One of the 20th century's most influential voices in American and English literature가 콤마(,)로 Ezra Pound와 동격을 이루고 있다.

받으면 하루 종일 연설할 수 있겠지만 연설할 시간이 5분만 주어진다면 준비하는 데 하루 종일이 필요하다고 말했다고 한다. (20세기 영미문학의 가장 영향력 있는 대변자 중 하나인 Ezra Pound는 각각의 시는 표현되는 정서나 정서의 색조에 정확하게 상응하는 운율을 지녀야 한다고 선언했다.) 시인 Edwin Arlington Robinson은 나이가 들자 "내가 이제 예순이 넘으니 짧은 시는 너무 많은 수고를 필요로 하는군요."라고 말하면서 짧은 운문에서 길이가 긴 작품을 쓰는 것으로 옮겨갔다. 이런 사람들은 말하기를 글쓰기의 정수는 페이지 위에 단어를 늘어놓는 것이 아니라 불필요한 단어들을 인지하고 지우는 것을 깨닫는 것이라고 한다.

어휘 abstract 요약하다, 추출하다; 추상적인 / discipline 학문의 분야; 훈육, 규율 / come to mind 생각이 나다 / editor 편집자 / regret 유감스럽게 생각하다, 후회하다 / manuscript 원고 / be supposed to ~라고 여겨지다 / notice 예고 / influential 영향력 있는 / voice (주의 등의) 대변자 / correspond 상응하다, 일치하다 / shift 바꾸다 / verse 운문, 시 / lengthy 너무 긴, 장황한 / remark 언급하다, 발언하다 / essence 본질

구문 **[4~6행]** Winston Churchill is supposed **to have said** / that he ~ needed *a day* (to prepare) // if he had *only five minutes* **[in which** to speak].

Winston Churchill이 말한 것은 동사 is supposed의 현재시제보다 한 시제 앞선 과거시제의 일이므로, 이를 나타내기 위해 완료 부정사 to have said로 썼다. to prepare는 형용사적 용법의 to부정사로 a day를 수식하고, in which to speak은 「전치사+관계대명사+to부정사」의 어순으로 only five minutes를 수식한다.

[11~12행] The essence of writing, **these individuals say,** is not putting words on the page but learning to recognize and erase the unnecessary ones.

these individuals say는 삽입절이다. 「not A but B」는 'A가 아니라 B다'의 뜻인데, A와 B 자리에 각각 putting과 learning이 이끄는 동명사구가 와서 병렬구조를 이루고 있다.

UNIT 03 생략구문

p. 136

1 Education was important to people throughout history and it certainly is **(important)** to us today.
역사를 통틀어 교육은 사람들에게 중요했으며, 오늘날 우리에게도 확실히 그렇다.

2 While **(they are)** playing with collections (such as dolls, comic books, stickers, and so on), children can organize them by size, shape, or color.
인형, 만화책, 스티커 등과 같은 소장품들을 가지고 놀면서 아이들은 그것들을 크기, 모양, 또는 색깔에 따라 정리할 수 있다.

3 One way to stay motivated is to hang around with those who have already achieved what you would like to **(achieve)**.
지속적으로 동기를 부여받는 한 가지 방법은, 당신이 성취하고 싶은 것을 이미 성취한 사람들과 함께 어울리는 것이다.

2 organize 정리하다; 조직하다
3 motivated 동기 부여된, 자극받은 / hang around with ~와 시간을 보내다

A

1 When **(birds are)** unable ~ | (새들은) 딱딱한 견과류를 까지 못할 때, 새들은 보통 매우 높은 곳에서 견과류를 떨어뜨린다.

2 ~ while **(they are)** at work | 모든 직원은 (그들이) 일하는 동안 사원증을 착용해야 한다.

3 ~ it was hard to **(correct)** | 나는 (고치기) 어렵지만, 손톱 깨무는 버릇을 고치려고 노력했다.

4 ~ someday you will **(know what "irony" means)** | 당신은 지금 '아이러니'가 무슨 의미인지 알지도 못하겠지만, 언젠가 ('아이러니'가 무슨 의미인지) 알게 될 것이다.

5 ~ vigorous physical activity was **(related to academic achievement scores)** | 한 연구에서 체육 수업에 등록하는 것은 학업 성적과 관련이 없지만, 활발한 신체 활동에 참여하는 것은 (학업 성적과 관련이) 있다는 것을 알아냈다.

2 identification card 신분증
5 enrollment 등록; 입학 / academic 학업의, 학교의 / involvement 참여; 몰두, 열중 / vigorous 활발한, 격렬한

B ⑤ 서술형Q ⓐ important ⓑ they, had, been

해석 사소한 문제에 사로잡혀 있으면 집중력을 잃기 쉽다. 당신은 자원이나 노력을 낭비할 형편이 못 된다. 그러므로 모든 것은 당신의 비전을 현실로 만드는 데 집중되어야 한다. 왜냐하면 그것이 중요한 것과 중요하지 않은 것을 결정짓기 때문이다. 몇 년 전, 고래 열 마리가 바하 반도(태평양과 캘리포니아 만 사이의 반도)의 해변으로 몰려와 죽었다. 해양 생물학자들은 놀라, 이 떼죽음의 원인을 알아내기 위해 그 고래들을 연구했다. 몇 주 뒤, 한 신문은 그 고래들이 작은 물고기를 해안 가까이에서 쫓다가 집중력을 잃고 해변으로 이동해 왔다고 보도했다. 확실한 비전은 유사한 운명으로부터 당신을 구해줄 수 있다. 목사이자 작가인 Andy Stanley는 다음과 같이 말하면서 우리에게 이 점을 이해하도록 촉구한다. "당신 주변에 있는 것에 집중하는 것은 당신 앞에 있는 것에 집중하는 능력을 떨어뜨립니다."

해설 분명한 비전이 중요한 곳에 집중할 수 있도록 도와준다는 내용의 글이고, 주어진 문장은 분명한 비전이 '유사한 운명'에 빠지지 않도록 한다고 말하고 있으므로, 앞에는 중요한 것에 집중하지 못해 초래된 부정적인 운명에 관한 내용이 나와야 할 것이다. 따라서 고래 열 마리가 작은 물고기를 쫓다가 해변으로 몰려와 목숨을 잃었다는 내용이 주어진 문장 앞에 오는 것이 자연스럽다. 또한, ⑤의 뒤에서 Andy Stanley가 'this'를 이해하도록 촉구한다고 말했으나 ⑤의 앞에는 이에 대응하는 요소가 없으므로 ⑤에 주어진 문장이 위치해야 한다.

서술형 해설 ⓐ what is 뒤에는 앞에 나온 important가 반복되어 생략되었다.
ⓑ while로 시작되는 부사절의 주어가 that절의 주어 the whales와 같아, while 뒤에 「주어+be동사」가 생략되었다. 여기에서는 앞에 과거완료시제(had lost)가 사용되었으므로, 시제 일치를 위해 동사로 had been을 써야 한다.

어휘 trivial 사소한, 하찮은 / afford to-v v할 여유가 있다, v할 형편이 된다 / beach 바다로 오다 / peninsula 반도 / marine 바다의, 해양의 / alarm 놀라게 하다 / massive 거대한; 심각한 / minister 성직자 / diminish 줄이다; 줄어들다

구문 [3~5행] Therefore, everything must be focused on making(V′) your vision(O′) a reality(C′) // because it determines **what** is important [and] **what** is not (*important*).
what is important와 what is not은 determines의 목적어로 쓰인 간접의문문으로 「의문사(주어)+동사」의 어순이며, 접속사 and로 병렬 연결되어 있다.
[9~11행] Andy Stanley, a minister and author, urges us to understand this // when he says, "**To focus on what's around you**(S′) diminishes(V′) *your ability*(O′) (to focus on **what's before you**)."
to부정사구가 주어로 쓰여 단수 동사 diminishes가 왔으며, what's around you와 what's before you는 각각 전치사 on의 목적어로 쓰인 명사절이다.

UNIT 04 도치구문

p. 138

1 are(V) the days when clean water was limitless and free everywhere(S)
깨끗한 물이 끝없이 어디에나 있던 날들은 가버렸다.

2 does(조동사) the average person(S) realize(V)
수많은 시행착오를 거친 뒤에야 보통 사람은 자신이 삶에서 진정으로 하고 싶은 것이 무엇인지 깨닫는다.

3 lives(V) the Korowai tribe(S)
인도네시아 남동부 파푸아 지방의 정글 깊은 곳에 코로와이 부족이 산다.

Check it Out! 1. 자기 자신에 대해 다른 사람과 자유롭게 소통하는 사람은 자기노출형이라고 볼 수 있고, 자신의 개인적인 경험을 다른 사람과 공유하는 사람도 마찬가지다.
2. 개선된 농기구가 도입되면서 인간의 근력에 대한 필요성이 덜 하다.

2 trial and error 시행착오
3 province 지방; 주
Check it Out! disclose 밝히다; 드러내다 / introduction 도입 / improved 개선된 / equipment 도구 / muscular 근육의

A

1 is(V), the idea that human life is more valuable than self-interest(S) | 인간의 삶이 사리사욕보다 더 가치 있다는 생각이 대부분의 도덕적인 접근법의 핵심이다.

2 can(조동사), 두 번째 we(S) understand(V) | 우리는 오직 특정한 상황에서 우리 자신이 무엇을 느낄지 상상함으로써 다른 이들이 어떻게 느끼는지 이해할 수 있다.

1 fundamental 기본원칙, 핵심 / self-interest 사리사욕

3 was, 첫 번째 I | 나는 라디오를 켰을 때 비행기 추락사고 소식에 충격을 받았다.
V S

4 was, an eleven-year-old boy dressed in shabby clothes | 그의 옆에는 허름한 옷을 입은 열한 살짜리 소년이 서 있었다.
V S

5 can, some types of plants, reduce | 어떤 종류의 식물들은 대기 오염 물질을 줄일 수 있을 뿐만 아니라 이산화탄소를 산소로 다시 전환할 수도 있다.
조동사 S V

6 was, a big bowl of chocolate chip cookies | 그 방 탁자에는 초콜릿 칩 쿠키가 든 큰 그릇이 있었다.
V S

3 crash (항공기 추락) 사고
4 shabby 허름한, 다 낡은
5 pollutant 오염 물질 / convert 전환시키다; 전환되다 / carbon dioxide 이산화탄소 / oxygen 산소

B ② 서술형Q ⓐ we can see → can we see ⓒ anyone was → was anyone

해석 우리는 우리가 의존하는 고정관념 때문에 좀처럼 세상을 있는 그대로 보지 못한다. 이는 다음의 이야기에서 분명하게 확인된다. 한 남자가 워싱턴 DC의 한 지하철역에서 바이올린을 켜기 시작했다.
(B) 수천 명의 사람이 그 역을 지나쳤지만 그 남자의 능숙한 연주에 관심을 갖는 이는 매우 드물었다. 그가 연주를 마쳤을 때 아무도 박수를 치지 않았고, (그의 연주를) 분명히 알아보는 사람도 없었다.
(A) 그러나 그 바이올리니스트는 세계적으로 유명한 음악가인 Joshua Bell이었다. Joshua Bell이 지하철역에서 연주하는 이 이벤트는 워싱턴포스트가 사회적 실험의 일환으로 주관한 것이었다.
(C) Bell이 지하철역에서 연주하고 있었기 때문에 사람들은 그가 돈을 벌려고 연주하는 거리의 음악가라고 생각했다. 그들은 거리의 음악가에게서 듣고 보기를 기대했던 것만 보고 들었다.

해설 한 남자가 지하철역에서 바이올린을 켜기 시작했다는 내용의 주어진 문장 뒤에는 사람들이 그에게 거의 관심을 갖지 않았다는 내용인 (B)가 나오는 것이 자연스럽다. 그 뒤로 그가 세계적으로 유명한 바이올리니스트인 Joshua Bell이었다고 밝히는 (A)가 이어지며, 마지막으로 사람들이 왜 Bell을 알아보지 못했는지 이유를 말하고 있는 (C)가 나오는 것이 적절하다. 따라서 순서는 (B)-(A)-(C).

서술형 해설 ⓐ 부정어구 Hardly가 문두에 오면, 주어(we)와 조동사(can)가 도치된다. ⓒ '매우 드물게'라는 뜻의 부정어구 only rarely가 문두에 오면 주어(anyone)와 동사(was)가 도치된다.

어휘 stereotype 고정관념 / be concerned with ~에 관심이 있다 / skillful 숙련된, 솜씨 좋은 / recognition 알아봄, 인식 / assume 추측하다, 추정하다

구문 **[1행] Hardly can we see** the world as it is / because of *the stereotype*s [*(that)* we rely upon].
we rely upon은 the stereotypes를 수식하는 관계대명사절이다.
[8~9행] When he finished playing, // no one clapped, / **nor was there** any other obvious recognition.
「nor[neither]+V+S」는 'S도 역시 ~이 아니다'라는 뜻으로, 부정문의 동의 표현을 이끄는 접속사 nor가 쓰여 도치된 형태이다. there는 형식주어로 동사(was)와 도치되었고, 주어는 any other obvious recognition이다.

UNIT 05 부정구문

p. 140

1 과학에서는, 어떤 이론이 사실이라는 것을 결코 실제로 증명할 수 없다. 과학에서 우리가 할 수 있는 모든 일은 가설을 받아들이지 않기 위해 증거를 사용하는 것이다.

2 학교와 일, 그리고 여러 다른 요구들을 처리하면서 잘 챙겨 먹는다는 것이 언제나 쉬운 일은 아니다.

3 기름을 다시 채우지 않으면 차를 계속 운전할 수 없는 것처럼, 당신은 감정적으로 재충전하지 않으면 아이들에게 계속 줄 수 없다.

4 예술가로서, 적절한 매체를 찾는 것은 언제나 쉬운 일은 아니지만, 결코 불가능한 일도 아니다.

1 theory 이론 / reject 받아들이지 않다; 거절하다; 거부하다 / hypothesis 가설
2 a variety of 다양한, 여러 가지의
3 refill 다시 채우다, 리필하다 / refuel 연료를 재급유하다

A

1 Nobody | 다른 사람들에게 받아들여지기를 바라는 것은 인간 본성의 일부이다. 소외감을 느끼고 싶은 사람은 아무도 없다.

2 Not all | 성공한 사람들의 자녀가 모두 성공하는 것은 아니다.

3 Nothing, without | 세상의 어떤 위대한 것도 열정 없이 이루어진 적은 없었다.

4 have yet to | 알려진 해양 생물 형태는 수십만 개가 있지만, 아직 발견되지 않은 것도 많다.

1 human nature 인간 본성 / leave out 빼다, 배재시키다
4 marine life 해양 생물

B ② 서술형 Q 당신의 뇌가 지불의 부정적 측면을 결코 인식하지 못한다

해석 재정상담가인 Herman은 채무 문제를 갖고 있는 사람들과 일한다. 자신의 고객에 대한 그의 관찰은 신용카드에 관한 중요한 현실을 포착한다. 신용카드로 지불하는 것은 우리의 계산과 재정적 결정을 변화시켜 우리가 돈을 쓰는 방식을 본질적으로 바꾼다. 현금으로 무언가를 살 때, 그 구매는 실제적인 손실, 즉 당신의 지갑이 말 그대로 더 가벼워지는 현상을 수반한다. 그러나 신용카드는 그 구매를 추상적인 것으로 만들어, 당신은 돈을 지출하는 고통이 없어진다. 뇌 영상 실험은, 신용카드로 지불하는 것이 실제로 부정적 감정과 연관된 뇌 영역의 활동을 줄인다고 말한다. 카네기멜론 대학의 한 교수가 말했듯이, 신용카드의 본질은 당신의 뇌가 지불의 부정적 측면을 결코 인식하지 못하도록 한다. (신용카드로) 돈을 쓰는 것이 전혀 나쁘지 않게 느껴지기 때문에, 당신은 더 많은 돈을 지출한다.

해설 빈칸을 포함한 문장에 역접을 뜻하는 however가 포함되어 있으므로 빈칸에는 앞 문장과 대비되는 내용이 나올 것임을 알 수 있다. 그래서 현금 사용과 대비되는 신용카드 사용이 어떠한지를 찾아야 하는데, 빈칸 뒤에서 신용카드로 지불하는 것은 뇌로 하여금 지불의 부정적 측면을 느끼지 못하게 해 더 많은 돈을 지출하게 한다고 했다. 따라서 '돈을 지출하는 고통'이 없다는 ②가 적절하다.

선택지분석 ① 더 많이 쓰려는 욕망
③ 현금을 지니고 다니는 불편함
④ 끊임없는 채무를 지고 사는 두려움
⑤ 체계적인 소비의 통제

서술형 해설 anything but은 '~이 결코 아닌'의 뜻으로, 부정의 의미를 갖는다.

어휘 financial 재정의, 금융의 / debt 빚, 부채 / observation 관찰, 감시 / capture (감정·분위기 등을) 포착하다, 담아내다 / plastic 신용카드 / fundamentally 본질적으로, 완전히 / alter 바꾸다, 고치다 / calculation 계산; 추정 / literally 문자[말] 그대로 / associated with ~와 관련된 / ensure 반드시 ~하게 하다, 보장하다 **[선택지어휘]** desire 욕구, 갈망 / organized 체계적인; 정리된 / consumption 소비(량)

구문 **[2~4행]** Paying with plastic(S) fundamentally changes(V) ***the way***(O) [(*that*[*in which*]) we spend money], / **altering** our calculations and financial decisions.
we spend money는 선행사 the way를 수식하는 관계부사절로 앞에 that 또는 in which가 생략되어 있다. 이처럼 선행사가 the way일 경우에는 the way how 형태로 쓰이지 않아, the way나 how 중 한쪽을 생략하거나 the way that, the way in which의 형태로 쓸 수 있다. altering 이하는 부대상황을 나타내는 분사구문이다.

[5~6행] Credit cards, however, make(V) the purchase(O) abstract(C), // **so that** you're **free from** the pain of spending money.
「so that ~」은 '그 결과 ~하다'라는 결과를 나타낸다.

Make it Yours

p. 142

1 ② 2 ③ 3 ③ 4 ③ 5 ③

1 ②

해석 지난주에 10살 난 내 딸이 자기 선생님을 위해 그렸던 그림을 내게 보여주었다. 나 자신이 화가이기에 나는 곧바로 그 애가 그림에서 빠뜨리고 있었던 몇 가지 세부사항을 발견해서, 그림을 훨씬 더 좋게 해주기 위해 그 애가 덧붙일 수 있는 몇 가지 사항을 제안했다. 딸은 눈물을 글썽거리며 나를 바라보고 말했다. "내 그림들이 아빠에게는 전혀 잘 그린 게 아니죠, 그렇죠?" 이 단순한 말들이 내 가슴을 찔렀다. 나는 딸의 예술적 재능을 아주 자랑스러워했는데, 지금껏 내내 나는 그 애가 형편없다고 느끼게 하였던 것이다. 나는 단지 딸의 작품을 향상시키려고 노력했던 것인데 내가 딸의 자신감을 다치게 해왔다는 것을 즉시 깨달았다. 내가 딸의 그림에서 무언가를 지적할 때마다 딸애는 자기가 실패자인 것처럼 느꼈던 것이다. 그 애가 내게 바란 것이라곤 자기를 자랑스러워하는 것뿐이었는데 말이다. 내가 그 애의 기분을 얼마나 상하게 했는지 나는 전혀 알지 못했다.

해설 딸이 그린 그림을 단지 더 잘 그리게 하려고 지적했을 뿐인데 그것이 아이의 마음을 상하게 해왔다는 것을 깨닫는 상황이다. 그동안 그것을 알지 못했다고 했으므로 ② '부끄러운' 감정을 느꼈을 것이다.

선택지분석 ① 우울한 ③ 몹시 화가 난 ④ 신이 난 ⑤ 지루한

어휘 pierce (마음을) 찌르다; (뾰족한 기구로) ~을 뚫다 / all this time 지금껏 내내 / instantly 즉시, 즉각 / self-confidence 자신감 / point out ~을 지적[언급]하다 / failure 실패자; 실패

구문 **[9행] Little did I know / how bad I made her feel.**
V′ O′ C′

부정어 Little이 문두에 와서 주어(I)와 조동사(did)의 위치가 바뀐 도치 구문이다. 의문사 how가 이끄는 「의문사+S+V」 형태의 간접의문문은 동사 know의 목적어 역할을 하는 명사절이며, 사역동사로 쓰인 made로 인해 목적격보어 자리에는 동사원형 feel이 쓰였다.

2 ③

해석 우리는 모방을 단독 행동으로 여기는 경향이 있다. 하지만 많은 상황에서, 그리고 보통 엄마와 아기의 교류에서, 성공적인 모방을 이루는 것은 오히려 협동적인 일에 가깝다.

(B) 모방의 대상이 되는 자, 모델이 실연자(實演者)가 되어, 미소를 건네고 격려함으로써 모방자의 노력을 촉진한다. 심지어 그런 도움이 필요치 않은 상황에서도, 즉 모방이 쉽게 이루어질 때에도, 모델은 보통 (상대방이) 자신을 성공적으로 모방하였다는 사실을 인식하고 이것을 다시 모방자에게 표현할 것이다.

(C) 성공을 인정해주는 이러한 표시는 미소나 눈이 마주치는 것으로 이루어질 수도 있을 것이고, 그 동작의 수행은 더욱 열정적으로 이루어질 수도 있을 것이다. 뿐만 아니라, 모방자는 자신의 모방이 성공적인 때를 알게 될 것이고, 비슷한 성공의 표시를 하게 될지 모른다.

(A) 그래서 모델(엄마)의 '네가 나를 성공적으로 모방하고 있구나'라는 표시는 보통 모방자(아기)의 '저는 당신을 성공적으로 모방하고 있어요'라는 표시와 만나게 되어, 성공의 표시가 상호적인 것이 되게 한다.

해설 주어진 글은 모방이 단독 행동이라기보다 상호 협동이라는 내용으로, 다음에 상호 협동의 예시가 시작되는 (B)가 이어지는 것이 적절하다. (B)에서 모방의 대상이 되는 모델은 모방 행위가 성공하면 그것을 모방자에게 표현한다고 했으므로, 바로 이 성공을 인정하는 표시, 즉 미소나 눈 마주침 등을 부연 설명하는 (C)가 뒤에 이어진다. 마지막으로 이 표시를 인식한 모방자가 다시 모방자에게 신호를 보냄으로써 모방을 상호적인 것으로 만든다는 내용의 (A)가 오는 것이 자연스럽다.

어휘 normally 보통 / infant 유아 / cooperative 협동하는, 협력하는 / undertaking (중요한·힘든) 일 / imitator 모방하는 사람 / mutual 상호 간의, 서로의 / demonstrator (무엇의 사용법을) 시범 설명하는 사람 / facilitate (행동·과정 등을) 촉진하다 / effortless 노력이 필요 없는, 쉽게 되는 / acknowledgement 인정 / gaze 응시, 시선; 뚫어지게 보다 / enthusiastic 열렬한, 열광적인

구문 **[7~8행]** *The person* (being imitated), the model, becomes the demonstrator, and, / by smiling and encouraging, / facilitates the imitator's efforts.
S = V_1 V_2

[8~10행] Even in *contexts* **[where no such assistance is necessary]**, **where the imitation is effortless**, the model will usually be aware of being successfully imitated ~.

contexts는 where ~ necessary 관계부사절의 수식을 받고 있다. where ~ effortless는 where ~ necessary를 부연 설명하기 위해 삽입된 동격절이다.

3 ③

해석 토착종은 자연 서식지와 생태계의 산물이기 때문에 환경론자들이 선호한다. 어떤 서식지라도 그 안의 식물과 동물의 종(種)은 결코 아무렇게나 배치된 것이 아니며, 외부에서 새로운 종이 유입되면 자연스럽게 존재하는 것을 위협할 수도 있다. 예를 들어, 토착종인 오크 나무가 점유했을 공간을 비토착종인 시카모어 나무가 차지했다고 하자. 오크 나무에 비해 시카모어 나무는 잎을 먹는 곤충과 작은 포유동물의 제한된 종류만 부양한다. 이는 다시, 곤충을 먹는 새나 포유동물 같은 다른 종의 수와 심지어 생존에도 영향을 미칠 것이다. 토착종이 비토착종보다 언제나 더 다양한 생태계를 지원하는 것은 아니지만, 토착종끼리 서로 긴밀한 관계를 발전시킬 시간을 (비토착종보다) 훨씬 더 많이 가진 것은 사실이다.

해설 토착종은 자연 서식지와 생태계의 산물이므로, 비토착종이 토착종을 대체한다면 기존에 있던 다른 종의 수와 생존을 위협해 생태계에 영향을 미칠 수 있다는 내용이므로, 이 글의 주제로 가장 적절한 것은 ③이다.

선택지분석 ① 새로운 종을 환경에 도입하는 방법
② 특정 종의 생존을 결정하는 요인
③ 생태계에서 토착종을 유지해야 하는 이유
④ 서식지에서 비토착종을 배척하는 것의 위험성
⑤ 새로운 종의 예측 가능한 환경적 중요성

어휘 environmentalist 환경 운동가 / ecosystem 생태계 / randomly 무작위로 / distributed 분포된; 광범위한 / non-native 토종이 아닌 / take up ~을 차지하다 / occupy 차지하다; 거주하다 / compared with ~와 비교하여 / mammal 포유동물 / survival 생존 / diverse 다양한 **[선택지어휘]** sustain (생명을) 유지하다 / predictable 예측 가능한

구문 **[2~4행]** *Species* (of *plants and animals* (within any habitat)) are **anything but** randomly distributed, // and *the introduction* (of *a new species* (from outside)) can threaten **what exists naturally**.

「anything but ~」은 '결코 ~ 이 아닌'의 의미. what이 이끄는 절은 threaten의 목적어로 쓰인 선행사를 포함하는 관계사절로 「관계사(주어)+동사」의 어순이다.

4 ③

해석 스포츠는 자기 수양과 같은 많은 개인적인 장점을 키우지만, 그것이 진정으로 강조하는 것은 ① 협동과 팀워크이다. 부분적으로, 이것은 스포츠가 권위에 대해 가르치기 때문이다. 팀 스포츠를 통해 팀원들은 (다른 팀원들을) 이끌고 따르는 경험을 하게 되고, 팀원들은 이 역할들의 ② 연관된 성격을 터득한다. 주장을 맡은 학생은 리더십 기술, 즉 타인에게 동기를 부여하는 법을 배운다. 팀 내의 다른 선수들은 서로 좋아하지 않더라도 서로를 지원할 필요가 있다는 것을 배운다. 개별 팀 구성원들이 어떻게 함께 협동하느냐가 그들의 성공을 ③ 극복한다(→ 결정짓는다). 스포츠는 또한 승패의 ④ 상대성을 보여준다. 아이들은 자신들이 하루는 정상에 있다가 그 다음 날에는 바닥에 있음을 발견할 때 겸손과 동정심을 배운다. 확실히, 그들은 ⑤ 패자를 잘 대우하는 것이 상황이 바뀌어 지난번 시합의 패자가 또 다른 경우 승자의 위치에 있을 때 도움이 된다는 것을 발견한다.

해설 스포츠를 통해 협동심과 팀워크를 배울 수 있다는 내용이다. 학생들이 얼마나 협동심을 발휘하느냐가 경기의 성공 여부를 좌우할 것이다. 따라서 ③에서 성공을 '극복하다(overcomes)'는 어색하며, '결정짓다(determines)'로 바뀌어야 한다.

어휘 virtue 장점; 선; 미덕 / self-discipline 자기 수양, 자기 훈련 / cooperation 합동, 협력 / motivate 동기를 부여하다 / individual 각각의; 개인의 / relativity 상대성 / modesty 겸손 / compassion 동정심, 연민 / the defeated 패배자 / pay off 도움이 되다; 결실을 맺다 / on another occasion 다른 경우에

구문 **[1~2행]** Sports encourage many personal virtues, / such as self-discipline, // but **it is** *cooperation and teamwork* **that** they truly emphasize.

「it is ~ that ...」 강조구문으로, 목적어인 cooperation and teamwork를 강조하고 있다.

[10~12행] Indeed, they discover that treating the defeated well(S′) pays off(V′) // when **things change** [and] **the last game's losers are in the winners' position on another occasion.**

when 뒤에서 things change와 the last game's losers ~ on another occasion의 절 두 개가 and로 병렬 연결되어 있다.

5 ③

해석 풀뿌리환경교육의 이사인 환경운동가 Patti Wood는 학교에서 살충제 사용을 중단하고 친환경 세척용품을 쓰도록 하는 데 자기 시간의 상당 부분을 할애한다. 이유는 무엇일까? Wood는 아동의 천식, 학습 장애, 발달 장애, 알레르기의 발생 비율이 (A) 높아지고 있다는 것을 우리가 보고 있다는 사실을 지적한다. "오늘날 아이들은 점점 더 많은 시간을 실내에서 보내기 때문에 저희는 실내 공기의 질에 대해 (B) 관심을 가질 필요가 있습니다."라고 Wood는 말한다. "학교를 다니는 동안, 아이들은 매일 매일을 똑같은 건물과 교실에서 공부하고 노는데, 세척용품이나 기타 화학제품과 관련된 공기의 질 문제가 있다면 이는 심각한 노출을 의미할 수 있습니다." 그녀는 많은 사립학교와 공립학교가 '아동안전' 제품으로 (C) 전환하도록 도우면서 지금까지 상당한 성과를 이루었는데, 이 제품은 아동 주변에서 사용하도록 Wood가 마련한 매우 엄격한 기준을 충족시킨다.

해설 환경운동가 Patti Wood는 학교가 친환경 제품을 사용하도록 장려한다고 했는데, 이는 학생들의 천식, 학습 장애 등의 발생 비율이 '높아지고' 있기 때문일 것이다. 이러한 상황에서 우리는 아이들이 많은 시간을 보내는 실내 공기의 질에 대해 '관심을 가져야' 하는 것이 문맥상 자연스러우며, Wood는 학교들이 아동안전 제품에 저항하도록 한 것이 아니라 안전한 제품으로 '전환하도록' 도왔을 것이다. 이를 종합하여 (A)에는 rising, (B)에는 concerned, (C)에는 switch가 적절하다.

어휘 pesticide 살충제 / embrace 받아들이다; 껴안다 / learning disability 학습 장애 / disorder (신체 기능의) 장애, 이상 / be concerned about ~에 관심을 가지다; ~을 걱정하다 / chemical 화학제품 / exposure 노출; 폭로 / considerable 상당한, 많은 / resistance to A A에 대한 저항, 반대 / switch to A A로의 전환

구문 **[1~3행]** Environmentalist Patti Wood, director of Grassroots Environmental Education, / spends much of her time working **to get**(V′) schools(O′) **to stop** using pesticides(C₁′) [and] ***(to) embrace*** green cleaning products(C₂′).

to get은 목적을 나타내는 부사적 용법의 to부정사이다. 「get+O+C」는 'O가 ~하게 하다'란 뜻으로, get은 목적격보어로 to부정사를 취한다.

[9~12행] She's made considerable progress so far, / **having helped**(V′) many private and public schools(O′) make the switch to *"Child-Safe" products*(C′), / **which** meet *a very strict standard* [that Wood developed] / for use around children.

having helped는 동시상황을 나타내는 분사구문이다. which 이하는 "Child-Safe" products를 선행사로 하여 그것을 부연 설명하는 관계대명사절이다.

독해가 된다

series